Les Chroniques de
Thomas l'Incrédule

Titre original : *Lord Foul's Bane*
A Del Rey Book
published by Ballantine Books, New York
© Stephen R. Donaldson, 1977
© Éditions J'ai Lu, 1985, pour la traduction française
ISBN 2-277-02113-X

Stephen R. Donaldson

Les Chroniques de Thomas l'Incrédule

traduit de l'américain par Iawa TATE

Roman   Flamme

Pour le Dr. James R. Donaldson, M. D., dont la vie mieux que les mots a exprimé la compassion et l'engagement

Il est une chose dans la beauté...

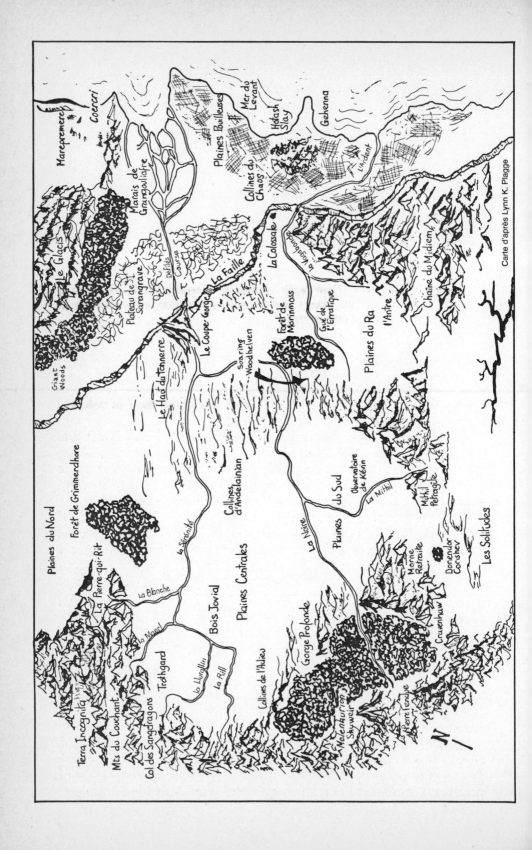

1

L'Archange

Elle sortit du magasin juste à temps. Son petit garçon jouait sur le trottoir, en plein sur la trajectoire du sinistre escogriffe qui se propulsait vers lui à grandes enjambées saccadées. L'espace d'une seconde, le cœur lui manqua. D'un bond, elle rejoignit l'enfant, le saisit par le bras et, rapide comme l'éclair, l'entraîna hors de danger.

L'homme passa, sans même tourner la tête.

— Allez-vous-en! souffla-t-elle, s'adressant à son dos. Allez-vous-en! Vous devriez avoir honte!

Thomas Covenant avançait de la démarche imperturbable d'une machine à ressort qu'on eût remontée en vue de lui faire parcourir une distance précise. En un sens, c'était exactement le cas. Honte? pensait-il. Honte, moi? Sa bouche se tordit en un sourire affreux. *Planquez-vous! Voilà l'immonde paria!*

Mais on s'écartait devant lui. On lui laissait le champ libre. Des gens dont le nom, les habitudes et jusqu'à la poignée de main ne lui étaient pas inconnus. Certains semblaient retenir leur souffle. Pas besoin de crécelle pour ceux-là. Un rictus spasmodique lui tiraillait le visage. Il tâcha de le réprimer et s'abandonna tout entier au mécanisme rigoureux de sa volonté puisque l'important, c'était le pas suivant et celui d'après.

Tout en marchant, il jetait sur sa personne des coups d'œil furtifs, s'assurant qu'aucun accroc ou tache ne venait déranger la bonne ordonnance de ses vêtements, que ses mains étaient vierges d'égratignures et qu'il n'y avait pas de lésion suspecte sur la cicatrice qui remplaçait les deux derniers doigts de sa main droite. L'avertissement des médecins n'avait pas fini de lui marteler les oreilles.

— S.V.P., monsieur Covenant. Surveillance visuelle périphérique! Il y va de votre survie. Une fois mort, un nerf ne repousse pas. A moins de prendre l'habitude de vérifier *de visu*, vous ne pourrez jamais être certain de ne pas vous être blessé dans la minute écoulée. Pensez-y sans cesse. Faites-le sans cesse. La prochaine fois, vous n'aurez peut-être pas autant de chance.

S.V.P. Les lettres qui comprenaient toute son existence.

Des visages naguère familiers défilaient autour de lui. Visages de dégoût, d'effroi ou d'indifférence affectée, voire d'oubli complet, réaction la plus pratique. Les plus malins, donc, « oubliaient » de le voir, purement et simplement. Covenant, lui, eût aimé pouvoir être certain que son propre visage exprimait bien tout le mépris voulu. Hélas, ses muscles faciaux semblaient animés d'une vie erratique, et les médecins avaient beau lui affirmer qu'à ce stade de la maladie cette paralysie intermittente n'était qu'une illusion, il n'osait pas se fier au masque qu'il projetait à la face du monde. Plusieurs femmes qui avaient prétendu débattre de son roman dans leur club littéraire reculèrent carrément comme à l'approche d'un phénomène d'intérêt négligeable dont la monstruosité ne requiert pas d'attention particulière. Une brève souffrance lui enfonça la poitrine. Il reconnut la tentation sournoise de l'apitoiement sur soi-même et lui tordit le cou sur-le-champ, avant qu'elle n'ébranlât sa détermination.

Il approchait de sa destination, l'objectif qui avait fourni un prétexte à cette provocation sous forme de longue marche qu'il s'était imposée. Il en apercevait l'enseigne, deux pâtés de maisons plus loin : *Bell Telephone Company*. Il avait franchi à pied les trois kilomètres séparant le Refuge du centre-ville dans le seul but de payer sa note de téléphone. Il eût pu envoyer un chèque, bien sûr, mais Thomas Covenant avait vite appris à considérer ces petits expédients comme autant d'aveux de défaite face à l'ostracisme galopant dont il était l'objet de la part de ses concitoyens.

Profitant de ce qu'il était en traitement, Joan, son épouse, avait divorcé puis quitté l'Etat, emmenant avec elle leur fils unique... et l'automobile familiale par la même occasion. D'elle, il ne restait que quelques vêtements suspendus dans la penderie. Ensuite, leurs plus proches voisins, distants de près d'un kilomètre de part et d'autre, s'étaient plaints de sa présence parmi eux. Enfin, trois semaines après son retour et sans qu'il en fît la demande, l'épicier avait commencé à lui livrer ses provisions et sans doute s'obstinerait-il, même si Covenant décidait de ne plus régler les factures.

Il parvint à la hauteur du tribunal dont les vénérables colonnes grises supportaient vaillamment leur fardeau de justice, ce même tribunal sous les voûtes duquel on l'avait, par procuration, dépouillé de sa famille. Compatissante, la loi s'était rendue aux prières de l'épouse : comment imposer à une mère d'élever son enfant sous le même toit qu'un homme tel que lui ? *As-tu versé quelques larmes ?* demandait-il au souvenir de Joan. *Ou bien as-tu fait bonne figure ? Et qu'as-tu ressenti ? Du soulagement ?* Il résista au violent désir de courir se mettre à l'abri. La bouche largement ouverte dans une grimace d'écœu-

10

rement, les visages monumentaux qui couronnaient les fûts des colonnes semblaient tout disposés à lui vomir dessus.

Dans une agglomération de moins de cinq mille âmes, on avait vite fait le tour du quartier des affaires. Covenant traversa dans l'axe du supermarché. Juste derrière la vitre, quelques collégiennes prenaient la pose autour du rayon des bijoux fantaisie. Malgré lui, il observa le mouvement de leurs seins et de leurs hanches, et sa gorge se noua comme sous l'effet d'une drogue nauséeuse. Il pouvait bien les convoiter ; ces chairs provocantes, exposées, disponibles lui étaient désormais interdites. Le dépérissement de son système nerveux n'avait pas épargné ses organes sexuels. Thomas Covenant était impuissant. Le souvenir de son épouse en déshabillé vaporeux s'imposa soudain avec une précision brûlante. *Joan, pourquoi m'as-tu abandonné ? N'y a-t-il donc rien de plus important qu'un corps malade ?*

Les épaules raidies comme celles d'un boxeur, il balaya l'image intolérable. De telles faiblesses représentaient un luxe. Il fallait les réprimer impitoyablement. Mieux valait l'amertume, la seule saveur qu'il fût encore à même de goûter.

Consterné, il s'avisa du spectacle qu'il offrait. Planté au milieu du trottoir, poings serrés, frémissant de la tête aux pieds, il avait momentanément perdu le fil de la réalité. Dans un sursaut de colère, il se remit en route et, ce faisant, percuta un passant qui s'était pour ainsi dire jeté dans ses jambes.

Ne me touchez pas ! Je suis impur !

Il eut la vision fugitive d'une espèce de soutane crasseuse d'un brun-roux et se hâta de continuer, sans un mot d'excuse, pour ne pas avoir à soutenir le regard horrifié de l'autre. Très vite, son pas retrouva la cadence de l'automate. Il passa devant les bureaux de l'*Electric Company*. Deux mois auparavant, il leur avait envoyé un chèque qui lui avait été aussitôt retourné sans que l'enveloppe eût même été ouverte. Un billet joint lui avait appris qu'un bienfaiteur anonyme avait payé l'ardoise pour l'année à venir.

Au terme d'un sérieux débat intérieur, Thomas Covenant avait refusé de suivre la pente toute tracée de l'isolement progressif. A ce compte-là, il n'aurait bientôt plus la moindre occasion de rencontrer ses semblables. Voilà pourquoi il avait tenu à venir acquitter en personne sa facture de téléphone.

En personne, se répétait-il résolument. Et s'il arrivait trop tard ? Si quelque âme charitable, réfugiée dans un prudent anonymat, était passée par là aussi ? A quoi lui servirait de se présenter lui-même au guichet ?

A cette pensée, une bouffée d'angoisse lui fit presser le pas. Il procéda à une S.V.P. machinale et concentra son attention sur l'enseigne toute proche. Alors seulement il prit conscience de la mélodie qui lui trottait dans la tête. Spontanément, les paroles s'accrochèrent à la locomotive du refrain.

Petit archange aux pieds d'argile,
Laisse-moi te mettre sur le droit chemin.
Avec un bon sursaut tu pourrais aller loin,
Mais nigaud comme tu l'es, ça ne sera point facile !

Tandis que s'égrenaient les couplets railleurs, le petit air flagellait son orgueil de sa cadence futilement hargneuse, à se demander si là-haut, dans le séjour céleste, une déesse un peu canaille ne prenait pas un malin plaisir à lui seriner inlassablement son destin grotesque. Les coups bas sont les plus douloureux, n'est-ce pas, petit archange ?

Difficile, cependant, de se délivrer de l'obsession d'un simple haussement d'épaules. N'avait-il pas été, dans un passé rayonnant, une sorte d'archange ? Heureux époux, père comblé, il avait écrit dans un état de merveilleuse insouciance un roman qui s'était maintenu une année entière sur les listes des meilleures ventes. En vertu de ce miracle, il était matériellement à l'abri du besoin.

Qu'ils étaient donc innocents, en ce temps bienheureux où il avait commencé à écrire ! Ils venaient juste de se marier. Que l'argent, ou le succès, étaient loin de leurs préoccupations ! Cinq mois d'éblouissement sauvage pendant lesquels, soutenu par la fierté de Joan, l'amour de Joan, il avait fait surgir du néant des paysages fouaillés par la tempête et les créatures de ténèbres qui les hantaient, des collines et des gouffres, un univers entier à qui la fulgurance de l'écriture avait insufflé l'étincelle de vie. Cinq mois de création à l'état pur, puis l'épuisement brutal, satisfait, repu des lendemains d'amour, comme s'il avait brûlé d'un seul coup l'énergie de toute son existence.

L'accomplissement avait été rude. L'angoisse sécrétée par la perception des cimes et des abîmes que lui présentait son imagination imposait une plume d'une noirceur extrême. Or, les hauteurs lui donnaient le vertige et l'émotion chez lui dépassait rarement la mesure. Il n'empêche qu'il avait vécu là les heures les plus exaltantes de sa vie, et quand le moment était venu de poster le manuscrit, il n'avait plus ressenti qu'une certitude apaisée.

Au cours de ces longs mois de travail et d'attente, ils avaient vécu sur les revenus de Joan. Joan Macht Covenant, une fille au visage tranquille et secret qui ne s'épuisait pas en mouvements inutiles. Tout son être tenait dans ses yeux, d'une intensité extraordinaire, et dans le hâle soyeux, délicat, que lui valait une activité de plein air. Non qu'elle fût grande ou robuste, et c'était même pour Covenant une source d'étonnement constant qu'une créature d'aspect si fragile pût gagner sa vie en domptant des chevaux.

De fait, le terme « dompter » ne rendait pas justice à la virtuosité dont elle faisait preuve avec les animaux. Il n'était jamais question de réduire à l'obéissance un étalon aux naseaux écumants, et sa méthode excluait tout recours à l'idée de rapport de forces. C'était moins affaire de dressage que de séduction. Elle séduisait les chevaux, et quand le charme avait opéré, elle entraînait l'animal subjugué dans un galop impétueux autour du Refuge pour lui montrer qu'il pouvait donner le meilleur de lui-même tout en restant sous le contrôle de sa cavalière.

Covenant l'avait longuement observée, impressionné par son efficacité. Même après qu'elle lui eut enseigné à monter, il n'avait pu surmonter tout à fait la crainte que lui inspiraient les chevaux.

Peu lucratif, ce travail les avait tout de même nourris dans l'attente d'une réponse de l'éditeur. Le jour même de l'arrivée de la fameuse lettre d'acceptation, Joan avait décidé que le temps était venu d'avoir un enfant.

En raison des délais de publication, ils avaient vécu près d'un an grâce à une avance sur ses droits d'auteur. Joan avait continué ses activités sous une forme plus atténuée, jusqu'au moment où la sécurité de l'enfant l'avait contrainte à une vie plus sédentaire. Dès lors, accaparée par la tâche exclusive de mener sa grossesse à son terme, elle s'était repliée farouchement sur l'enfant qui grandissait en elle, au point de paraître souvent plongée dans un état de torpeur extraordinaire, comme si le monde ne faisait plus sur ses sens que les impressions les plus vagues.

Sitôt après la naissance, elle avait annoncé que l'enfant s'appellerait Roger, du nom de son père et de son grand-père.

Covenant était sur le point d'atteindre la porte de la *Bell Telephone Company*. Il gronda sous cape. Roger ! Seigneur, il n'avait jamais pu supporter ce nom ! Mais touché par la grâce du petit visage, bouleversé par l'exquise précision de ses traits minuscules, il avait senti son cœur se gonfler de joie et d'orgueil. Il avait un fils, et cela seul comptait. A présent, il était seul. La mère et l'enfant avaient fui Dieu sait où. Et ses yeux s'obstinaient à rester secs.

Il sentit qu'on le tirait par la manche.

— S'il vous plaît, monsieur, souffla une voix de fausset étranglée par la peur. Monsieur !

Il fit volte-face, près de cracher l'avertissement rituel au visage de l'importun (*Ne me touchez pas ! Je suis contagieux !*), mais la frimousse terrorisée du gamin le laissa sans voix. Il semblait presque trop jeune pour ressentir une peur aussi intense, guère plus de huit ou neuf ans. Il levait sur Covenant le regard pétrifié, suppliant de ses yeux fixes, tout ronds dans son visage livide, comme s'il était contraint d'accomplir quelque chose contre quoi tout son être se révoltait.

— Il m'a dit de vous remettre ça. Tenez ! (Il fourra le bout de papier dans la main de Covenant.) S'il vous plaît, monsieur, il faut le lire. S'il vous plaît !

Par pur réflexe, les doigts gourds s'agrippèrent au billet.

— C'est ce bonhomme, là-bas, chuchota l'enfant, l'index pointé dans la direction que Covenant avait prise pour venir.

A quelques dizaines de mètres se tenait un vieillard vêtu d'une soutane ocre. D'où il se trouvait, Covenant pouvait l'entendre bredouiller une litanie imbécile, et bien qu'il eût la bouche pendante, ses lèvres n'articulaient aucune syllabe. La brise soulevait sa barbe frêle et les longues mèches encore accrochées à son crâne. Il avait le visage renversé de telle sorte qu'il semblait regarder en plein dans le soleil. Dans sa main gauche, une écuelle ; dans la droite, un bâton au sommet duquel était fixé un écriteau. Sur l'écriteau, deux mots : « Prends garde. »

Prends garde ?

A cet instant précis, Covenant fut victime d'une hallucination. L'écriteau devint la porte d'un gouffre immonde d'où les menaces s'échappaient en foule pour fondre sur lui. Elles obscurcissaient le ciel et emplissaient l'air de leurs cris effroyables. Au milieu d'elles, deux yeux brûlants, aiguisés comme le tranchant d'une hache. Et c'était lui qu'ils regardaient, lui seul. Comme le venin sourd des crocs du serpent, ils suintaient littéralement la haine et la scélératesse. Covenant frémit. Un doigt glacé venait de lui toucher le cœur.

Prends garde !

Ce n'était qu'un inoffensif écriteau fixé au bâton d'un aveugle. L'illusion se dissipa. Il entendit la voix flûtée de l'enfant. Il sentit la main sur sa manche.

— Lisez-le, monsieur !

— Ne me touche pas ! fit-il d'une voix sourde. Je suis lépreux.

Quand il se retourna, il n'y avait plus personne.

2

" Abandonne tout espoir... "

Il jeta un coup d'œil circulaire. Pas de gamin en vue. Puis son regard accrocha les lettres de cuivre sur la porte : *Bell Telephone Company*. La vieille appréhension revint, et tout le reste s'effaça. Il était arrivé à destination. Il avait fait ce long chemin en vertu de la loi qui reconnaît à tout être humain le droit d'acquitter ses propres factures. Bon Dieu, il n'avait nul besoin de la charité d'autrui ! Mais supposons... supposons... que le bienfaiteur anonyme... le salopard anonyme...

Rien à faire ! Un lépreux ne suppose pas. D'un geste rageur, il enfonça le bout de papier dans sa poche, s'accorda posément une S.V.P. circonstancielle et partit à l'assaut de la porte.

Elle s'ouvrit devant lui. A sa vue, le personnage dodu qui sortait battit précipitamment en retraite, puis devint gris cendré, pâle et livide, dans l'ordre. Covenant l'avait reconnu, lui aussi. L'avocat de Joan. D'ordinaire, l'homme possédait à un degré presque intolérable cette qualité d'onctueuse bonhomie que le barreau et l'Eglise sécrètent par routine. Tandis qu'à cette minute... Pour un peu, le lépreux s'en serait voulu d'être la cause d'un si grand désordre. Brusquement, la conviction qui l'avait poussé hors de chez lui et conduit jusqu'ici vacilla. Avait-il le droit ? L'instant d'après, le tumulte de la rage et de l'indignation déferlait en lui comme une lame de fond. Les salauds ! C'étaient eux qui auraient dû avoir honte. Mais le mal était fait. Le visage d'épouvante de l'avocat, c'était le choc causé par l'entrée de la réalité dans un rêve, le rappel incontournable de sa condition.

Un poème, songea Covenant, immobile devant la porte. Et si j'écrivais un poème ?

> *Plus irréels qu'un peuple d'ombres,*
> *Voyez passer les vivants ;*
> *Quand chaque soupir est un relent d'outre-tombe,*
> *Voyez comme ils respirent.*

Voyez se balancer les pantins,
Voyez danser les pauvres hommes,
Voyez comme ils se déchaînent,
Et là-haut, quelqu'un rit.
Le diable... probablement!

Rire. Ça, c'était une illumination !

Rire ? Je ne le puis. Aurais-je épuisé le rire d'une vie entière en un laps de temps aussi court ? La question était d'importance. Plus que ça, elle était fondamentale, vitale. La réponse enthousiaste de l'éditeur avait déclenché son hilarité, puis le visage de Roger, sur lequel une foule de pensées inexprimées défilaient comme des ombres, et l'arrivée du bouquin, sa persévérance à se maintenir dans le peloton de tête... des choses comme ça et d'autres, innombrables dans leur insignifiance. Pour un oui, pour un non, il avait ri.

Qu'avait-il fait d'autre ? Un an après la naissance de leur fils, il n'avait toujours pas écrit la première phrase du roman suivant. Joan désapprouvait tant d'insouciance. Elle avait pris Roger sous le bras et laissé son mari dans leur demeure flambant neuve avec le coquet petit bureau qu'il s'était fait installer à la lisière du Refuge. Des fenêtres, on avait vue sur un cours d'eau qui cascadait au milieu des bois. Elle l'avait laissé avec la consigne de travailler dare-dare tandis qu'elle allait présenter l'héritier au reste de la famille.

Joan avait vu juste. Si douloureusement qu'il l'eût ressentie, cette séparation avait provoqué un sursaut salutaire. A peine rentré de l'aéroport, il s'était enfermé dans le bureau. Il avait branché sa belle machine électrique et glissé une feuille dans le rouleau.

Tout d'abord, la dédicace. « *Pour Joan.* » Sans elle, l'irréel ne serait jamais devenu possible.

Ses doigts dérapaient sur les touches. Il avait dû s'y reprendre à trois fois pour obtenir un texte impeccable.

Il eût fallu être devin pour déceler dans cette maladresse les signes avant-coureurs de l'orage. De même, les crampes glaciales qui lui grimpaient le long des chevilles et des poignets n'éveillèrent aucune méfiance. Il se contentait de taper des pieds contre le sol afin d'activer la circulation, et quand il découvrit, à la base de l'auriculaire de sa main droite, une plaque rouge privée de sensibilité, il ne lui accorda qu'une médiocre curiosité, vite oubliée. L'intrigue du roman l'accaparait tout entier. Où eût-il trouvé le temps de s'intéresser à la plaie suppurante qui s'était ouverte au centre de la tache ?

Après trois semaines de pérégrinations familiales, Joan rentra au Refuge avec l'enfant. Tout d'abord, elle ne remarqua rien d'anormal. Jusqu'à un certain soir... Roger était couché. Le vent d'hiver hurlait derrière les fenêtres calfeutrées. Pelotonnée contre son mari, elle flaira soudain le relent douceâtre de la

maladie, suspendue comme une présence ennemie da[...]
immobile du salon.

Quelques mois plus tard, prisonnier de la léproseri[...]
dans sa chambre dont il contemplait pendant des heure[...]
parois aseptiques, il se maudissait de ne pas avoir eu la présen[...]
d'esprit de badigeonner sa main à la teinture d'iode. Ce n'était
pas tant la perte de deux doigts qui l'emplissait d'une amertume rageuse. Cette amputation constituait le symbole somme
toute assez modeste du séisme qui avait tranché le fil de son
existence et l'avait extirpé de son propre univers aussi brutalement qu'on procède à l'ablation d'un organe corrompu. Quand,
des doigts manquants, la douleur irradiait dans toute sa main, il
ne souffrait pas plus que de raison. Non, il avait un autre motif
de haïr son étourderie. Sans elle, son étreinte avec Joan n'eût
jamais été interrompue.

La réaction de sa femme l'avait pris de court par son
caractère d'urgence dramatique. D'un bond, elle s'était arrachée au divan et l'avait obligé à se lever. Saisissant sa main
droite, elle l'avait exposée à ses yeux ébahis.

— Tom ! s'était-elle écriée d'une voix frémissante d'inquiétude et de colère. Que n'es-tu assez grand pour prendre soin de
toi-même !

En un clin d'œil, tout avait été réglé. Tandis qu'une voisine
veillait sur le sommeil de Roger, elle avait poussé Covenant
dans la voiture et l'avait conduit à l'hôpital où on l'avait
aussitôt admis au service des urgences.

Dans un premier temps, on diagnostiqua la gangrène.

Le lendemain, Joan passa la journée à l'hôpital. A 6 heures du
matin, Covenant entrait dans la salle d'opération. Trois heures
plus tard, couché dans son petit lit, il reprenait conscience. Il lui
manquait les deux derniers doigts de la main droite. Les effets
de l'anesthésie se prolongèrent jusqu'à midi. Alors seulement il
s'avisa de l'absence de Joan.

Elle ne se montra pas de toute la journée. Et le lendemain
matin, ce fut une Joan méconnaissable qui parut dans l'entre-
bâillement de la porte. Son visage tiré, tendu, s'était vidé de son
sang, et dans tout ce blanc, ses yeux semblables à des trous noirs
fixaient leur regard traqué sur un point neutre de la pièce : le
rectangle gris de la fenêtre. Il lui tendit la main. Elle ne fit pas
un geste vers lui. Elle demeura sur le seuil, et sa voix sourde,
contenue, peinait à franchir la distance qui les séparait, comme
s'il lui en coûtait qu'une partie d'elle-même, fût-ce ses paroles,
parvînt jusqu'à lui. Sans le regarder, elle lui révéla le verdict
des analyses.

C'était la lèpre. Son esprit chavira. Il ne ressentait rien. Rien.

— La lèpre ?

Brusquement, elle lui fit face. Elle lui présenta son visage
bouleversé, ravagé, hagard.

— Pas de ces petits jeux avec moi ! Le médecin proposait de
se charger de la corvée, mais j'ai insisté, je voulais que tu

l'apprennes par ma bouche. Je pensais à toi, comprends-tu ? Mais c'est inutile. Je ne tiendrai pas le coup. Je flanche déjà. La lèpre ! Est-ce que tu te rends compte ? Veux-tu connaître la suite ? Ecoute bien : tes extrémités vont se décomposer ; tes jambes et tes bras se gauchiront et ton visage ressemblera de plus en plus à un champignon. Des ulcères rongeront tes yeux. Peu à peu, tu perdras la vue, et moi, moi pendant ce temps... Je ne peux pas, entends-tu ! Je ne tiendrai pas le coup ! Toi, c'est différent. Tu ne sentiras rien, espèce de salaud ! C'est une mort lente et parfaitement indolore. Mais le pire, Tom, veux-tu savoir ? La lèpre est contagieuse ! Contagieuse !

— Contagieuse ?

Le mot glissa sans s'imprimer dans son cerveau.

— Parfaitement, souffla-t-elle. La lèpre se déclare souvent... (l'espace d'un instant, l'émotion l'empêcha de poursuivre ; elle s'étranglait)... chez des gens qui ont été en contact avec elle dans leur plus jeune âge. Les enfants sont plus vulnérables que nous. Et Roger... je dois le protéger ! Je dois le tenir à l'écart de cette horreur !

— Roger... Oui, bien sûr !

Il avait dit ça sans y penser tandis qu'elle faisait volte-face et se jetait hors de la chambre. Il écouta décroître le bruit de sa course précipitée. Bien sûr ! Qu'eût-il pu répondre d'autre ? Il ne comprenait toujours pas. La révélation refusait de s'opérer. Son esprit restait clos, inerte.

Il lui fallut des semaines pour mesurer l'étendue de ce qu'il avait perdu en un instant. La violence de Joan avait tout emporté. Presque tout.

Quarante-huit heures après l'opération, le chirurgien le déclara apte à voyager et l'expédia dans une léproserie de Louisiane. Un médecin l'attendait à l'arrivée. Pendant le trajet, il eut droit à un bref historique. En 1874, Armauer Hansen, le premier, avait isolé le *Mycobacterium lepræ*, etc. Covenant observait le profil imperturbable du médecin du même regard effaré avec lequel il avait accueilli le déchaînement passionnel de Joan. Il garda le silence.

Mais lorsqu'il l'eut installé dans la cellule carrée meublée d'un simple lit blanc qui lui servirait de chambre, le médecin adopta une autre tactique.

— Monsieur Covenant, déclara-t-il de but en blanc, vous ne semblez pas vous rendre compte de l'enjeu de votre présence parmi nous. Venez, je veux vous présenter à un de nos patients.

Covenant le suivit sans un mot au long des couloirs.

— Un cas de lèpre primitive, tout comme vous, poursuivait son guide. Primitive au sens où, pas plus que la vôtre, sa maladie ne peut être imputée à un environnement favorable ou à des antécédents familiaux. Rien de tel chez cet homme. Dans son cas, ainsi que dans le vôtre, la lèpre a pour ainsi dire surgi du néant. Inconscient de son état, il vivait en ermite dans les montagnes de Virginie occidentale quand l'armée prit contact avec lui pour lui annoncer la mort de son fils. L'officier qui vint lui rendre visite alerta aussitôt les services de santé. Il est arrivé ici peu après.

Le médecin fit halte devant une porte identique à celle des autres chambres. Il frappa puis, sans attendre de réponse, ouvrit et s'effaça pour laisser entrer Covenant.

A peine eut-il franchi le seuil qu'il fut assailli par une bouffée d'effroyable puanteur comme en produirait de la chair en décomposition abandonnée dans des latrines. Ni le phénol ni les onguents ne pouvaient lutter contre cette infection. Cela provenait d'une silhouette ratatinée, assise en tas sur le lit blanc.

— Bonjour, dit le médecin. Je vous présente Thomas Covenant. Il vient d'arriver parmi nous, mais je doute qu'il perçoive avec clarté la gravité du danger qui le menace.

L'homme leva les bras dans le geste d'étreindre le visiteur. Ses mains luisantes de pommade étaient réduites à l'état de moignons d'un rose abject, parcourus de crevasses et d'ulcères d'où suintait une humeur jaunâtre. Avec cela, des bras déjetés à la minceur de baguettes, et bien que le pyjama réglementaire dissimulât ses jambes, on devinait des membres hideusement noueux, tordus jusqu'à la difformité. Il lui manquait la moitié d'un pied. L'autre avait été rongé jusqu'au talon où suppurait une plaie qui ne se cicatriserait jamais.

Soudain, les lèvres du malade s'agitèrent dans un effort pour parler. Covenant regarda son visage. Il était boursouflé comme le visage d'un cadavre qui serait demeuré trop longtemps dans une eau stagnante. Il en avait le même teint blafard. La chair se gonflait autour des yeux ternes, cataractés, dont elle semblait s'épancher en molles ondulations comme s'ils étaient les centres d'une éruption. Partout, des nodules tuberculeux.

Une voix lointaine, sourde, râpeuse s'échappa de ce masque pathétique en une espèce de grondement tout juste maîtrisé.

— Supprimez-vous ! La mort, plutôt que cette honte !

Covenant tourna les talons et bondit dans le couloir où il vomit tripes et boyaux, imprimant sa souillure sur les murs immaculés. Ainsi s'exprima sa décision. Survivre.

Pendant plus de six mois, la léproserie composa son nouvel univers. A toute heure du jour, il en arpentait les couloirs comme un spectre halluciné, s'évertuait à transformer en réflexe la sacro-sainte S.V.P., fulminait d'une consultation à une conférence où il était invariablement question de la lèpre, de son traitement victorieux et de la réhabilitation de celui qui en avait triomphé. Il devint vite évident pour lui que les médecins considéraient l'évolution psychologique du patient comme le fer de lance de toute thérapeutique bien comprise. Dans cet esprit, ils s'acharnaient à vouloir le sonder, indifférents à la dérobade systématique que Covenant opposait à leurs questions. Quelque chose se resserrait en lui comme un poing, un fardeau glacé de colère et d'intransigeance qui pesait sur lui, plus lourd, plus froid au fil des jours. Par quelque cruelle illusion des sens, ses deux doigts manquants lui semblaient plus présents, plus vivants que les huit autres. Son pouce les cherchait sans cesse et, chaque fois, la découverte de la cicatrice provoquait un haut-le-corps. De même, créateurs de vaines chimères, les encouragements des médecins semblaient relever de la simulation pure et simple. Leurs images d'espoir devenaient les vains tâtonnements d'une imagination amputée. Aucune consultation, aucune conférence qui ne s'achevât par d'interminables commentaires sur la nécessité de faire face dès maintenant aux problèmes que lui, Covenant, devrait affronter une fois rendu au monde.

On lui fit entrer la leçon à coups de marteau dans la tête. Il en rêvait la nuit. Les exhortations à la patience, à la vigilance et à la sérénité imprégnaient son subconscient délabré. Ce n'était plus le déchaînement romanesque des passions qui hantait ses sens, mais l'austère défilement des péroraisons médicales.

Cela commençait par : « De toutes les afflictions humaines, la lèpre est sans doute la plus mystérieuse », et se poursuivait interminablement jusqu'à la conclusion péremptoire : « Une fois que vous l'avez contracté, ce mal est irréversible. »

Loin d'être exagérées, ces paroles, qui retentissaient au plus fort du sommeil, étaient la fidèle transcription de ce qu'il entendait à longueur de journée. Mais leur tintement noir, funèbre, semblait annonciateur d'un futur si effroyable qu'elles n'auraient jamais, jamais dû être prononcées.

« Des années d'observation et d'étude nous ont appris que la maladie de Hansen engendre chez le patient deux problèmes distincts, enchaînait la voix. Le premier concerne les relations entre le lépreux et le reste du monde. Contrairement à l'aura " poétique " dont bénéficiait la tuberculose au siècle dernier et qui semble aujourd'hui s'être reportée sur la leucémie, la lèpre n'a jamais inspiré la moindre muse. Même au sein de sociétés où les malades jouissent d'une considération supérieure à celle que leur offre la société américaine, le lépreux a toujours été honni, y compris par ses proches, en raison de la rareté et du caractère imprévisible du bacille. Circonstance aggravante, la lèpre n'est pas mortelle ; l'espérance de vie du patient moyen demeure identique à celle d'un individu bien portant. Cette longévité rendue odieuse par une infirmité croissante place vite le lépreux dans une situation d'absolue dépendance par rapport à autrui. Il a besoin des autres, sans cesse, de leur aide, de leur soutien moral, de leur présence. Dans la pratique, malheureusement, l'isolement du lépreux est la règle partout. Sous toutes les latitudes, et quel que soit le système culturel, on retrouve le même phénomène de rejet. Le lépreux incarne tout ce qui rebute l'individu et la collectivité, tout ce qui les emplit d'épouvante.

» Plusieurs raisons déterminent cette attitude. Tout d'abord, les effets produits par la lèpre : déformations physiques, émanations pestilentielles. Ensuite, les gens refusent d'admettre qu'une maladie aussi dévastatrice et mystérieuse puisse ne pas être contagieuse. Notre incapacité à fournir des réponses précises concernant le bacille, l'incertitude dans laquelle nous nous trouvons exacerbent les craintes. Nous serions bien en peine d'affirmer que le toucher, l'air, la nourriture n'exposent pas à la contagion. En l'absence de toute explication naturelle et démontrable, la communauté retranche sa mauvaise conscience derrière l'alibi du jugement de Dieu et prétend considérer ce mal affreux comme la manifestation d'une dépravation psychologique, spirituelle ou morale. C'est contagieux, entend-on dire de toutes parts en dépit du fait que cette maladie soit une des moins transmissibles que l'on connaisse, même aux enfants. Sachez-le. La plupart d'entre vous ne trouveront personne pour partager ce fardeau de souffrance.

» Voilà pourquoi nous insistons tellement sur le dialogue. Par-dessus tout, nous voulons vous préparer à affronter la solitude — des années de solitude. Cela dit, quels que soient les difficultés, les épreuves, les drames que vous réserve l'avenir, à partir de maintenant et jusqu'à votre dernier souffle, la lèpre constitue le fait majeur de votre existence, celui qui déterminera votre mode de vie dans ses moindres détails. Dès l'instant de votre réveil à votre coucher, vous ne devez avoir qu'une obsession : éviter les ecchymoses, les chocs, les brûlures, les entailles, les piqûres, les éraflures, bref, les lésions de toutes sortes dont la moindre risque de vous estropier, de vous mutiler ou même de vous tuer. Inutile de ressasser les regrets de ce que vous ne pourrez plus jamais faire. Ce genre de mélancolie conduit tout droit au suicide. »

Son cœur s'emballait. Trempé de sueur, le drap lui collait à la peau. C'était toujours la même voix, exempte de sadisme, mais chaque mot semblait désormais un bloc de haine, et dans leur sillage s'ouvrait une immense plaie vive : le néant.

« Ce qui nous amène au second problème. Rien d'insurmontable, à première vue. En fait, les contraintes qu'il entraîne peuvent vite se transformer en calvaire. Pour nombre de gens, la perception de la réalité passe avant tout par le toucher. Ils peuvent douter de ce qu'ils voient ou de ce qu'ils entendent, mais le contact, la palpation confèrent à toute chose une indubitable consistance. Est-ce par hasard si, pour décrire nos manifestations affectives les plus intenses, nous avons recours à des termes empruntés au vocabulaire de la sensibilité cutanée ? Ne sommes-nous pas *touchés* par un drame, *frappés* par une catastrophe, *irrités* ou *blessés* par une situation délicate ? S'il en est ainsi, c'est que nous sommes des organismes biologiques, mais c'est une dépendance que vous devez combattre de toutes vos forces. Vous êtes des créatures intelligentes. Servez-vous de votre cerveau pour identifier le danger. Servez-vous de votre cerveau pour vous entraîner à rester en vie. »

Au fil des nuits, le cauchemar le projetait sans pitié contre l'obstacle terrible, incontournable des lois qui régissaient son nouvel état. Ainsi, à l'usure, se dégageait la leçon qu'en dehors d'une soumission aveugle à ces lois il n'y avait point d'espoir de salut, aucune défense contre la suppuration, les effets corrosifs du pourrissement et la cécité galopante. Pendant ses deux derniers mois de léproserie, il employa une ardeur fiévreuse à pratiquer la S.V.P. et autres exercices de survie. Des heures durant, les yeux fixés sur le mur immaculé qui faisait face à son lit, il comptait les heures écoulées entre chaque séance curative. Et si, d'aventure, sa vigilance se relâchait, si son dispositif protecteur fléchissait, il s'accablait d'injures et de reproches.

Au bout de sept mois, convaincus qu'il faisait preuve d'un zèle durable et raisonnablement persuadés que les progrès du mal se trouvaient enrayés, les médecins le renvoyèrent chez lui.

L'été s'achevait quand il arriva au Refuge. De nouveau, il en avait plein le ventre et se croyait prêt à tout. Pourtant, les vestiges de Joan et de Roger, découverts au hasard des tiroirs et des penderies, les écuries désertées, toutes ces preuves impitoyables de son abandon le plongèrent dans un abîme de souffrance, comme s'il entrait en possession d'une évidence longtemps caressée à distance.

Un autre choc l'attendait, contre lequel il se trouva complètement démuni faute de préparation. Cela se produisit dans l'isolement de sa cabane forestière où il avait emporté pour les lire avec le recueillement indispensable les chapitres déjà écrits de son second roman.

Leur indigence le terrassa. Prétendre qu'il s'agissait d'un texte d'une grossière naïveté, c'était rester au-dessous de la vérité. Comment pouvait-il être l'auteur d'une camelote aussi prétentieuse ?

Cette nuit-là, il relut son premier roman. Ensuite, avec d'infinies précautions, il alluma une flambée dans la cheminée et jeta dans les flammes, et le livre et le nouveau manuscrit.

Rien de tel que le feu, songeait-il. Le feu purifie tout. Si l'inspiration m'a quitté, qu'elle me débarrasse au moins de tout ce fatras mensonger ! L'imagination ? Seigneur, comment ai-je pu m'écouter avec tant d'abjecte complaisance !

Tout en regardant les pages se recroqueviller, il entrevit pour la première fois la pertinence de ce que n'avaient cessé de lui répéter les médecins. L'imagination était l'ennemie numéro un. Il fallait la réduire en cendres, elle aussi. Dans son état, les fantasmes d'une félicité hors d'atteinte dans laquelle Joan vivait heureuse auprès d'un mari en bonne santé viendraient vite à bout de sa détermination à observer la loi de fer qu'il s'était prescrite. Avec une adresse perfide et admirable, son imagination le conduirait droit dans le piège qu'elle commençait à tisser : l'abandon du désir de vivre.

Quand tout fut consumé, il broya les cendres sous ses talons dans une dernière tentative symbolique de rendre la destruction irrévocable.

Le lendemain matin, il jeta les bases d'une vie nouvelle.

En premier lieu, se raser. Il retrouva son vieux coupe-choux. Le tranchant d'acier pesait contre sa jugulaire, lourd de la menace d'une petite coupure. Il s'en répétait les funestes conséquences : gangrène, réactivation du mal, rien que cela ! Il décida d'assumer le risque, par mesure de discipline, pour se mettre dans l'obligation d'observer les règles brutales, élémentaires dont dépendait sa survie, pour mortifier ses dernières tentations de rébellion. La séance de rasage fut même élevée à la dignité d'un rituel qui lui ménagerait une confrontation quotidienne avec le danger.

De même, il prit l'habitude d'avoir en permanence un canif dans sa poche pour le cas où ses bonnes résolutions fléchiraient sous les assauts d'espoirs insensés ou de souvenirs intolérables. Le contact du fil glacé contre son poignet le remettrait dans le droit chemin. Après s'être rasé, il rangea et nettoya la maison, disposant les meubles de façon à réduire la menace des angles saillants et des obstacles traîtreusement dissimulés. Tout ce sur quoi on pouvait trébucher, tout objet dont la présence se justifiait par des considérations esthétiques, tout ce qui était en trop fut amoncelé dans la chambre d'ami. Quand celle-ci fut pleine, il en ferma la porte et jeta la clé. Il se lava les mains. C'était chaque fois une opération dont la méticulosité relevait de l'obsession, comme s'il ne pouvait se défaire d'une sensation physique de souillure.

Ne me touchez pas ! Je suis impur, impur, impur...

Il traversa l'automne en équilibre entre l'hystérie et la folie, louvoyant à la périphérie du désespoir sans jamais sombrer. La tentation de la violence le tenaillait sans relâche, comme un éperon déchargeant sur son flanc sa futile et hargneuse colère. Et lui se cramponnait à cette rage intérieure avec la ferveur d'un noyé s'accrochant à une lame de rasoir. C'était bel et bien sa planche de salut, sa dernière raison d'être, le maillon fragile qui le rattachait à la raison. Parfois, son exaspération le maintenait éveillé tout un jour et toute une nuit. Il haïssait ce qu'il adviendrait de lui s'il jetait l'éponge une fois pour toutes. Il se haïssait tout autant d'avoir à livrer un combat sans espoir et sans fin.

Puis, avec le temps, même sa colère s'épuisa. Sa proscription faisait partie intégrante de sa condition de lépreux, tout autant que la pestilence et l'engourdissement. S'il échouait à briser Thomas Covenant pour l'adapter à sa nouvelle existence, Thomas Covenant mourrait.

La contradiction était insoluble. Sans passion, il ne pouvait continuer à lutter, mais plus ses émotions se déchaîneraient, plus violemment elles se retourneraient contre lui. Il cessa peu à peu de proférer des imprécations contre les obstacles qui le réduisaient à tourner en rond. Il arpentait les bois contre lesquels s'accotait le Refuge et chaque sentier envahi de ronces, chaque arête rocheuse, chaque pente abrupte lui rappelait la précarité de son état. Clairement, le *statu quo* maintenu avec sa maladie ne tenait qu'au fil tendu à l'extrême de sa vigilance. Qu'elle le tranche, et tout serait fini, sans personne pour pleurer ou grincer des dents.

Il toucha l'écorce d'un arbre et ne ressentit rien. Cette insensibilité, éprouvée à tout instant, ne faisait qu'accroître son désarroi. Impossible de s'y habituer. Son avenir se déroula devant lui avec une acuité extraordinaire. Son cœur s'atrophierait lui aussi, et c'est alors qu'il serait vraiment perdu.

Toujours fut-il qu'en apprenant le geste anonyme dont il était le bénéficiaire récalcitrant, le règlement de sa facture d'électricité, il se produisit chez lui un brusque sursaut, comme s'il quittait une zone d'ombre pour pénétrer dans la pleine lumière du champ de bataille où l'ennemi devenait identifiable. Ce cadeau empoisonné lui avait rendu le sens des réalités. Il prit soudain conscience de l'attitude de ses concitoyens : non contents de le fuir, ils se hâtaient de condamner toutes les issues qu'il eût pu emprunter pour revenir parmi eux.

Aussi, quand arriva la facture du téléphone, rassembla-t-il tout son courage. Il se rasa avec un soin particulier, revêtit des vêtements résistants, enfila de solides bottes de marche et s'en fut régler sa note en personne.

Planté devant la porte aux lettres éblouissantes, son cœur palpitant à le laisser choir d'émotion, il imagina un poème qui s'achevait sur un éclat de rire et s'interrogea sur le devenir d'un homme qui ne serait plus capable du moindre éclat de rire. Quand il se fut ressaisi, il passa la porte avec la douceur d'un ouragan et s'avança vers la jeune fille qui attendait derrière le guichet comme si elle l'avait provoqué en combat singulier.

Ses mains tremblaient. Il les posa bien à plat sur le comptoir. Un rictus affreux lui découvrit les dents.

— Thomas Covenant, annonça-t-il.

La préposée avait le goût de la toilette. Les bras croisés sous la poitrine, une astuce pour lui soulever les chairs mine de rien, elle arborait l'expression lointaine et polie de celle qui n'a rien à faire et beaucoup de temps pour ça. Consciente du regard appuyé de Covenant, elle concentra son attention sur lui.

— Oui ?

— Je suis venu acquitter ma facture, dit-il.

Elle ne sait rien, songea-t-il. En voilà une qui n'a jamais entendu parler de moi.

— Bien. Votre numéro, je vous prie ?

Après l'avoir écrit, elle ondula jusqu'à la pièce voisine pour aller consulter ses fichiers. Dès qu'elle fut hors de vue, il retrouva cette même frousse lancinante qui ne l'avait pas quitté depuis le Refuge. Un étau d'angoisse lui serrait la poitrine. Il fallait à toute force s'occuper pour tromper l'attente insupportable. Il fouilla dans sa poche et en ramena le papier tout chiffonné. *Il faut le lire, monsieur, s'il vous plaît !* Il lissa la feuille. Elle était imprimée en vieux caractères.

> *Un homme authentique,* lut-il, *authentique selon les critères dont nous reconnaissons la valeur, se voit brutalement retranché du monde et placé dans un environnement inconcevable : les sons exhalent un arôme, les odeurs acquièrent couleurs et relief, les visions ont une texture et les attouchements une qualité sonore. Là, une voix désincarnée lui apprend qu'il a été transporté en ce lieu en qualité de champion de son monde d'origine. Il devra affronter en combat singulier le champion d'un autre monde. S'il est vaincu, il mourra, et le monde dont il est issu, le monde authentique, sera anéanti, puisque, ayant établi sa vulnérabilité intérieure, il n'est pas digne de survivre.*
>
> *L'homme refuse de croire à ce qu'il voit et entend. Il met son aventure sur le compte du rêve ou de l'hallucination et rejette la perspective absurde d'être obligé de combattre jusqu'à ce que mort s'ensuive quand aucun péril « authentique » ne le menace. Fort de sa détermination farouche à récuser la situation dans laquelle l'ont jeté les apparences, il n'oppose aucune résistance aux attaques du champion de l'autre monde. Question : l'homme fait-il preuve de courage ou de lâcheté ? Toute l'éthique se résume à cette seule interrogation.*

A cet instant précis, la fille réapparut avec, sur le visage, une expression de perplexité cocasse.

— Monsieur Thomas Covenant, domicilié au Refuge ? Monsieur, je ne comprends pas ! Une somme a été versée à votre compte dont le montant couvre tous vos frais pour plusieurs mois. Rappelez-vous ! Sans doute avez-vous envoyé un chèque récemment ?

Il reçut un coup au cœur, chancela et dut s'agripper au comptoir. La tête lui tournait. Des mots lointains résonnaient à ses oreilles. « Le lépreux incarne tout ce qui rebute l'individu et la collectivité, tout ce qui les emplit d'épouvante... » Sans qu'il s'en rendît compte, son poing se referma rageusement sur le bout de papier. Puis sa main se détendit. L'exclamation de fureur mourut quelque part derrière son regard éteint.

— Ne craignez rien, ce n'est pas contagieux, fit-il lentement, sans colère, sur le ton de la litanie. Sauf pour les enfants.

La fille cligna des yeux, comme frappée par la vacuité de ses propres pensées. Il pivota et s'éloigna dignement, défoulant ce qu'il lui restait d'agressivité dans le claquement furibond de la porte. Enfer et damnation ! Enfer ! Enfer !

Son regard parcourut la rue dans un sens, puis dans l'autre. S'il se tournait dans la direction du Refuge, ses yeux prenaient toute cette sacrée ville en enfilade, bureaux, commerces de luxe, façades nobles, propres, indifférentes. Un soleil impitoyable aggravait son sentiment d'insécurité. Il était seul et vulnérable sur tous les fronts. Il regarda fortuitement ses mains. Mais non,

25

pas d'égratignures, aucune raison de s'inquiéter. Si on lui avait posé la question, il eût répondu qu'il faisait preuve d'un immense courage en ne prenant pas ses jambes à son cou.

Le vieux mendiant n'avait pas bougé d'un pouce. Les yeux toujours braqués sur le soleil, il poursuivait son absurde soliloque.

Comme il s'en approchait, Covenant fut frappé de son apparence d'extrême pauvreté. Les mendiants, les illuminés, les saints ou les prophètes n'avaient pas leur place dans cette rue prospère inondée de soleil. Du faîte de leurs colonnes, les têtes au regard courroucé n'exprimaient aucune tolérance à l'égard de ces excès d'un autre âge. Le spectacle archaïque de ce miséreux en soutane remua chez Covenant un résidu insoupçonné de compassion. Sans réfléchir, il fit halte devant le vieillard.

Celui-ci ne bougea même pas la tête; pourtant, de son marmottement débile s'échappa un mot, un seul, clairement énoncé :

— Donne !

Cela sonnait comme une injonction et, spontanément, Covenant abaissa les yeux sur l'écuelle. Mais l'obligation impérieuse qui lui était faite de se montrer charitable réveilla sa colère. *Je ne te dois rien !* riposta-t-il mentalement.

— Je t'aurai averti, dit le mendiant.

Il ne se demanda pas pourquoi cette petite phrase lui fit l'effet d'une illumination, comme si, par un trait de clairvoyance inouïe, elle récapitulait tout ce qu'il lui était arrivé au cours de l'année écoulée. Il n'eut pas une seconde d'hésitation. Il ôta son alliance. Elle ne l'avait encore jamais quitté. En dépit de son divorce, en dépit du silence obstiné de Joan, il l'avait portée sans discontinuer en témoignage de ce qu'il avait été et de ce qu'il était devenu. Il se tortura le doigt pour la dégager et la fit choir dans l'écuelle.

— Voilà ! C'est toujours mieux que quelques picaillons.

Sur ces mots, il s'éloigna d'un pas résolu qui fit sonner ses bottes contre l'asphalte.

— Attends !

L'ordre le cloua sur place. Impossible de résister à cette voix. Il demeura immobile jusqu'au moment où la main de l'homme se posa sur son bras. Alors, il pivota et plongea ses yeux dans les yeux pâles, les yeux d'aveugle qui n'avaient pas de centre où l'on eût pu chercher un regard. L'autorité qui émanait du vieillard, l'impression de puissance innée devait rapetisser tous ceux qui pénétraient dans son orbe.

— Tu es en grand danger de te perdre, mon fils.

Covenant se passa la langue sur les lèvres. Le vieillard le dépassait vertigineusement.

— Non, murmura-t-il. Je ne prendrai pas ce risque. Je ne suis qu'un homme semblable à tous les autres. Futile. (Pour lui-même, comme s'il énonçait un principe connu des seuls lépreux, il ajouta :) La futilité, voilà bien le fin mot de l'existence.

— Si jeune, observa le mendiant, et déjà tant d'amertume !

C'était la première fois depuis bien longtemps qu'on lui manifestait un peu de sympathie. Covenant se sentit bouleversé. Sa colère reflua d'un coup ; sa gorge se contracta.

— Allons, mon vieux, ce n'est pas nous qui avons fait le monde tel qu'il est ! Tout ce qu'on nous demande, c'est d'y vivre. Après tout, ne sommes-nous pas tous embarqués sur la même galère ?

— Ce n'est pas nous, vraiment ?

Mais sans attendre de réponse, le vieillard se remit à fredonner. Il n'avait pas lâché Covenant ; son étreinte était même d'une surprenante vigueur. Abruptement, il parla de nouveau, mais d'une voix si tranchante, si agressive que Covenant sentit s'effriter sa sympathie naissante.

— Pourquoi ne pas te tuer ?

Covenant le dévisagea, le souffle coupé. Quelqu'un lui avait dit quelque chose de semblable, mais c'était un lépreux, comme lui. Cela lui donnait le droit, tandis que cet olibrius médiéval... Les yeux sans regard véhiculaient une menace précise, insoutenable. Covenant éprouva le besoin frénétique de se dégager et de s'assurer, par le truchement d'une S.V.P. scrupuleuse, que tout allait bien, qu'il ne lui était rien arrivé. Seulement, il ne pouvait pas. Les yeux délavés le tenaient captif.

— Me tuer ? balbutia-t-il. Merci bien ! C'est trop facile.

Il n'obtint pas de réaction, mais, loin de s'apaiser, le sentiment de l'imminence d'un danger se fit plus aigu et plus désordonné le rythme de ses battements de cœur. Il s'affolait littéralement. Prisonnier d'une volonté de fer, il s'avança au bord d'un abîme et contempla d'horribles supplices, mais ce qui défilait derrière ses paupières closes n'était autre qu'un tableau récapitulatif de toutes les morts auxquelles peut s'attendre un lépreux. Le spectacle s'immisça comme un élément familier au cœur d'une situation terrifiante. Covenant reprit pied. Il retrouva le contrôle de sa peur.

— Ecoutez, dit-il, puis-je faire quelque chose pour vous ? Voulez-vous de la nourriture ? Un toit ? C'est bien volontiers que je vous invite à partager ce dont je dispose.

L'effet de ces simples paroles fut foudroyant. Comme si Covenant venait de prononcer quelque mot de passe décisif, les yeux de l'aveugle perdirent aussitôt leur aura de diabolique imbécillité. Il tendit son écuelle.

— Tu as déjà trop donné. Reprends ta bague. En toute circonstance, agis en accord avec toi-même. Le reste ne compte pas. Va ! La chute n'est pas inéluctable.

Le ton de commandement avait fait place à des inflexions d'une douceur presque suppliante. Covenant hésita, incertain de ce qu'on attendait de lui. Il se décida à reprendre l'alliance.

— Nous sommes tous à la merci de l'échec, affirma-t-il en la

27

replaçant à son doigt. Mais je suis décidé à vivre... aussi longtemps que je le pourrai.

Le vieux mendiant se tassa d'un coup, comme s'il venait de faire passer sur les épaules de Covenant le fardeau de prophéties qui l'avait maintenu si droit jusqu'alors.

— Ainsi soit-il ! fit-il tout bas.

Il s'en fut, courbé sur son bâton, et cela résonnait bizarrement sur le trottoir, comme un claquement de métal.

L'espace d'un moment, Covenant demeura au même endroit, désemparé. Il laissa son regard escalader les colonnes jusqu'aux têtes pétrifiées dans leur expression d'écœurement inachevé. C'était, en toute conscience, trop de mépris affiché pour ne pas susciter de sa part un sursaut de dignité. Une idée lui vint. Il se remit en marche, bien décidé à faire le siège de son conseiller juridique pour exiger un recours contre l'abjecte charité qui le coupait de ses concitoyens. Faites annuler ces règlements indus ! Il serait quand même un peu fort que l'on puisse acquitter mes factures sans mon consentement !

Le cabinet se trouvait sis dans un immeuble d'angle, de l'autre côté de la rue. Covenant marchait vite. En moins d'une minute, il atteignit le carrefour sur lequel veillait l'unique feu de circulation de toute l'agglomération. Il était rouge. Sa décision prise, Covenant grillait d'impatience. Il dut se sermonner pour ne pas traverser aussitôt.

A la seconde où le vert s'alluma, il s'engagea dans le passage piétonnier.

Avant qu'il n'eût fait trois pas, le hurlement d'une sirène se fit entendre. Gyrophare en action, une voiture de police déboucha en trombe d'une ruelle transversale. Elle négocia le virage sur les chapeaux de roues, sinua un peu et fonça droit sur le cœur de Covenant.

Celui-ci se figea. Absurdement, ses jambes refusaient d'avancer. Le regard éperdu, il fixait le capot noir de la voiture. Il entendit le rugissement sauvage des freins. Il l'entendit et, comme sur un signal, s'écroula.

Pendant la chute, il se fit la remarque qu'il n'avait pas encore été touché. Puis il prit conscience de l'ombre immense qui se profilait derrière le soleil, derrière les vitrines étincelantes, derrière tout le maelström de lumières et de bruits. L'obscurité se diffusait à travers la clarté diurne comme un rayon de nuit.

Un cauchemar. Je ne suis ni conscient ni inconscient. Je rêve. Les paroles du mendiant lui revinrent. Le dernier à s'être adressé à moi. Le dernier à m'avoir entendu.

La nuit s'épanchait, engloutissant le jour. De tangible, il ne resta bientôt que la lueur rouge du gyrophare, d'une intensité si cruelle qu'elle lui vrillait le front.

3

Tentative de corruption

Le temps s'écoula, scandé par les battements de son cœur. Le dard de lumière pourpre semblait le pivot autour duquel gravitait l'univers. Le cosmos basculait. S'il avait su où jeter les yeux, Covenant eût sans doute discerné la révolution grandiose de la Terre et du firmament familier. Mais les ténèbres immédiates ainsi que le trait de feu dans sa tête le réduisaient à l'immobilité. De vastes courants déferlèrent autour de lui, invisibles.

Tout à coup, le rayon oscilla et se dédoubla. Il s'en approchait, à moins que ce ne fût la source de lumière qui dérivât vers lui. Bientôt, le dernier doute s'envola : les deux foyers ardents étaient des yeux.

Un rire creva le silence, sec, solitaire, venimeux, triomphant. La voix éclata, sinistre comme le chant fatidique et prétentieux d'un coq annonçant l'aube de l'Apocalypse.

— J'ai réussi ! Moi ! Il est à moi ! Il est à moi !

Au sommet du crescendo, la voix se mua en fou rire ample et délirant.

De tout près, les yeux n'avaient ni blanc ni pupilles. Les orbites ne contenaient que des globes de braise. La chaleur en irradiait si fort que le front de Covenant était en feu.

Puis les yeux flamboyèrent, et l'air s'embrasa autour d'eux. Des flammes se matérialisèrent, jetant à la ronde une lueur flageolante. Covenant se trouvait dans une caverne. Il avait suffi d'un seul éclair des yeux rouges pour en allumer les parois jusqu'à l'incandescence. La roche était piquetée de minuscules aspérités irrégulières, comme taillée à facettes par un couteau maniaque. Des ouvertures béaient à la périphérie de l'espace circulaire. Du plafond pendait une forêt de stalactites, mais le sol lisse semblait avoir été usé par le passage d'innombrables pieds.

L'air immobile de la caverne était imprégné d'une puanteur si terrible que Covenant en frissonna, et la vue de l'énergumène dont les yeux l'avaient tenu sous leur emprise l'amena au bord du vomissement.

Il se tenait accroupi sur une petite estrade érigée non loin du centre de la caverne. Ses membres décharnés, démesurément longs s'attachaient à la carcasse d'un enfant. Il avait les mains comme des enclumes et sa tête eût pu servir de bélier. Dans la posture grotesque qui était la sienne, ses genoux arrivaient presque à la hauteur de ses oreilles. Il étreignait un grand bâton garni de métal aux extrémités, orné sur toute sa longueur de sculptures aux motifs compliqués. Il était hilare. Ses yeux couleur de magma bouillonnaient.

— Ha! J'ai réussi! hurla-t-il. Je l'ai appelé! Parfaitement, je les tuerai tous jusqu'au dernier! (Sa voix éraillée se brisa. L'eau lui venait à la bouche, la salive lui coula sur le menton.) Moi, le Seigneur Gloton! Moi, le Maître!

Il sauta sur ses pattes. La superbe lui donnait des ailes. Avec force gambades et cabrioles, il se propulsa vers sa victime. Covenant recula, saisi d'une répugnance insurmontable. Le gnome affreux brandit son bâton à deux mains.

— A mort! Tous! Tous! Je les écraserai, foi de Seigneur Gloton!

Une autre voix emplit la caverne, puissante, sonore, profonde comme si, à travers elle, s'exprimait un gouffre d'ombre. Covenant l'entendit derrière lui, à côté de lui, au-dessus de lui. Elle le cernait de toutes parts.

— Arrière, Larve fouisseuse! ordonna-t-elle. Cette proie est trop belle pour toi. Je la veux!

L'immonde créature leva le nez vers les stalactites. Covenant l'imita et ne vit que l'étourdissant clair-obscur ciselé par la forêt pétrifiée.

— Il est à moi! glapit le phénomène. C'est *mon* Bâton, désormais. Je l'ai appelé. Tu l'as vu!

— Il est venu, c'est vrai, grâce à mon aide, reprit la voix d'outre-tombe. Ce coup-ci était trop calé pour toi. Sans moi, tu aurais détruit ta proie dans un accès d'exaspération. A quoi t'aurait servi le Bâton si je ne t'avais enseigné certains de ses pouvoirs? En guise de remerciement, j'exige ta victime. Pour le reste, agis comme bon te semble. Mais celui-ci est à moi.

L'autre changea de ton. Sa voix stridente s'effila en un murmure mauvais, comme s'il venait seulement de prendre conscience de son avantage.

— C'est *mon* Bâton! Je l'ai trouvé, je le garde! Crains mon courroux!

— Des menaces? Sois vigilant, Gloton Larva! Ton destin fond sur toi. Observe! J'ai déjà commencé!

Un grincement sourd, continu, obsédant grandit et s'amplifia tandis qu'une brume glacée s'interposait entre Covenant et Gloton. Elle s'épaissit et ses tourbillons enveloppèrent l'horrible créature jusqu'à la dérober aux yeux de sa victime. Rouge au moment de sa formation, comme imbibé du flamboiement des parois, le brouillard se décolora peu à peu et sombra dans un gris conventionnel. De même, l'atroce puanteur s'estompa, remplacée par des relents plus doux, quelque chose comme de l'essence de rose, une réminiscence funèbre, une suggestion de repos éternel. Bien qu'il n'y vît goutte au milieu de ces remous opaques, Covenant supposa qu'il avait quitté la caverne de Gloton Larva. Une faiblesse soudaine le saisit. Ses jambes refusaient de le soutenir. Il tomba à genoux.

— Tu fais bien de m'implorer ! tonna la voix sépulcrale. Il n'y a plus d'autre lueur d'espoir que ma commisération, plus d'autre secours à attendre pour un homme frappé par la malédiction. Ne compte surtout pas sur l'aide de mon Ennemi. C'est lui qui t'a désigné pour ce destin tragique. Une fois qu'il a fait son choix, il ne renonce jamais. Sa volonté s'accomplit, jusqu'à un certain point. (L'inflexion méprisante chargeait chaque mot d'une vertu corrosive qui mettait à vif les nerfs de Covenant.) Oui, tu ferais bien d'implorer ma miséricorde ! Je pourrais te délivrer de ta souffrance. Que dirais-tu de retrouver force et santé ? C'est de moi que cela dépend. En vérité, sache-le, j'ai déclaré la guerre à ce temps, et l'avenir m'appartient. Je ne serai pas défait une seconde fois.

Covenant ne réagit pas. Son esprit demeurait inerte, comme frappé d'engourdissement, lui aussi. Mais l'offre de guérison fit mouche. Son cœur sauta dans sa poitrine. On eût dit que la peur refluait sous ses coups de boutoir. Il ne souffla mot. Il était encore trop saisi pour parler.

— Kévin n'était qu'un imbécile, reprit la voix, passant outre à son silence. Un vaniteux, sans imagination et sans cervelle ! Comme ils le sont tous, de père en fils. Regarde-toi, coquin ! Kévin, Seigneur absolu, fils de Loric, arrière-petit-fils de Bérek le Fondateur, se tenait debout, là où reposent tes genoux, et caressait le fol espoir de me détruire. Il avait enfin pris la mesure de son adversaire, ce vieux birbe qui, tant d'années durant, m'avait fait siéger à sa droite au Conseil, sans se douter du péril que je représentais. Un conflit éclata entre nous. Il mit l'Occident à feu et à sang et ses turbulences vinrent battre les murs de leur précieux Donjon. Le Poing fauchant était mien, il le savait. Quand ses armées faiblirent et que son pouvoir déclina, le sot s'abandonna au désespoir. Dès lors, je le tenais à ma merci. Il s'imaginait encore capable de m'anéantir ! A cette fin, il suscita une confrontation dans l'antre dont je viens de te délivrer, Kiril Threndor, Cœur des Hauts du Tonnerre.

» Gloton Larva ne se doute pas qu'il hante une roche aussi noire. Il ignore tant de choses ! A son insu, il sert mes intérêts. Ainsi feras-tu, de gré ou de force. Ainsi feront ces petits Seigneurs timorés. Ils n'ont pas maîtrisé le septième de la Tradition du défunt Kévin que déjà, dans leur arrogance, ils se nomment les Protecteurs de la Terre, les Serviteurs de la Paix. Aveugles ! Ils sont aveugles ! Mais je leur montrerai ! Pour eux, il est déjà trop tard. Ils viendront à Kiril Threndor où mes révélations obscurciront leurs âmes. Là, Kévin voulut m'affronter. Là, du fond de son désarroi, il osa me provoquer. J'acceptai. Pauvre Kévin !

» La force qui m'habite existe depuis le commencement des temps. Aussi, lorsque Kévin me mit en demeure de déchaîner les forces qui réduiraient en poussière le Territoire et toutes ses maudites créatures, relevai-je le défi. Parfaitement ! Et même, je m'esclaffai devant son changement d'expression, la chute progressive de son visage dans un doute affreux, juste avant la fin. Son imprudence mit un terme brutal à l'ère des Seigneurs primordiaux... mais je survécus ! Nous étions face à face, Kévin et moi. Ensemble, nous prononçâmes le Rituel de la Profanation. Ah, l'insensé ! Sans le savoir, il était déjà à ma merci. Imbu de la supériorité de sa Tradition, il oubliait que la Loi devant laquelle il se pliait me préservait du cataclysme.

» Certes, mon pouvoir fut ébranlé. Pendant mille ans, réduit à l'impuissance, je ressassai mes désirs. Cette humiliation se paiera, ainsi que d'autres affronts pour lesquels j'exigerai mon dû. Mais je survécus. Et lorsque Gloton découvrit le Bâton et le reconnut sans pouvoir en faire usage, je saisis la chance qui m'était offerte. Implore-moi donc, coquin ! Révolte-toi contre le sort funeste que mon Ennemi a imaginé à ton intention. Profites-en. L'occasion du repentir ne se présentera pas de sitôt.

Le brouillard et les effluves semblaient vider Covenant de ses forces. Pourtant, son cœur battait toujours et cette pulsation rapide et bien rythmée demeurait son seul rempart contre l'épouvante. Il se ceignit la poitrine de ses bras et se recroquevilla. Il faisait si froid !

— Quel sort funeste ? demanda-t-il avec effort, d'une voix pitoyable aussitôt absorbée par les vapeurs parfumées.

— Il veut faire de toi mon ultime adversaire. Il t'a désigné, coquin, toi, détenteur d'un pouvoir qu'aucun mortel n'a jamais possédé, pour être l'instrument de ma perte. Il me sous-estime. Ta puissance est réelle, si elle désigne le charme noir qui protège ta vie en ce moment même, mais tu n'en connaîtras jamais la vraie nature. Tu ne peux rien contre moi. Il en sera toujours ainsi. Tu n'es que la victime de son ambition et je ne suis même pas en mesure de t'offrir de mort libératrice. Pas encore, tout au moins. Mais nos efforts conjugués peuvent tourner contre lui la force que tu représentes. Nous sommes capables d'en débarrasser la Terre, une bonne fois pour toutes.

Covenant releva péniblement la tête.

— Force et santé ? fit-il. Vous parliez de me rendre la force et la santé ?

— Implore-moi, coquin ! Supplie-moi, tant que je suis disposé à la patience !

Cette fois, l'accent de mépris fit à Covenant l'effet d'une gifle. Non ! songea-t-il en se redressant sous l'outrage. Non, je ne suis pas un coquin !

— Qui êtes-vous ? demanda-t-il.

Devina-t-elle qu'elle était allée trop loin ? La voix s'adoucit.

— On m'a donné tant de noms... Les Seigneurs de la Pierre-qui-Rit me nomment Férus le Contempteur ; pour les Géants de Marepremere, je suis Satanicor et Pourfendâmes ; Carnassire pour les hommes du Ra. Dans leurs cauchemars, les Sangdragons m'ont baptisé Corruption. Mais les habitants du Territoire parlent de moi comme du Sombre Fléau.

— Quel salmigondis ! énoncèrent distinctement les lèvres de Covenant.

Il y eut un silence.

— Insensé ! s'exclama la voix. (Son impact précipita le blasphémateur sur le sol.) Je vois que ton vil orgueil se rebiffe. Avant d'en avoir fini avec toi, je t'enseignerai jusqu'où va mon mépris. Mais patience ! Bientôt... bientôt, je serai assez puissant pour t'extorquer le charme que tu possèdes sans le savoir. Alors, tu apprendras à tes dépens que mon dédain, comme mes aspirations, ne connaît pas de limite. Assez de bavardages ! Venons-en au fait. Ecoute bien, coquin ! Je vais te confier un message que tu porteras au Conseil des Seigneurs à la Pierre-qui-Rit.

» Au Conseil, à Prothall, fils de Dwillian, Seigneur absolu, tu diras que l'intervalle de temps qu'il leur reste à vivre sur le Territoire n'excède pas sept fois sept années à compter de maintenant. Comme preuve irréfutable de ce que j'avance, dis-leur que Gloton Larva, Lémure des Hauts du Tonnerre, a trouvé le Bâton de la Loi perdu par Kévin pendant le Rituel de la Profanation, voilà dix fois un siècle. C'est à leur génération qu'échoit la tâche de le récupérer. Sans lui, ils ne pourront même pas me tenir tête pendant sept ans et je triompherai six fois sept ans avant la date annoncée.

» Si ta mission échoue, coquin, si le Conseil ne reçoit pas ce message, dix saisons ne seront pas écoulées que tous les êtres auront cessé de vivre à la surface du Territoire. Si je dis que Gloton Larva a fait main basse sur le Bâton, tu ne comprends pas ce que cela signifie, et c'est bien ainsi. Sache seulement que la nouvelle est assez terrifiante pour éveiller les pires angoisses. Déjà, répondant à son appel, les Lémures se mettent en marche. Les loups et les créatures du Malfrai réagissent eux aussi au pouvoir du Bâton de la Loi. Mais il y a pis que la guerre. Gloton fouit toujours plus profondément dans les entrailles des Hauts du Tonnerre ; il atteindra bientôt Gravin Threndor et l'aiguille des Rugissantes. Là gisent des fléaux trop puissants, trop effroyables pour qu'aucun mortel ne puisse espérer les maîtriser. Leur déchaînement embraserait l'univers à jamais. Gloton, je le sais, est décidé à mettre à jour une de ces calamités. La Pierre de Malemort, voilà ce qu'il veut. Si elle tombe en sa possession, notre enfer à tous, grands et petits, ne prendra fin qu'avec la chute du temps lui-même.

» Encore un mot, coquin ! Un ultime avertissement. Garde-toi d'oublier qui est ton véritable maître. Je suis las de tuer et las de torturer, mais rien n'entravera l'exécution de mon plan. Je ne connaîtrai pas le repos avant d'avoir extirpé de la Terre jusqu'au dernier souffle d'espoir. Souviens-t'en et tremble !

Le mot s'éteignit lentement et, dans son sillage, prit naissance le grincement assourdissant. Il s'enfla, fondit sur Covenant, le terrassa et s'éteignit comme une avalanche, le laissant à genoux, la tête enfouie dans ses bras, l'esprit glacé d'effroi. Dans le silence revenu se fit entendre le sifflement paresseux du vent. Covenant ouvrit les yeux et battit des paupières. Devant lui, la roche était tout éclaboussée de soleil.

4

L'Observatoire de Kévin

Il se laissa aller à plat ventre et demeura longtemps couché, jouissant de la tiédeur réparatrice de la pierre, attentif au murmure flexueux du vent qu'il ne sentait d'ailleurs pas. Des oiseaux chantèrent au loin. Immobile, il respirait à fond. A chaque inhalation de cet air pur, nettoyé des vapeurs délétères, il reprenait des forces. Il accueillait le soleil comme une merveilleuse surprise après les affres ténébreuses du cauchemar.

Tout de même, ce silence ! Il y avait des gens non loin de lui au moment de l'accident. Pourquoi se taisaient-ils ? Pourquoi cette chape de silence sur la ville entière ? Le choc avait dû être plus violent qu'il ne l'imaginait. A cette pensée, l'angoisse du lépreux reprit le dessus. Il se dressa brusquement.

Il se trouvait sur une dalle de pierre circulaire de quelque dix pieds de diamètre, cernée par un mur qui devait lui arriver à mi-corps. Au-dessus, d'un bord du mur à l'autre, s'étendait la voûte céleste dont nul obstacle n'interrompait la surface uniformément bleue, comme si la pierre était une sorte de perchoir suspendu entre Terre et firmament.

Où diable... ? Ce ne fut pas grand-chose, un goût de terre dans le soudain afflux de salive qui lui emplit la bouche, une poignante constriction de la gorge. Où diable...

— Ohé ! cria une voix pantelante, impossible à localiser. Vous, là-haut ! Avez-vous besoin d'aide ?

Pétrifié, le souffle court, il perçut derrière lui un bruit confus d'escalade. Il rampa vers le mur, se tourna et s'adossa à la paroi, le cœur vibrant et, dans les yeux, la flamme de la bataille.

En face de lui, bien au-delà du mur, se dressait une formidable montagne couronnée de neige. L'impression première fut d'écrasante proximité, comme s'il lui suffisait de traverser la dalle et d'étendre la main pour toucher la falaise qui servait de soubassement au mastodonte. En fait, un bon jet de pierre l'en séparait. Il y avait une brèche dans le mur d'enceinte, une trouée qu'on avait ménagée dans l'axe de la montagne. C'était de là que semblait provenir le bruit.

Quelqu'un était en train de monter. Qui ? Quel monstre ? Il pouvait se traîner jusqu'à l'intervalle pour en avoir le cœur net. Il n'osait pas. L'appréhension de ce qu'il pouvait découvrir le clouait sur place.

Il hésitait encore quand la tête et les épaules d'une jeune fille essoufflée surgirent dans l'ouverture. Prenant appui des deux mains sur la pierre, elle allait se hisser quand elle aperçut Covenant. Haletante, elle se figea et le fixa avec un air d'ébahissement et d'intérêt presque comique. La brise soulevait doucement ses longs cheveux auburn où le soleil accrochait ici et là de savants reflets d'or pâle. L'incarnat de ses joues rosies par l'effort accentuait encore son hâle. Sa robe de toile bleu foncé s'égayait à l'épaule de motifs de feuilles blanches. L'homme la contemplait, furieux, exaspéré de découvrir combien sa peur avait été vaine. Elle n'avait pas seize ans. Ni l'un ni l'autre ne bougeait, mais l'intensité du regard ouvertement scrutateur de l'apparition était plus que n'en pouvait supporter Covenant. Une détresse accablante l'envahit, une sensation affreuse de solitude et d'impuissance. Le silence se prolongea longtemps.

— Tu n'es pas blessé ? interrogea-t-elle enfin. Je me suis demandé s'il valait mieux venir moi-même ou aller chercher du secours. J'ai bien fait de venir, n'est-ce pas ? (Son débit s'emballa soudain sous l'effet de l'enthousiasme et de l'excitation.) Je n'étais pas très sûre, mais quand j'ai vu ce nuage gris au-dessus de l'Observatoire de Kévin, et toute cette agitation comme si on se battait là-haut, je me suis dit, tout compte fait, il vaut mieux un petit réconfort tout de suite plutôt qu'une aide véritable qui tarderait à venir. Alors, me voilà ! (Elle interrompit sa volubile explication pour demander, plus doucement :) Tu es certain de ne pas être blessé ? Tout va bien ?

Bien ? Est-ce que tout va bien quand on vient de passer sous les roues d'une voiture ?

Il s'examina d'un œil vétilleux. Quelques éraflures superficielles sur les paumes, comme s'il avait projeté ses mains en avant pour amortir sa chute, un mal de tête émoussé... Il fut presque déçu. Ses vêtements n'étaient pas froissés. Il se palpa un peu partout, mais ses tâtonnements ne réveillèrent aucune douleur fulgurante. En somme, il était indemne.

Et le choc ? On ne tombe pas comme ça, en pleine rue ! La voiture l'avait forcément heurté. Est-ce que tout va bien ?

Il la dévisagea comme si le sens de la question l'effrayait.

Devant son silence, elle se décida à prendre pied sur le perchoir. Il vit que la robe bleue était en fait une longue tunique serrée à la taille par une cordelette. Il devina une silhouette mince, harmonieusement découplée. Ses pieds étaient chaussés de sandales qui s'attachaient autour de la cheville. Elle avait de beaux yeux, à la fois pénétrants, timides et brillant d'une ardeur impitoyable. Elle fit deux pas vers lui et s'agenouilla brusquement afin de pouvoir se repaître tout à loisir de l'expression de consternation ahurie dont s'affublait cet étrange personnage.

— Puis-je t'aider ? s'enquit-elle d'une voix respectueuse. Tu n'es pas du Territoire, cela se voit tout de suite. Tu viens d'affronter un nuage funeste. Ordonne, je t'obéirai. (Comme il se taisait, découragée, elle baissa les yeux.) Tu ne veux donc pas me répondre ?

Où suis-je ? Que m'arrive-t-il ? Qui est cette femme ?

Le regard de la jeune fille s'arrêta sur sa main droite. Ses yeux s'arrondirent. Sa bouche sembla vouloir préluder à un cri de stupeur. Son index pointé désigna la cicatrice.

— Mimain ! Dieu, les légendes revivent-elles ? (Elle le questionnait, son petit visage illuminé par l'enchantement et l'espoir.) Bérek Mimain ! (Elle prit une profonde inspiration puis, tout bas :) Est-ce vrai ?

Bérek ! C'était la seconde fois qu'il entendait ce nom. Pris de panique, il comprit que l'épreuve continuait. La jeune fille et l'ogre à la voix caverneuse appartenaient au même cauchemar. De nouveau, les ténèbres s'amoncelèrent à la périphérie de la lumière. Péniblement, comme si ses articulations transies d'effroi refusaient de lui obéir, il se hissa sur ses pieds.

A cette seconde, un paysage immense se rua à l'assaut de son regard, et la part de beauté, d'ironie et d'horreur que contenait cette agression inattendue submergea sa conscience comme une affection paralysante. Il se trouvait sur une aire rocheuse perchée à quinze cents mètres d'altitude pour le moins. Au-dessous, tournoyaient de grands oiseaux. Dans la lumière sereine, limpide, l'immense coulée du paysage se dénouait d'un horizon à l'autre en sinuosités nonchalantes qui semblaient sans relief et d'une texture purement cristalline. Ses yeux s'efforçaient douloureusement d'en embrasser la prodigieuse infinité. Il remarqua sur la gauche les méandres scintillants d'une rivière. De ces collines verdoyantes émanait l'exubérante, l'éphémère, l'irrésistible séduction du printemps. Tout était beau et pur comme au premier matin du monde.

Trois pas titubants le conduisirent devant la brèche du parapet. Il découvrit qu'il se trouvait au faîte d'un mince piton vertigineux, jailli en oblique de la base de la falaise comme un doigt accusateur braqué vers le ciel. On avait taillé des marches au flanc du piton, mais l'escalier rudimentaire était aussi raide qu'une échelle.

Brusquement, alors qu'il s'épouvantait d'imaginer la descente, toute la démence de cette aventure le frappa de plein fouet. Pris de vertige, il vit le gouffre danser autour de lui.

Non ! hurla-t-il de toutes ses forces.

Pas un son ne sortit de sa bouche. Comme il vacillait, la jeune fille le tira en arrière. Il pivota et s'abattit sur la pierre où il se recroquevilla, les genoux sous le menton, les bras autour de la tête. Il sentit les ténèbres s'emparer de tout son être et le secouer comme l'eût fait la nausée. Une main agrippa la sienne. Du fond de la nuit tourbillonnante qui venait de se refermer sur lui, il éprouva son étreinte inquiète, passionnée. La révélation s'opéra : il rêvait. Il rêvait pour de bon. Le choc du véhicule l'avait assommé. A présent qu'il tenait une explication plausible, il s'y cramponnait et la dépeçait fébrilement. Le choc, bien sûr ! Il avait perdu conscience. Il pouvait rester dans les pommes pendant des heures, des jours... Subitement éclaircie, la situation perdait de son horreur et le vertige s'atténuait. Mais l'ombre tenait bon. Elle grouillait en lui comme s'il n'était qu'une charogne abandonnée par Férus.

D'où viennent les rêves semblables à celui-ci ? L'énigme cristallisa son angoisse. C'était un casse-tête à lui faire perdre la raison. Ai-je mérité pareil cauchemar ? Ne pas y songer. Survivre. Agir. Avancer. Derrière les questions, l'enfer. Ne pas se retourner.

Ses paupières pesaient des tonnes. Il les souleva. Cela prit du temps, et tandis que ses yeux s'accoutumaient au jour, l'obscurité battit en retraite dans son dos où elle demeura à l'affût, comme si elle n'attendait qu'une défaillance, un regard en arrière, pour bondir sur sa proie.

La jeune fille était agenouillée à côté de lui. Elle tenait sa main amputée étroitement serrée entre les siennes. L'effroi lui embuait les yeux.

— Bérek, souffla-t-elle, Bérek, quel tourment te ronge ? Je ne sais que faire.

Son aide avait été précieuse, déjà. Elle l'avait aidé à reprendre le contrôle de lui-même, à résister à la pente fatale des questions sans issue. Seulement ses doigts restaient inanimés. L'étreinte de la jeune fille demeurait sans effet sur certaines zones insensibles de sa main. Il se redressa si vite que la tête lui tourna.

— Ne me touchez pas ! dit-il à voix basse. Je suis lépreux.

Quand il eut retiré sa main d'une secousse, de contrariété elle se mordilla la lèvre inférieure et recula jusqu'au mur opposé contre lequel elle s'adossa. Les questions se pressaient sur ses lèvres. Très vite, elle n'y tint plus.

— Pourquoi ne puis-je te toucher ? Je n'y mettais pas de mauvaise intention. Je te connais. Tu es Bérek Mimain, le Seigneur Fondateur. Un mal dont je ne sais rien a fondu sur toi. Comment supporter de te voir souffrir sans te consoler ?

— Je suis lépreux, répéta-t-il. (Le visage de la jeune fille n'enregistra pas le moindre changement d'expression. Clairement, le mot lui était inconnu.) Je suis malade. C'est très dangereux. Tu n'imagines pas à quel point !

— Et si je touche ta main, deviendrai-je... *malade*, moi aussi ?

— C'est possible. (Et comme il n'en croyait pas ses yeux ni ses oreilles, espérant un démenti, il ajouta :) Tu n'as jamais entendu parler de la lèpre ?

L'ébahissement des premiers instants de leur rencontre reparut sur son visage. Elle secoua la tête.

— Jamais. Mais je n'ai pas peur !

— Je veux que tu aies peur ! cria-t-il. (L'innocence aveugle de la jeune fille fouettait l'amertume que Férus avait jetée dans son âme. Ses paroles compatissantes montaient vers lui comme des battements d'ailes prisonniers dont la violence contenue s'accumulait insidieusement. Ainsi se sent-on, à la veille d'une crise de nerfs.) La lèpre est un mal si terrible qu'à la fin les doigts, les orteils, les pieds, les mains pourrissent et se détachent du corps. On perd la vue et chacun prend peur devant votre visage rongé.

— Ne peut-on soigner ce mal ? Peut-être les Seigneurs...

— Non ! Il n'y a aucun espoir de guérison. (Cette flambée de colère le laissa découragé. Se reposer, reprendre des forces, réfléchir aux implications du dilemme dans lequel il se trouvait enfermé, pour l'instant, il ne pouvait espérer davantage.) Je ne suis pas Bérek Mimain, déclara-t-il avec lassitude. Il faut me croire, laissa-t-il tomber dans l'abîme d'étonnement où son aveu avait plongé la jeune fille.

— Si tu n'es pas Bérek, qui es-tu donc ? Ta main présente les symptômes, et la légende ne dit-elle pas que Bérek, le Protecteur de la Terre, doit revenir quand sa présence sera requise ? Es-tu Seigneur ?

Il concentra son attention sur le visage anxieux de la jeune fille et fut presque surpris de la trouver charmante. Même son saisissement lui seyait, cette façon qu'elle avait de le contempler et de savourer chacune de ses paroles. Atout non négligeable, elle n'avait pas peur des lépreux.

— Je ne suis pas davantage Seigneur. Mon nom est Thomas Covenant, fit-il après une hésitation de dernier instant.

— Thomas Covenant ? répéta-t-elle en détachant les syllabes comme si c'étaient les mots les plus exotiques qu'elle eût jamais prononcés. Quel nom étrange ! Ton accoutrement aussi est étrange. Thomas Covenant, sois le bienvenu !

Elle inclina la tête en manière de salut.

Si elle me trouve bizarre, c'est réciproque, songea Covenant. Il n'avait toujours pas la moindre idée de ce que lui réservait ce rêve absurde. Par où commencer ? L'initiative de la jeune fille apportait un commencement de réponse. Il ne risquait rien à l'imiter en lui demandant son nom.

— Et toi, comment te nommes-tu ?

— Léna, fille d'Atiaran, fille de Trell, phosphorateur du *rhadhamaerl*. Notre demeure se trouve au Mithil Pétragîte. Le connais-tu ?

Il eût volontiers demandé ce qu'était un Mithil, un Pétragîte et même un phosphorateur, mais une question plus essentielle lui brûlait les lèvres. Il dut s'y prendre à deux fois pour la formuler, comme si elle représentait une sorte de renoncement, tout au moins une concession aux forces des ténèbres.

— Où sommes-nous ?

— Sur l'Observatoire de Kévin, bien sûr ! (Elle sauta sur ses pieds. D'un grand geste, elle balaya la terre et le ciel autour d'eux.) Regarde ! Voici le Territoire. Au nord, à l'est et à l'ouest, il s'étend bien au-delà de l'horizon visible ; pourtant, les chants des Anciens affirment que, de ce point élevé, Kévin, le Seigneur absolu, embrassait du regard le Territoire dans son entier ainsi que tous ses habitants. C'est pourquoi l'endroit où nous sommes porte le nom d'Observatoire de Kévin. Se peut-il vraiment que tu ne le saches pas ?

Covenant transpirait malgré la fraîcheur du vent. Le vertige lui martelait les tempes et seule la pression de l'arête du parapet qui lui barrait la poitrine lui procurait un sentiment de réalité, tout aberrante qu'elle pût être.

— Je ne sais rien, murmura-t-il.

Léna lui jeta un regard perplexe puis retourna à la contemplation du paysage. Son bras mince se tendit en direction du nord-ouest.

— Voici la rivière Mithil. Elle longe notre Pétragîte, mais tu ne peux le voir ; il est caché par cette montagne. Elle descend de la chaîne du Midiem, derrière nous, pour aller se jeter dans la rivière Noire, à l'extrême nord des plaines Méridionales, où la terre est pauvre et presque inhabitée puisqu'il ne s'y trouve pas plus de cinq Pétragîtes. Mais dans les collines qui filent vers le nord vivent quelques Sylvestres.

» A l'est des collines s'étendent les plaines du Ra, enchaîna-t-elle d'une voix frémissante. C'est le domaine des chevaux sauvages, les Ranyhyns, et de leurs gardiens, les hommes du Ra. Nuit et jour, ils font trembler de leur galop les cinquante lieues de la plaine et nul ne les dompte sans leur consentement. Ah, Thomas Covenant, je donnerais tant pour voir ces chevaux... ! Mais mon peuple n'a pas le goût de l'aventure. Son horizon suffit à ses yeux sans curiosité, et, le croiras-tu, aucun habitant du Pétragîte n'est allé aussi loin que la Sylve, à l'exception de ma mère, naturellement. Moi, je rêve de parcourir les plaines du Ra, le domaine des chevaux sauvages. (L'espace d'un long moment, l'esprit ailleurs, elle garda le silence. Quand elle reprit son exposé, ce fut d'une voix teintée de mélancolie.) Ces montagnes, au loin, sont la chaîne du Midiem. Au-delà commencent les Solitudes et le désert Gris, où rien ne survit. Le Territoire se déploie au nord, à l'ouest et à l'est de l'Observatoire de Kévin où, pendant la dernière bataille, s'étaient rassemblés les plus puissants des Seigneurs primordiaux avant l'avènement de la Désolation. Mon peuple n'a pas oublié. L'Observatoire est devenu un lieu maudit où personne ne s'aventure. Atiaran, ma mère, m'a conduite ici afin de me présenter le Territoire ainsi que je le fais pour toi. Dans deux ans, j'aurai l'âge requis pour rejoindre la Loge. Je veux apprendre, Thomas Covenant ! Sais-tu, dit-elle avec une emphase soudaine, que ma mère fut l'élève des Gardiens de la Loge ? (Son visage s'assombrit.) Mais qu'ai-je à apprendre à un Seigneur comme toi ? Tu ne m'écoutes que pour mieux te gausser de mon ignorance.

Grisé par les effets conjugués de sa voix et du vertige, il eut la vision fugitive de ce qu'avait dû être le Territoire après que Kévin et l'infâme Férus eurent prononcé le Rituel de la Profanation. Il vit les plaines dévastées, les collines éventrées, les fleuves empoisonnés par les dégorgements pestilentiels d'innombrables cloaques, et sur cette apocalypse, le silence, car ceux qui restaient pour pleurer le monde n'avaient plus la force de verser une seule larme. Il semblait même qu'il n'y eût plus de monde. Covenant se détourna du paysage.

— Me gausser ? Tu ne comprends pas. J'ai épuisé mon rire il y a longtemps. Le rire de toute ma vie. Il ne m'en reste plus. (Mais voilà qu'une voie se dessinait pour échapper à la folie, comme une lumière jaillie du spectacle de la désolation.) Je dois me rendre au Conseil des Seigneurs, annonça-t-il de but en blanc, esquivant des explications qui auraient fatalement débouché sur certaines questions ou certaines réponses trop délicates.

Par discrétion, Léna s'abstint de demander pourquoi, mais sa curiosité faisait peine à voir. Elle se dirigea vers la brèche dans le parapet.

— Allons au Pétragîte. Là, nous trouverons le moyen de te conduire à la Pierre-qui-Rit.

Le ton trahissait la ferme intention de n'abandonner à quiconque l'honneur de lui servir de guide. Cependant, il ne bougeait pas. L'épreuve de l'escalier l'épouvantait. Comment négocier un pareil casse-cou quand il ne pouvait jeter un seul coup d'œil en bas sans avoir le tournis ?

— A quand remonte la Désolation ? demanda-t-il, autant pour gagner du temps que pour se renseigner effectivement.

— Je l'ignore, répliqua-t-elle, surprise. Mais douze générations ont passé depuis que les habitants des plaines Méridionales ont retraversé les montagnes en provenance des Solitudes. On prétend que Kévin les avait avertis pour leur permettre de fuir à temps. Leur exil dura cinq siècles et, durant tout ce temps, ils se sont battus bec et ongles contre le désert Gris, soutenus par la tradition *rhadhamaerl*. C'est un héritage qui ne s'oublie pas. A quinze ans, chacun de nous prête le Serment de Paix et nous ne vivons que pour l'harmonie et la puissance du Territoire.

Il l'écoutait à peine. Sa voix, plus que les mots prononcés, faisait office de tuteur. Il trouva même la force de poser une autre question.

— Mais toi... que faisais-tu en ce lieu perdu, loin de toute habitation ?

— J'étais en quête de pierres. J'apprends le *suru-pa-maerl*. Connais-tu cet art ? Acence, la sœur de ma mère, me donne des leçons. Elle-même fut initiée par Tomal, le maître le plus prestigieux dont se souvienne notre Pétragîte. Le *suru-pa-maerl* est l'art de créer des images à partir de la pierre, sans taille et sans fixation. Je parcours les collines, et quand mes yeux sont attirés par une pierre ou un caillou, je le rapporte à la maison où je lui trouve une place dans l'édifice de mon *suru-pa-maerl*, par un jeu d'équilibre ou de coincement, de façon à modifier la signification de l'ensemble. L'important, c'est de ne rien imposer. Toute la difficulté consiste à discerner les beautés de la Terre. Il faut savoir écouter ou regarder sans idées préconçues. Je ne demande pas à la Terre de m'offrir une pierre en forme de cheval ; à moi de la distinguer quand elle se présentera.

— Réellement, je serais ravi de voir ton *suru-pa-maerl*, affirma-t-il sans y penser.

Tout son être se rebellait à la perspective de descendre cet escalier à pic. Il le fallait, pourtant. Les rêves sont tyranniques. On n'a d'autre choix que celui de se laisser dériver jusqu'au réveil au fil de leurs extravagances. Pour survivre, il devait descendre de l'Observatoire de Kévin. Toute autre considération s'effaçait devant cette évidence.

D'un seul élan convulsif, il se hissa sur ses pieds. Sans un regard pour la muraille titanesque dressée contre le ciel, sans un regard pour l'abîme, il se fit un devoir de procéder à un nouvel examen de sa personne, insistant sur ses mains. L'escalier ne le tuerait pas, puisque tout cela n'était qu'un rêve et, d'ailleurs, il semblait encore préférable aux ténèbres qui s'épaississaient autour de lui.

— A présent, écoute-moi ! lança-t-il à la jeune fille interloquée. Je vais descendre le premier, et cesse de me regarder de cette façon ! Je te l'ai dit, je suis lépreux. Mes mains et mes pieds sont presque morts. Je ne puis rien agripper solidement. S'il n'y avait que cela ! Mais j'ai toujours été sujet au vertige. Je ne tiens pas à ce que tu te trouves sur mon chemin si par malheur je lâche prise — c'est pourquoi je passerai d'abord. Tu as fait preuve de beaucoup de gentillesse à mon égard, acheva-t-il sur un ton bourru, et c'est quelque chose dont j'avais perdu l'habitude. Voilà !

Elle tressaillit sous la rudesse du ton.

— Je ne comprends rien à ce que tu dis. Pourquoi te fâches-tu ? Est-ce que par hasard je t'aurais offensé ?

Oui, riposta-t-il en son for intérieur, en me manifestant une bonté que je ne mérite pas. Il se laissa tomber à quatre pattes et s'engagea, à reculons, dans l'ouverture. Impossible de garder les yeux fermés. Mais si son regard déviait de l'horizontale, tout se mettait à tourner. Pour compenser l'insensibilité de ses mains, il se cramponnait si violemment aux arêtes qu'après quelques minutes de cet exercice acharné ses épaules étaient menacées d'engourdissement. Du moins voyait-il ses mains ; du moins pouvait-il s'assurer en permanence de la solidité de leur prise ; du moins vérifiait-il que les contractions douloureuses dans ses coudes et ses poignets trahissaient un effort réel. Ses pieds, c'était une autre affaire. Dans la mesure où il ne pouvait baisser les yeux, il n'était jamais certain d'avoir le pied sur la marche avant de sentir peser sur ses chevilles le poids de son corps. A chaque marche, il fléchissait la jambe pour éprouver la sûreté du support. S'il sentait une élasticité douteuse, vite il affermissait la préhension de ses mains et poussait le pied au fond de l'encoche invisible. Parfois, il le projetait en avant dans l'espoir que l'impact lui apprendrait si ses orteils se trouvaient au bord de la contremarche suivante, mais en cas d'erreur, la brève douleur provoquée par le choc de l'arête contre son genou ou son tibia irradiait jusque dans l'aine.

La sueur ruisselait sur son visage et lui brûlait les yeux. Il n'osait pas libérer une de ses mains afin de s'essuyer le front ; il n'osait même pas secouer la tête de peur de perdre l'équilibre. Des élancements violents lui trouaient le dos et les épaules. Il était la proie d'un désarroi dont il avait honte. S'il avait pu appeler à l'aide, il l'eût fait.

— Mi-chemin ! cria la jeune fille pour l'encourager.

Il sentit qu'il accélérait malgré lui. Ses muscles défaillaient. Epuisés par une tension excessive, genoux et coudes menaçaient de lui faire défaut. Il fit halte et, l'espace d'une seconde terrifiante, crut qu'il allait simplement sauter, et tant mieux si la chute était assez courte pour lui éviter de se rompre le cou. Soudain, il perçut un frottement de pied juste au-dessus de sa tête. Léna l'avait rattrapé. Il fut saisi du désir d'agripper ses chevilles et de s'en remettre à elle. Cet espoir grotesque et vain l'abandonna. Il fut pris de tremblements.

— Thomas Covenant, encore un effort ! Il ne reste que cinquante marches !

Avec un sursaut qui faillit l'arracher à la paroi, il se remit à descendre.

Le dernier tronçon fut franchi dans un tourbillon de sensations atroces, comme un fulgurant raccourci de l'effort antérieur et, sans même se rendre compte de la transition, il se trouva couché de tout son long au pied de l'Observatoire, les poumons en feu, brisé de fatigue et de courbatures, les oreilles pleines de ses halètements asthmatiques.

Otant les mains de son visage, il découvrit un ciel imperturbable, verrouillé sur la gauche par la façade montagneuse et menacé par le doigt immense du piton qui avait l'air de soutenir le soleil de midi. Le visage de Léna était si proche du sien que ses cheveux lui chatouillaient la joue.

5

Mithil Pétragîte

Covenant se sentait étrangement délivré, comme s'il avait triomphé d'une ordalie, surmonté une sorte d'épreuve rituelle par le vertige. Son soulagement lui soufflait qu'il avait trouvé une parade efficace au dérapage mental consécutif au furieux désir d'explication rationnelle qui l'avait assailli là-haut. Ses yeux rencontrèrent ceux de Léna.

— Es-tu remis ? demanda-t-elle, souriante.

— Remis ? répéta-t-il. Voilà une question bien délicate !

A peine redressé, il inspecta ses mains. La paume et le bout des doigts étaient à vif. Il explora tibias, genoux et coudes et les trouva contusionnés. Il se leva vivement.

— Vite, Léna ! J'ai besoin d'eau et de savon. Sinon, mes plaies vont s'infecter ; la maladie reprendra le dessus. (Voyant son expression incrédule, il lui présenta ses mains.) Regarde ! Et pourtant, je ne sens rien. Pas la moindre douleur. C'est ainsi que j'ai perdu mes doigts. A cause d'une blessure de rien du tout que je n'ai pas pris la peine de soigner. C'est pourquoi je dois nettoyer tout ça. Le plus tôt sera le mieux.

D'une caresse timide, elle effleura la cicatrice de la main droite.

— C'est donc la maladie qui t'a tranché les doigts ? Un ruisseau coule sur le chemin du Pétragîte. Tu pourras même t'y faire un cataplasme de limon.

Il la suivit, la démarche claudicante en raison de ses mollets meurtris. Orienté vers l'ouest, le sentier prenait naissance à la base de l'Observatoire et longeait une corniche à flanc de montagne pour se jeter dans un ravin chaotique. De l'autre côté, s'embranchait un couloir escarpé qui s'enfonçait à l'intérieur du massif. Là, une amorce d'escalier taillé à la diable dans la pierre les fit descendre au fond d'une gorge où le ciel se réduisait à un ruban sinueux entre des parois de plus en plus verticales. Une forte odeur d'humus s'exhalait du sol et la pénombre fraîche devint si dense qu'à certains moments Covenant discernait à peine la tunique foncée de Léna, à dix pas devant lui. Une soudaine bifurcation, et le défilé déboucha abruptement sur une minuscule vallée miroitant de soleil, frangée de grands pins, avec un ruisseau qui scintillait dans un écrin de verdure.

— Nous y voilà ! s'exclama la jeune fille. Où pourrais-tu te soigner mieux qu'ici ?

Covenant s'était arrêté, saisi par la beauté du site, charmé par la séduction rassurante de cette enclave paisible, paysage à la mesure de l'œil où l'air doux semblait de foulards soyeux. Tandis qu'il humait avec volupté l'arôme puissant des pins, il sentit l'arrière-goût d'amertume qui lui était devenu familier, cette mélancolie toujours surgie à point nommé pour empoisonner le plaisir et par laquelle s'exprimaient toute la rancœur et tout le dégoût du malade incurable. Il s'avança résolument vers le ruisseau.

Un étau glacé lui enserra les poignets, mais ses mains presque insensibles n'avaient cure de la température de l'eau. Il les frotta avec la dernière énergie, puis roula ses manches afin d'examiner ses coudes. Pas de lésion, et la solide toile du pantalon avait tenu bon, de sorte que genoux et tibias, bien que bleuis, ne saignaient pas non plus. Il n'éprouva qu'un demi-soulagement puisque à leur manière, les contusions représentaient une menace aussi grave que les plaies, mais ne disposant d'aucun onguent pour les apaiser, il reporta son attention sur ses mains.

Du sang suintait encore et de minuscules éclats de roche s'étaient logés au fond de certaines entailles. Comme il replongeait ses mains dans l'eau vive, la jeune fille s'approcha, ses propres mains en coupe remplies d'un épais limon brun.

— Voici du baume. Applique-le sur toutes tes blessures. Ne crains rien. C'est un remède infaillible.

— De la boue ? (La prudence dont il s'était corseté au cours de ces longs mois lui commandait la plus grande circonspection.) C'est ridicule ! J'ai besoin de savon, et non de saleté supplémentaire.

— Il le faut ! insista-t-elle avec une fermeté surprenante. C'est du baume cicatrisant, et je sais de quoi je parle. Mon père n'est peut-être pas guérisseur, mais en qualité de *rhadhamaerl*, il connaît les secrets des roches et des sols. Il m'a appris à repérer les lieux où se cache le baume cicatrisant. Ecoute-moi, et tu seras guéri.

Il n'eut pas le temps de réagir. Elle s'agenouilla promptement et jeta un paquet de boue sur son genou découvert ; de sa main libre elle l'appliqua jusqu'au cou-de-pied, sans friction mais par un massage délicat, puis recommença avec l'autre jambe. Il se laissa faire, résigné, puis intrigué par les reflets dorés dont se parait le cataplasme, plus rayonnants de minute en minute. Mais le plus stupéfiant, ce fut la sensation d'apaisement immédiat, le bien-être pénétrant qui irradia jusqu'aux os, la béatitude spontanée, irraisonnée qui le gagna tout entier. Il lui abandonna ses mains qu'elle s'empressa de barbouiller copieusement.

Soudain, il éprouva d'étranges picotements dans les paumes, comme si le baume s'insinuait par toutes les petites blessures jusqu'aux terminaisons nerveuses et tentait de les réactiver. Un phénomène identique se produisit le long de la plante des pieds. Covenant était sidéré. Il contempla la boue avec une sorte de terreur.

En séchant, son éclat se ternit. Quand Léna frotta ses bras et ses jambes pour l'en débarrasser, il constata que les ecchymoses avaient pris la teinte jaunâtre qui indique une disparition prochaine. Il se lava les mains et regarda le bout de ses doigts : rien. La peau était aussi lisse qu'avant la descente de l'Observatoire de Kévin. Longtemps, il s'abîma dans la contemplation fascinée de ses mains miraculées. Que m'arrive-t-il encore ? songeait-il éperdument. Enfer et damnation, que m'arrive-t-il ?

Léna l'observait, l'œil malicieux. Son sourire s'élargit jusqu'aux oreilles.

— Qu'y a-t-il de si étrange ? La Terre recèle d'infinis pouvoirs au nombre desquels le don de vie. Atiaran, ma mère, prétend que la plupart de ces mystères demeurent étrangers aux hommes car ceux-ci n'en sont pas dignes. Nous ne sommes pas assez solidaires du Territoire et de nos frères.

— Existe-t-il d'autres prodiges semblables à celui-ci ?

— Beaucoup, mais je n'en connais que quelques-uns. Si tu te rends au Conseil, peut-être les Seigneurs t'initieront-ils à tout le reste. Cependant, en voici un autre. As-tu faim ?

Comme si son estomac n'attendait que cette question pour réagir, il se mit à crier famine. Covenant déroula ses jambes de pantalon et sauta sur ses pieds, émerveillé de cette liberté de mouvement retrouvée. Oubliés, douleurs, courbatures, muscles froissés ! Léna l'entraîna vers la pente boisée de la petite vallée.

Petit, rabougri, l'arbuste ne payait pas de mine, sinon par les grappes serrées de fruits rouges, de la taille d'une framboise, sous le poids desquelles ployaient ses courtes branches.

— Voici l'*aliantha*. Nous l'appelons la baie prodigieuse. (Ayant détaché une grappe, Léna engloutit quatre ou cinq fruits puis cracha les graines dans sa main et les lança par-dessus son épaule.) On dit que celui qui traverserait le Territoire dans les deux sens en se nourrissant exclusivement de baies prodigieuses rentrerait chez lui plus robuste, plus vigoureux que jamais. En nous prodiguant l'*aliantha*, la Terre nous a fait un don précieux. Il donne des fruits en toute saison et se satisfait de tous les sols. On le rencontre partout, sauf peut-être dans les plaines Pouilleuses de l'Est où rien ne pousse. Mange, dit-elle en lui tendant la grappe déflorée, et n'oublie pas de jeter les graines pour que la Terre puisse donner naissance à d'autres *aliantha*.

Comme il ne réagissait pas, perdu en conjectures éblouies sur le merveilleux pouvoir de ce Territoire, elle lui glissa un fruit dans la bouche. La peau à peine déchirée, il sentit sur sa langue une saveur voisine de celle de la pêche relevée d'une pointe de sel et de citron. L'instant d'après, saisi d'une folle gloutonnerie, il dévorait les baies par dizaines, mordant à même les grappes. Le plus souvent, il oubliait de jeter les graines. Il n'avait pas le temps. Il se gavait avec une frénésie cocasse, jusqu'au moment où la jeune fille retint son bras.

— Les baies prodigieuses sont très nourrissantes. Il en suffit d'une poignée pour assouvir sa faim. D'ailleurs, le goût est plus agréable si on prend la peine de les savourer.

Mais Covenant n'était pas satisfait. Jamais il n'avait désiré un mets avec une telle avidité. Ça, c'était manger ! D'une secousse, il libéra son bras, mais avant de pouvoir achever son geste en direction de l'arbuste, une sensation nouvelle chassait son désir boulimique. Il laissa retomber sa main dont le poids était devenu insupportable, et bâilla à s'en décrocher la mâchoire.

— En cas de blessures sérieuses, le baume plonge le patient dans un profond sommeil afin d'accélérer le processus de guérison, déclara Léna, toute surprise. Mais ces coupures étaient superficielles. Aurais-tu d'autres blessures que tu ne m'as point montrées ?

Oui, songea-t-il, trop las pour étouffer un second bâillement, je suis atteint d'une maladie mortelle. Il tituba, tourna curieusement sur lui-même et s'effondra. Il dormait qu'il n'avait pas encore touché l'herbe.

A son réveil, dans ce purgatoire comateux qui précède l'irruption de la réalité dans la conscience, il fut la proie de sensations confuses : sur son visage la tiédeur morcelée du soleil qui passait à travers le feuillage, le murmure du vent, l'odeur des pins, le flux et le reflux obstinés des picotements dans le creux de ses mains, la chanson *mezza voce* de Léna et les cuisses de Léna sur lesquelles reposait sa tête... En cet instant béni, sa seule envie eût été d'enlacer la jeune fille et d'enfouir sa tête dans son giron ; au lieu de ça, profitant d'une pause entre deux couplets, il murmura que c'était joli et qu'il souhaitait en entendre davantage.

— Vraiment ? fit-elle. Cela te plaît ? Tant mieux ! C'est un très beau chant, en effet, mais ma voix laisse à désirer. Ce soir, tu auras peut-être l'occasion d'entendre Atiaran, ma mère, chanter devant le Pétragîte rassemblé. Alors, tu sauras vraiment ce que sont nos chants.

Elle entonna une autre mélodie. Bercé par le charme un peu mièvre de sa voix, il se demandait pourquoi il ne trouvait pas le courage de céder à ces sacrés picotements et d'étreindre la jeune fille quand il se souvint tout à coup, très distinctement, du moment et du lieu où il avait entendu cet air pour la dernière fois, et ce fut comme une ombre dans la lumière.

A peu de chose près, c'était l'air du « Petit Archange ». Il marchait le long du trottoir en direction des bureaux de la *Bell Telephone Company*. Il avait décidé de venir acquitter sa facture en personne.

Covenant s'écarta de Léna d'un coup de reins quasi frénétique et bondit sur ses pieds. La rage lui obscurcissait la vue ; disons qu'il voyait rouge, littéralement.

— Où as-tu appris cette chanson ?

Pour la première fois, elle sembla sur le point de se rebiffer.

— Ce n'est pas une chanson, pas encore. J'improvisais.

Son assurance le désarçonna. Lavée de tout soupçon, la jeune fille lui renvoyait l'image d'un pitre dont l'hystérie sans objet prenait l'apparence du caprice. Il la dévisagea, la main tendue pour l'aider à se relever et, sur ses lèvres crispées, la morne suggestion d'un sourire.

— Et maintenant, où va-t-on ?

La jeune fille retrouva vite sa sérénité. Ils se faisaient face. Elle lui lâcha la main.

— Au Pétragîte, bien sûr ! Mes parents n'en croiront ni leurs yeux ni leurs oreilles !

Gracieuse, elle s'éloigna en gambadant vers l'autre extrémité du vallon. Il la suivit des yeux, savourant l'émotion nouvelle, bouleversante, qu'il ressentait confusément. Son instinct faisait naître l'espoir insensé que les sortilèges du Territoire puissent le délivrer de son impuissance et permettre une sorte de résurrection de l'esprit autant que de la chair dont il pourrait profiter même après avoir repris conscience, même quand le Territoire et ses implications monstrueuses, évanouis avec le retour à la réalité, se seraient réfugiés dans les zones de l'inconscient. Certes, la lèpre demeurait un mal incurable et si l'accident n'était pas mortel, il devrait continuer à vivre avec cette fatalité. Mais il était d'autres souffrances qu'un songe contribue à résorber. Rasséréné, il descendit à son tour vers la berge et longea le cours d'eau dans le sillage de la jeune fille, ravi d'éprouver à chaque pas l'élasticité de l'herbe drue. Sur le point de rejoindre Léna, il énuméra des grâces jusqu'alors inaperçues : la délicatesse d'une petite oreille que dévoilaient parfois les cheveux crânement rejetés en arrière, l'évasement prometteur des plis sous la taille fine et bien cambrée. A présent, mille fourmis lui dévoraient le creux des mains.

Côte à côte, ils s'engagèrent dans le goulet qui fermait la vallée et ce fut de nouveau la lente progression au long d'un raidillon rocailleux cerné par des falaises gigantesques, fendues, cent mètres plus haut, par un liseré d'azur. Hanté par la crainte d'un faux pas, Covenant avançait les yeux rivés au sol, contrainte qui fit paraître beaucoup plus long le trajet somme toute assez bref qui les conduisit à l'orée d'une crevasse dont la cassure s'écartait graduellement du ruisseau. Ils escaladèrent sa faible pente jusqu'à une sorte de palier à partir duquel la déclivité du terrain contraignit Covenant à se tourner face à la paroi pour descendre en s'aidant de ses mains.

Après un dernier coude, ils se trouvèrent à flanc de montagne, face au soleil couchant dont les rayons, toute ardeur oubliée, éclairaient courtoisement les plaines qui s'étendaient sur la droite, baignées par un cours d'eau jailli au-dessous d'eux.

— Voici la Mithil, annonça la jeune fille. Et voici notre Pétragîte. (Son doigt désignait un hameau agglutiné sur la berge orientale.) Ce n'est pas loin, mais le sentier nous oblige à faire un long crochet par le haut de la vallée pour la redescendre ensuite en longeant la rivière. Le soleil sera couché quand nous arriverons. Pressons-nous.

Une sourde appréhension pinça le cœur de Covenant à la vue de la paroi vertigineuse qu'il leur restait à négocier, mais surmontant cette défaillance, il suivit Léna d'un bon pas sur le sentier qui s'infléchissait doucement vers le sud entre de modestes talus herbeux qu'ombrageaient des contreforts menaçants, tantôt plongé dans l'ombre d'une petite combe, tantôt égaré à travers des éboulis. A mesure qu'ils descendaient, l'air perdait sa transparence. De riches relents de terreau se mêlaient aux résidus d'arôme de pins, de plus en plus clairsemés. Covenant s'émerveillait. Aucune étape de cette délectable évolution ne semblait échapper à ses sens aiguisés. Il en savourait chaque nuance. Aussi fut-il presque déçu d'abandonner si vite la montagne quand le sentier dévala le flanc d'un dernier coteau pour rejoindre la rivière où, suivant son cours, il vira au nord.

Quelque chose, dans le murmure du cours d'eau assagi, lui fit prendre conscience de la solidité rassurante du Territoire. Rien de comparable à ces émanations intangibles dont les songes sont friands. L'existence du Territoire était concrète, vérifiable. Il s'agissait d'une illusion, bien sûr, produit de son esprit bouleversé par le choc, mais Covenant puisait dans sa découverte un étrange réconfort, comme si la cohérence, la docile harmonie du lieu, était le plus sûr garant de sa santé mentale. La crainte du chaos s'estompait. Il était presque certain d'arriver indemne au terme de son rêve. Il retrouvait confiance en lui. Ce n'était pas encore de l'audace, mais le déhanchement candide de son guide l'incitait déjà à plus de résolution.

Tandis que Covenant subissait l'épreuve d'émotions inespérées, l'ombre envahissait la vallée. Au loin, la plaine reluisait encore, frappée d'une clarté oblique, mais autour d'eux, le paysage était dorénavant sans relief dans le vague du crépuscule et la ligne d'ombre escaladait lentement la muraille de droite. Au milieu de cette ambiguïté qu'installait invariablement le déclin du jour, Covenant éprouva la sensation fugitive d'un danger imminent et insaisissable.

Puis la dernière flaque de lumière irisée s'estompa dans le lointain. Léna lui effleura le bras.

— Regarde ! Nous voici arrivés.

Ils avaient atteint le sommet d'une longue colline basse au pied de laquelle, éparpillées à la débandade comme si une avalanche les avait jetées là, se trouvaient réunies les maisons du Pétragîte. Mais les reflets doucement satinés des murs de pierre et les toits en terrasse opposaient un démenti formel à la première impression de bâclage, et l'examen attentif de la disposition générale révélait même une certaine aptitude à l'ordre. En fait, toutes les maisons s'ordonnaient en fonction d'un espace circulaire plus ou moins central auquel elles faisaient face.

Aucune ne dépassait un étage et toutes étaient de pierre avec un toit plat et dallé. Seule l'architecture avait permis aux bâtisseurs d'exprimer leur créativité. Certaines demeures étaient rondes, d'autres carrées ou rectangulaires ; d'autres enfin ressemblaient plus à d'énormes rochers aplatis à leur sommet qu'à de véritables maisons.

— Ici se sont succédé cinq générations d'hommes et de femmes venus des plaines Méridionales, murmura Léna. *Rhadhamaerl*, Bergers, Pasteurs, Fermiers, Artisans... mais seule Atiaran, ma mère, a reçu l'enseignement de la Loge. Tu vois cette maison, tout près de l'eau ? C'est là que nous demeurons.

6

La Légende de Bérek Mimain

Avec la nuit toute proche, la dissonance sympathique des oiseaux qui battaient le rappel des retardataires dans les arbres des collines s'assoupit ; ce n'était plus qu'un gazouillis intermittent et satisfait. Comme ils contournaient le Pétragîte, Covenant et Léna pouvaient entendre la rivière filer sa rengaine immuable. La jeune fille gardait un silence concentré, comme si le refoulement d'une excitation croissante accaparait toute son énergie. Covenant, pour sa part, était trop attentif à ce qui l'entourait pour songer à poser des questions. Aussi la dernière partie du trajet s'effectua-t-elle dans le plus grand calme.

Lorsqu'ils atteignirent le coin de la grande maison rectangulaire, la main de la jeune fille exerça une brève et vigoureuse pression sur la sienne.

En guise de porte, un lourd rideau masquait l'entrée. L'ayant écarté, Léna lui fit signe de passer. Un premier regard révéla une longue pièce qui prenait la maison en enfilade, avec deux ouvertures latérales, également masquées. Au centre, une table et des bancs de pierre. Taillées à même les murs, d'innombrables étagères supportaient jattes et ustensiles variés. Si les fonctions culinaires de certains étaient bien définies par leur forme, d'autres laissaient Covenant perplexe. Des vasques, une pour chaque angle, une cinquième sur la table, répandaient une lumière jaune et uniforme. Pas de clignotements ou de vacillements de flammes ; la lumière était aussi stable que ses contenants de grès.

L'attention de Covenant fut attirée vers le fond de la pièce. Là, soutenue par une dalle épaisse, se dressait une immense jarre dont le sommet arrivait à la taille de l'homme colossal qui tournait le dos aux nouveaux arrivants, absorbé dans la contemplation du contenu de l'énorme récipient. Sous la courte tunique brune, ses muscles se tendaient comme des cordes tandis qu'il faisait basculer la jarre sur son socle. Covenant remarqua soudain, au débouché de l'édifice, une zone d'ombre que la lumière n'entamait pas. Un moment, l'homme garda les yeux fixés sur cette enclave ténébreuse comme s'il l'étudiait tout en continuant de faire osciller le récipient, puis de ses lèvres monta une mélopée lente et lugubre, si basse que ses paroles ne portaient pas jusqu'au seuil de la maison. Covenant eut l'impression d'écouter une incantation à l'adresse du contenu de la jarre, comme si celui-ci était doté de pouvoir. Tout d'abord, il ne se passa rien. Quand la zone d'ombre s'estompa, il crut que l'intensité de la lumière ambiante s'était modifiée, mais bientôt il irradia de la jarre géante une lueur si puissante que les autres sources s'en trouvèrent tout à coup réduites au rôle d'appoint.

Après un ultime et sourd marmottement, l'homme pivota. Silhouetté contre l'éblouissante clarté, il semblait encore plus imposant. Il braquait sur l'étranger son visage enflammé par la chaleur de la jarre. Covenant supporta le regard perçant sorti de ce corps massif et crut déceler une fugitive expression de malaise. Brusquement, l'homme tendit la main, paume en avant, en direction du visiteur.

— Eh bien, ma fille, je vois que tu nous ramènes un invité ! dit-il à Léna ; mais pour ce soir tu devras t'acquitter seule des devoirs de l'hospitalité. (Sa voix était celle d'un homme qui parle peu, mais la sévérité qu'il témoignait à la jeune fille trahissait le calme plutôt que la dureté.) Mes fonctions m'appellent au-dehors et ta mère aide à mettre au monde le nouvel enfant d'Odona Murrin-mie. L'hôte ne s'offensera pas, j'espère, de ne point trouver de repas pour saluer le terme de sa journée.

Mine de rien, tout en morigénant sa fille, l'homme examinait Covenant. Léna qui, jusqu'alors, avait adopté une attitude contrite, les yeux modestement baissés, se précipita vers le géant et lança ses bras graciles autour du vaste buste.

— Trell, mon père, c'est un étranger que j'ai ramené au Pétragîte. Je l'ai trouvé sur l'Observatoire de Kévin !

— Un étranger, dis-tu ? Je m'en serais douté. Quelle besogne l'appelle parmi nous, voilà ce que j'aimerais savoir.

L'homme souriait à présent, une main noueuse posée sur l'épaule de Léna.

— Il a combattu un nuage obscur, souffla-t-elle.

Covenant s'attendait à une explosion d'hilarité de la part d'un solide gaillard dont la rustique impassibilité semblait un rempart contre tous les cauchemars concoctés par Férus. Au lieu de ça, Trell aiguisa le regard qu'il gardait rivé sur l'étranger et demanda, le plus sérieusement du monde :

— Y eut-il un vainqueur ?

Covenant sentit revenir à la surface ses craintes les plus noires. C'était comme si le sol, subitement affermi par la pesanteur rassurante de ce *pater familias* surgi d'une opérette d'inspiration médiévale, se dérobait de nouveau sous lui. Et cependant, on attendait sa réaction.

— J'ai survécu, fit-il d'une voix rauque.

Il eût juré que cette réponse peu compromettante accroissait le malaise du colosse. Celui-ci détourna les yeux, puis les ramena sur lui avec effort.

— Bien ! Comment te nommes-tu, étranger ?

— Thomas Covenant, s'exclama Léna. Covenant de l'Observatoire de Kévin !

— Qu'est-ce que j'entends ? gronda Trell. Serais-tu prophète pour parler à la place d'un aîné ? Alors, Thomas Covenant de l'Observatoire de Kévin, aurais-tu d'autres noms ?

Sur le point de répondre par la négative, Covenant croisa le regard de la jeune fille. Ses yeux brûlaient d'une attente et d'un espoir si avides que le bénéficiaire de cette juvénile ferveur, peu habitué à produire un effet aussi flatteur, se sentit gagné par un vertige de possibilités. Le message était clair : on attendait qu'il levât le voile sur la haute vocation qu'avait laissé pressentir son apparition fracassante au sommet de l'Observatoire. Comment satisfaire les exigences romanesques de la jeune fille sans abuser le père ? Il n'eut pas longtemps à attendre l'inspiration. Le nom se déploya dans son esprit comme une bannière.

— Je suis Thomas Covenant, dit-il. (Puis, comme s'il mettait les deux autres au défi de le contredire, il précisa :) Thomas Covenant, l'Incrédule.

A peine eut-il prononcé ces trois syllabes qu'il sentit la différence ; il venait de s'engager au-delà de tout espoir de retour en arrière. Cette nouvelle identité risquait de se révéler plus contraignante qu'il ne pouvait imaginer.

En attendant, Léna le récompensa d'un sourire éloquent et Trell lui adressa un salut imperceptible.

— Sois le bienvenu chez nous, Thomas Covenant ! Je dois porter ailleurs mes phosphorescentes, mais Atiaran, mon épouse, ne tardera plus et si tu insistes, Léna se souviendra peut-être qu'un visiteur est en droit d'exiger une collation.

Il se retourna et, saisissant la jarre à bras-le-corps, la souleva et lui fit traverser toute la pièce jusqu'à l'entrée. Le contenu incandescent projetait des reflets ondoyants sur son visage. Léna se hâta de soulever le rideau. Trell et son singulier fardeau s'enfoncèrent dans la nuit. Covenant n'avait jeté qu'un coup d'œil sur l'intérieur de la marmite. Elle était pleine de minuscules graviers chauffés au rouge.

— Enfer ! marmonna-t-il, ébahi. Combien pèse ce machin ?

— Oh, cette jarre ? répliqua la jeune fille sur un ton d'insouciance qui cachait mal sa fierté. Trois hommes ne peuvent la soulever, mais quand s'allument les phosphorescentes, elle ne pèse rien dans les bras de mon père. C'est un phosphorateur du *rhadhamaerl*, comprends-tu. Les pierres n'ont pas de secret pour lui. Mais je manque à mes devoirs d'hôtesse. Ne veux-tu te rafraîchir ou te laver ? Accepteras-tu un peu de vin nouveau ?

L'effarement plein de méfiance qu'avait fait naître la démonstration athlétique de Trell se dissipa. Les attentions de Léna, sa charmante sollicitude le renvoyaient à son propre statut. Ce monde l'acceptait et lui témoignait de la considération. Des êtres tels que Trell ou Léna se montreraient tout disposés à le prendre au sérieux aussi longtemps qu'il donnerait le change. Il lui suffisait de se laisser porter par le courant arbitraire de son rêve, jusqu'à l'étape suivante, cette Pierre-qui-Rit au nom évocateur. Il prétendit vouloir se laver, escomptant qu'un court moment de solitude apaiserait la turbulence de toutes ces émotions contradictoires.

Dissimulée par un autre rideau, il y avait une petite pièce dans laquelle l'eau jaillissait continûment d'un trou pratiqué dans le mur. Une valve de pierre dirigeait le jet dans une vasque. Léna lui désigna un mouchoir noué plein de sable fin pour se frotter et le laissa à ses ablutions.

Quand il retourna dans la salle, une autre femme s'y trouvait.

— Il prétend ne rien connaître du Territoire, était en train de dire Léna.

A ce moment, elles sentirent sa présence et pivotèrent à l'unisson. Au premier coup d'œil, il identifia la nouvelle venue comme Atiaran, l'épouse et la mère. Ce n'était pas faire preuve d'une grande sagacité que de deviner le lien de parenté qui unissait les deux femmes, tant le geste d'Atiaran entourant l'épaule de sa fille trahissait l'affection et tant leur allure générale était la même. Pourtant, là où Léna offrait le spectacle de sa fraîcheur lisse et innocente, Atiaran semblait la proie un peu usée, un peu déchirée de mille conflits irrésolus. Cette physionomie avenante mais dépourvue d'originalité, cette silhouette un peu lourde la gênaient visiblement comme autant d'entraves à l'expression d'une volonté farouche fondée sur l'expérience et la peur. Son visage prématurément ridé accusait cette secrète contradiction, et le feu intérieur qui se consumait derrière le regard anxieux de ses yeux bruns, bruns comme ceux de Léna, devait être difficile à maîtriser. Tout son être avouait une surveillance tâtillonne des excès toujours possibles de sa propre sensibilité. Si seulement elle souriait, songeait Covenant qui l'observait de loin, son visage deviendrait presque beau.

Après une hésitation marquée, Atiaran porta la main à son cœur et la tendit vers le visiteur, paumes offertes ainsi que l'avait fait son époux.

— Je suis Atiaran Trell-mie. Sois le bienvenu. Trell et Léna, ma fille, m'ont parlé de toi. Inutile de te présenter de nouveau, Thomas Covenant. Accepte notre hospitalité.

— C'est un honneur pour moi, murmura Covenant, retrouvant d'autant plus facilement ses bonnes manières qu'elles s'accordaient avec sa résolution de faire une excellente impression sur ces gens simples.

Une fois encore, pendant un bref instant, Atiaran sembla frappée d'indécision. Covenant surveilla la montée du doute sur son visage, comme à l'écoute permanente d'une voix intérieure. Dieu, quelle puissance auraient ces yeux s'ils voulaient se donner la peine de regarder pour de bon ! Mais, déjà, Atiaran était parvenue à une décision.

— Il n'est pas dans nos habitudes d'assaillir un hôte de questions avant qu'il n'ait le ventre plein, dit-elle gravement. Toutefois, le repas n'est pas prêt, et ta présence, Thomas Covenant, me laisse perplexe. Si tu le veux bien, nous parlerons tandis que Léna accommodera nos modestes réserves. Si je ne m'abuse, quelque chose te fait défaut, quelque chose d'essentiel à ton bonheur.

D'un haussement d'épaules, Covenant manifesta qu'il ne voyait pas d'inconvénient à se soumettre à cet interrogatoire. En réalité, il le savait, il avait tout à redouter des questions d'une observatrice aussi lucide et perspicace qui prétendait à demi-mot vouloir sonder sa conscience. Léna s'activait à dresser le couvert. Il ne prêtait qu'une attention distraite à ses regards en coulisse. Atiaran exerçait sur lui une étrange fascination. Là était le danger.

— Par où dois-je commencer ? marmonna-t-elle en aparté. Il y a si longtemps, et mon savoir est si pauvre ! Qu'importe, puisque, ici, personne ne peut prendre ma place. (Redressant la taille, elle demanda d'une voix claire :) Puis-je voir tes mains ?

Covenant n'avait pas oublié la réaction de Léna. Il avança la main droite.

Atiaran contourna la table et s'approcha à le toucher. Pourtant, elle ne fit pas un geste vers la main amputée. Elle ne la regarda même pas. Ses yeux fouillaient le visage de l'homme comme si elle voulait scruter les profondeurs de son être.

— Mimain, ainsi que Trell me l'a dit. On raconte que Bérek, Sauveur des hommes et Seigneur Fondateur, doit revenir parmi nous si le Territoire est menacé. Que sais-tu à ce sujet ?

— Rien, grommela Covenant.

— Montre-moi ton autre main. (Intrigué, il s'exécuta. A la seconde où elle la vit, Atiaran laissa échapper un cri. Pendant quelques instants, elle sembla foudroyée par une terreur intense. Puis sa volonté reprit le dessus.) De quel métal est cet anneau ? demanda-t-elle tout bas.

— Mon alliance ? (La violence de sa réaction avait lézardé la façade de franchise retenue derrière laquelle Covenant retranchait son angoisse, et dans la brèche s'engouffra un souvenir composite où la voix de Joan déclarant : « *Avec cette alliance je te prends pour époux* » s'unissait à celle du vieux mendiant loqueteux : « *Agis en accord avec toi-même.* » La nuit l'enveloppa. Il s'entendit répondre avec un détachement insolite dans la bouche d'un lépreux récemment divorcé :) Mon alliance est en or blanc. C'est elle qui l'a voulu.

Atiaran émit une plainte distincte et porta les mains à ses tempes comme pour comprimer les battements du sang.

— Dans tout le Pétragîte, il n'y a que moi pour connaître le sens de ta révélation. Même Trell ignore ces secrets. Il n'y a que moi. Réfléchis bien, Thomas Covenant... est-ce vrai ?

J'aurais dû m'en débarrasser, songea-t-il. Un lépreux senti-mental, quelle horreur ! Aussi pourquoi ce mendiant me l'a-t-il rendue ? Cette femme au regard de feu lui donnait l'impression horripilante d'en savoir plus long que lui sur l'expérience bouleversante qu'il était en train de vivre. Pis encore, tout se passait comme si son arrivée dans ce monde obéissait à quelque obscur et menaçant présage. Bref, on l'attendait presque. C'était exaspérant.

— Naturellement, c'est vrai ! Ecoutez, je ne comprends rien à ce que vous dites. Ce n'est qu'une alliance, bon Dieu ! Si elle est en or blanc, c'est que Joan...

Joan ne voulait pas entendre parler d'or jaune. Ça ne l'avait pas empêchée de prendre la tangente et de lui imposer le divorce.

— De l'or blanc ! répéta Atiaran d'une voix morne. (Son accablement faisait pitié. On eût juré qu'un deuil affreux venait de la terrasser.) Les Seigneurs chantent une mélodie très ancienne dans laquelle il est question d'un homme qui porte de l'or blanc. Ecoute, voici le peu dont j'ai gardé le souvenir :

> *Celui qui viendra paré de l'or blanc magique*
> *Est un paradoxe...*
> *Car il contient le tout et le néant.*
> *Héros et pitoyable,*
> *Puissant et démuni,*
> *D'un seul mot vrai ou perfide,*
> *Il sauvera la Terre ou la détruira*
> *Puisqu'il est fou et sain d'esprit,*
> *Impassible et brûlant,*
> *Perdu et retrouvé.*

» Connais-tu ce chant, Thomas Covenant ? Il n'existe pas d'or blanc dans les entrailles du Territoire. On n'en a jamais trouvé nulle part dans les entrailles de la Terre, et cependant on prétend que Bérek connaissait ce métal, lui qui composa la mélodie. Tu viens d'ailleurs, je le sais bien. Quel terrible vent t'amène dans notre monde ?

Ses yeux le parcouraient comme s'ils espéraient découvrir quelque tare, quelque preuve flagrante de son imposture. Il se raidit sous leur caresse onglée. « *Ta puissance est réelle*, avait dit le Contempteur, *mais tu n'en connaîtras jamais la vraie nature.* » A l'idée que son alliance pouvait faire fonction de talisman, il se sentit gagné par la colère. Décidément, ce rêve se croyait tout permis ! N'y songe pas. Ne t'insurge pas. Suis le courant. Survis. Il décida de répondre du tac au tac.

— Les voies du destin sont impénétrables. J'ai un message à transmettre au Conseil des Seigneurs.

— Quel message ?

L'espace d'une hésitation complaisante, il laissa sa réponse en suspens. Puis :

— Le Sombre Fléau est de retour.

À ces mots, Léna lâcha la jatte qu'elle transportait et courut se réfugier dans les bras de sa mère.

Covenant considéra les éclats de grès d'un œil courroucé. Le liquide se répandait sur les dalles. Il entendait la respiration saccadée d'Atiaran, un bruit étouffé, râpeux, comme si de l'air s'échappait d'une blessure.

— Comment peux-tu savoir ces choses ? haleta-t-elle.

Il les regarda, enlacées, deux enfants terrorisées par l'apparition de l'ogre. *Tremblez, braves gens ! Le paria est dans vos murs !* Mais voici que la femme forte et la mère courageuse retrouvait son assurance. Son visage se durcit, ses yeux lancèrent des éclairs.

— Comment ? insista-t-elle.

Il s'en fallait de peu que l'ogre ne se sentît mauvaise conscience.

— Je l'ai rencontré là-haut, sur l'Observatoire de Kévin, fit-il, sur la défensive.

— C'est donc vrai ? Pauvre de nous ! s'écria-t-elle, enlaçant Léna de plus belle. Qui aura pitié de nos enfants ? La malédiction du Territoire est sur eux. Léna, pauvre petite, quand la lutte reprendra, tu ne connaîtras plus ni joie ni repos, car, pour ton malheur, tu as vu le jour dans un siècle maudit et ton innocence ne te sauvera pas.

Sa douleur poignante s'insinua dans les replis les plus discrets du cœur de Covenant. Pour la première fois, il pressentit que cet étrange Territoire recelait un trésor, encore mal défini, sur lequel pesait une menace mortelle. Il observa Léna et découvrit avec un mélange de sympathie et d'appréhension que son prestige avait encore grandi aux yeux de la jeune fille. Par-delà l'épouvante, son visage délicat exprimait l'offre la plus inconsciente et la plus passionnée.

Il se tint coi jusqu'au moment où les deux femmes se séparèrent.

— Sais-tu pourquoi je me trouve ici ? demanda-t-il alors. Sais-tu ce que me réserve l'avenir ?

Atiaran n'eut pas le temps de répondre. Une voix forte la héla de l'extérieur.

— Salut à toi, Atiaran, fille de Tiaran ! Trell le phosphorateur nous dit que tes tâches de la journée sont achevées. Viens ! Viens chanter pour le Pétragîte !

Atiaran fit entendre un profond soupir.

— Le vrai travail de ma vie ne fait que commencer, murmura-t-elle. (Puis, se dirigeant vers l'entrée, elle écarta le rideau et lança sa réponse dans la nuit :) Nous n'avons pas encore pris notre repas. Je viendrai plus tard. Après l'Assemblée, j'irai voir le Cercle des Anciens !

— Ils t'attendront ! cria la voix.

— Bien ! (Mais au lieu de laisser retomber le rideau, Atiaran demeura sans bouger, tournée vers l'obscurité. Lorsque, enfin, elle pivota pour faire face à Covenant, il crut deviner un aveu de défaite dans ses yeux brillant de larmes. Puis il comprit — cet accès de mélancolie était seulement dû au souvenir de la défaite.) Non, fit-elle tristement, je ne puis te renseigner sur ton destin. Si j'avais eu la force de rester plus longtemps à la Loge, si j'avais persévéré... mais parvenue aux limites de ma résistance, je suis retournée chez moi. Il ne me reste que des réminiscences dont certaines te concernent peut-être. Il s'agit d'un pouvoir noir et mystérieux qui fera chavirer la Paix. Il est dit :

> *Gravé dans chaque rocher, le pouvoir indompté attend.*
> *L'or blanc viendra, pour le soumettre*
> *Ou pour le déchaîner...*

» Ne me demande pas le sens profond de cet avertissement. Je l'ignore. Il est d'autant plus urgent de te conduire devant le Conseil, mais laisse-moi te dire une bonne chose, Thomas Covenant. Si tu es venu dans l'intention de trahir le Territoire, seuls les Seigneurs peuvent espérer te barrer la route. Voilà l'étendue de ton pouvoir.

Trahir ? L'accusation avait de quoi surprendre. Il n'eut pas le temps de protester que déjà Léna s'indignait :

— Mais je l'ai vu, de mes yeux, affronter un nuage obscur sur l'Observatoire de Kévin. Comment peux-tu douter de lui ?

L'intention était bonne, mais à son insu la jeune fille l'avait placé en porte à faux. Jusqu'à présent, il n'avait affronté personne.

L'arrivée de Trell coupa court à la discussion. Le colosse s'attarda sur le seuil. Ses yeux mouvants glissaient de l'un à l'autre. Ils avisèrent les éclats de grès éparpillés sur le sol.

— Les temps sont vraiment durs quand on casse la vaisselle et que les morceaux sont réduits en poudre sous les pieds parce qu'on oublie de les ramasser, gronda-t-il avec jovialité.

— Pardonne-moi, père ! (Léna était rose de confusion.) J'ai eu grand-peur. La jatte m'est tombée des mains.

Le gros visage de Trell s'épanouit subitement. Il marcha sur sa fille et lui caressa la joue.

— Ce n'est pas grave, petite ! Certaines blessures peuvent être refermées. Je suis en forme, aujourd'hui.

A ces mots, Atiaran lui décocha un regard empreint d'admiration auquel Covenant ne comprit rien. La jeune femme surprit son regard étonné et lui enjoignit de s'asseoir. Le repas serait bientôt prêt. Léna et elle-même allaient s'y employer.

Décontenancé, conscient jusqu'à la gêne de son statut d'étranger et d'invité, Covenant s'installa sur un banc. Agenouillé sur les dalles, Trell ramassait les débris. Il chantait à bouche fermée. Ses doigts puissants s'activaient avec délicatesse. Il déposa son butin sur la table, sous le halo de la lampe, et s'assit à côté de Covenant.

Sans cesser de moduler, il ajusta les fragments de grès comme s'il s'était agi des pièces d'un puzzle. Peu à peu, la jatte se reconstituait et chaque éclat ajusté restait en place sans l'intervention d'aucune colle ou adhésif. L'homme travaillait vite, avec beaucoup d'application. La vigueur disciplinée de ses gros doigts faisait ici merveille et, bientôt, les yeux écarquillés de Covenant purent contempler le récipient dans son ensemble, sa surface grise parcourue du fin réseau des fractures.

Dès lors, la mélodie adopta un rythme plus soutenu. Trell effleura son œuvre de caresses rapides, et là où ses doigts se posaient, la brisure se refermait. Pas un centimètre carré qui ne fût oublié et quand l'extérieur de la jatte eut retrouvé son aspect uni, il renouvela l'opération sur la partie interne. Ensuite, il fit tourner l'objet pour s'assurer qu'aucune fêlure n'avait échappé à ses attouchements. A l'instant précis où, satisfait, il le posa sur la table, son chant cessa.

Non sans peine, Covenant détacha son regard de la jatte ressuscitée et le hissa à la hauteur du visage de l'homme. Il fut stupéfait de le trouver méconnaissable — livide, harassé, sillonné de larmes.

— Il est plus facile de briser que de recoller, bredouilla Trell. Je ne pourrais pas m'offrir cette petite séance tous les jours.

Et comme si l'épuisement était une arme qui venait de le frapper par-derrière, il laissa tomber sa tête dans le creux de ses bras repliés.

Atiaran s'approcha de son époux et lui massa doucement les épaules. Ses yeux exprimaient une infinie fierté. Léna avait cessé ses allées et venues afin de ne pas troubler le silence recueilli qui s'était abattu sur la salle. Covenant se sentait confus d'appartenir à un monde où nul n'avait cure de recoller par des chansons la vaisselle cassée. Cette parenthèse dévote se referma vite et les femmes reprirent leurs activités. Bientôt, la table se couvrit d'écuelles, de chopes et de nourriture. Celle-ci, abondante, relevait de la pure tradition rurale : on mangea de grosses tranches de viande séchée nappées d'une sauce onctueuse et fumante, du riz paddy, des pommes cuites, du pain bis et du fromage, arrosés d'un breuvage qui s'apparentait à l'eau gazeuse avec un arrière-goût d'*aliantha*. Covenant lui trouva une saveur de bière débarrassée de toute trace d'amertume. C'était le fameux vin nouveau que Léna lui avait proposé à son arrivée. Trell le servait avec libéralité. Covenant en était à sa troisième chope quand il s'avisa de l'effet émoustillant produit sur ses nerfs à vif. Attisée par ce stimulant superflu, son excitation ne connut plus de bornes. Il était comme ces enfants que la lenteur masticatoire des aînés met à la torture. Il se sentait devenu pile électrique. Il était avide de grands espaces. Il rêvait de cabrioles sous la lune.

Hélas, Léna et les siens mangeaient lentement, savourant chaque bouchée comme si ce repas devait être le dernier de leur bonheur commun. Autant pour créer une diversion à son impatience que pour glaner des renseignements, il décida de rompre le silence étouffant.

— Puis-je vous demander quelque chose ? (Son geste ample embrassa toute la salle, et, symboliquement, tout le Pétragîte.) Je n'ai vu de bois nulle part. Cette vallée est cernée par la forêt ; pourtant, ses habitants répugnent à en exploiter la richesse. Pourquoi ? Les arbres seraient-ils sacrés ?

— Sacrés ? (Atiaran haussa les sourcils.) Bien que le mot ne me soit pas inconnu, sa signification m'échappe. Respectueux du pouvoir contenu dans les arbres, les rivières, le sol et la pierre, nous avons prêté le Serment de Paix. Si nous nous abstenons d'abattre les arbres, c'est que nous avons perdu le *lillianrill*, la tradition du bois. Par bonheur, nous avons conservé la tradition *rhadhamaerl*, sans laquelle nous ne pourrions survivre. D'autres se sont accrochés au *lillianrill*. Ainsi les habitants de la Haute Sylve comprennent-ils le bois et prospèrent-ils grâce à lui. Il y a bien quelques échanges entre Sylvestres et Pétragîtés, mais ce commerce ne concerne ni le bois ni la pierre.

Quand elle se tut, le silence qui retomba n'avait plus la même densité. Covenant tendit l'oreille. Une rumeur avait pris naissance, joyeuse, fragmentée, comme d'une cour de récréation lointaine.

— J'entends l'Assemblée, murmura Atiaran. Ils m'attendent. Ce soir, j'ai promis de chanter, précisa-t-elle pour le bénéfice de son époux. (Ils se levèrent à l'unisson. La jeune femme se tourna vers Covenant :) Suis-moi, si tu le désires. Je chanterai *la Légende de Bérek Mimain*. (Elle s'empara du vase rempli de cailloux phosphorescents.) Léna, je compte sur toi pour nettoyer.

Le visage de la jeune fille s'assombrit. Un léger froncement naquit entre ses sourcils. Derrière le front lisse se produisaient mille petits déchirements. Elle désirait obéir autant qu'elle désirait les accompagner. Trell remarqua ce changement.

— Va donc avec eux, ma fille ! Les travaux ménagers ne me font pas peur.

Transfigurée malgré elle, Léna réprima son soulagement, réprima l'envie de se jeter au cou de son père et fila tout doux, en fille modeste, se placer dans l'orbe maternelle.

— Trell, cette petite est trop gâtée ! Elle finira par se monter la tête.

Mais pour bien montrer qu'elle ne tenait rigueur à personne, Atiaran prit la main de Léna, et tous trois franchirent le seuil. Covenant ressentit un soulagement immédiat. Rien de tel que la clarté pure et terrifiante des étoiles pour rendre le goût de l'abstraction si nécessaire à un froid retour sur soi-même.

Et Dieu sait qu'il avait besoin de faire le point ! Tout lui échappait ; nul doute qu'il était la victime, ou plutôt l'instrument du rêve, davantage que son inspirateur. Et cette ardeur magnifique qui se répandait comme du feu dans ses veines ? Le vin nouveau n'expliquait pas tout. Chaque bouffée d'air nocturne qui pénétrait dans ses poumons fouettait cette exaltation sensuelle. De l'or blanc ! tonnait une voix intérieure. Un pouvoir mystérieux ! Me prendrait-on pour un illuminé, par hasard ? Ils se trompent. Je ne suis pas fou. Je rêve, tout simplement. Je rêve que je suis fou.

Le bras de Léna frôla le sien. Loin d'exacerber son trouble, ce contact fugitif l'apaisa. Et c'était bien, car ils arrivaient sur la place du Pétragîte autour de laquelle hommes, femmes et enfants formaient un cercle bruissant. A la lueur stable de douzaines de vases phosphorescents, Covenant examina visages et silhouettes. D'une taille inférieure à la sienne, ce qui les réduisait presque à la dimension d'avortons comparés à Trell, ils étaient bruns, trapus, les épaules larges, les bras puissants, dignes héritiers de générations de tailleurs de pierre. Même des femmes et des enfants émanait une impression de force. Covenant ressentit une crainte diffuse. Cette débauche musculaire le gênait et l'inquiétait. Si ces gens devenaient agressifs, sa seule protection serait sa singularité.

Pour l'instant, on papotait sans prêter attention à lui. Soucieux de préserver son anonymat le plus longtemps possible, il s'arrêta à la périphérie du cercle. Léna l'imita, laissant sa mère traverser la foule en direction de l'espace central.

Quand il fut las d'observer l'assistance, Covenant porta son attention sur la jeune fille dont la tête châtaine lui arrivait aux épaules. Elle tenait le vase phosphorescent des deux mains à hauteur de la taille, de sorte que la lumière accusait brutalement la saillie de ses seins. Les fourmis qui, depuis le bain de boue au bord de la rivière, logeaient au creux des mains de Covenant s'affolèrent. Il ramena péniblement les yeux sur un point neutre de la place. Le silence se fit.

Atiaran se tenait au centre du cercle, debout sur une estrade de pierre. Les petites lampes composaient autour d'elle une auréole lumineuse, comme une pénombre subtile dont elle eût été la source.

— Je me sens si vieille, ce soir, commença-t-elle. Ma mémoire se brouille et j'ai oublié certaines paroles du chant que j'avais choisi de vous faire entendre. Je chanterai donc ce dont je me souviens, puis je vous conterai l'histoire ainsi que je l'ai déjà fait, afin que vous partagiez mon modeste savoir.

A ces mots, un frisson d'hilarité parcourut l'assistance en hommage aux lumières qui resteraient l'apanage d'Atiaran. Silencieuse, la tête inclinée afin, se douta Covenant, de dissimuler l'effroi que lui valait ce savoir privilégié, elle attendit le retour au calme. Dans le silence retrouvé, elle dressa la tête.

— Je chanterai *la Légende de Bérek Mimain*. (Après une dernière pause, comme un plongeur se recueille avant de s'élancer, elle projeta sa voix dans la nuit avec une perfection instantanée :)

Quand les champs de bataille se teintent du passage des
[hommes,
Et que la Terre courbe la nuque sous l'horrible linceul,
Quand les prières, les cris fiévreux et les chuchotements
Se dispersent sans effet...
Un seul demeure, le dernier à s'avouer vaincu,
Le dernier à s'abandonner au désespoir.
Celui-là laisse ses armes sur le site funèbre
Et va porter ailleurs
Sa main tranchée.
A travers le Territoire retentit l'épouvantable cri.
Nuit des hommes, nuit de la Terre, les félons redoublent d'effort
Quand Bérek fuit devant eux,
Mais sur le flanc des Hauts du Tonnerre,
Voyant l'ombre violente sortir des bouches des mourants,
Il crie, et prie et pleure.
La Terre entend l'appel et tressaille de joie.
Terre puissante qui ne te lasses jamais d'agir
En ton énorme royaume,
Donne-lui la foi et que ton pouvoir soit le sien !
De cette veillée solitaire jaillit l'hymne victorieux.
Les félons jonchaient la plaine, et les hommes t'aimèrent
Dans les siècles des siècles,
Comme tu aimas le Territoire,
Bérek !

Covenant en avait le souffle coupé. La voix de soie, cette voix hors du temps dont l'élan continu se prolongeait sans le secours d'aucun instrument, lui râpait la peau comme du papier de verre. Il frissonnait. On eût dit qu'un fantôme caché dans les volutes concrètes des phrases attendait d'être reconnu de lui. Il écoutait avec stupeur et angoisse se dérouler la trame pure de la mélodie émaillée de vibrations inattendues, d'accords absolument maîtrisés qui résonnaient comme l'écho de voix éteintes si bien qu'à chaque crescendo elle semblait sur le point de s'épanouir avec l'intensité de plusieurs organes distincts, communiant dans une ardeur unique.

La voix s'exalta sur les dernières phrases pour trouver des accents si nobles qu'ils semblaient s'adresser à ces auditeurs lointains qu'étaient les monts et les étoiles. D'un seul mouvement, hommes, femmes et enfants levèrent leurs lampes à bout de bras et de toutes les poitrines fusa un cri puissant :

— Bérek ! Protecteur des hommes ! Salut !

Les vases phosphorescents s'abaissèrent. Le cercle d'admirateurs se resserra. En bon ordre ils convergèrent sur la conteuse. Emporté par l'élan commun, Covenant s'avança de quelques pas avant de se ressaisir. La ferveur unanime du Pétragîte le troublait ; il n'était pas question de s'y abandonner. Cependant, il voulait entendre l'histoire de Bérek. Il décida de demeurer où il s'était arrêté, sans se rapprocher davantage, sans reculer non plus.

Quand tous furent installés, Atiaran commença son récit.

— Jadis, en ce temps reculé où prend naissance la mémoire des hommes, une guerre éclata. C'était avant les Seigneurs primordiaux, avant que les Géants ne traversent la mer du Levant pour sceller le Pacte de la Fraternité du Roc, avant le Serment de Paix, avant la Désolation. En ce temps-là, les Ur-Vils qui engendrèrent le Malfrai étaient une noble espèce et les Lémures forgeaient de précieux métaux qu'ils vendaient à tous les peuples du Territoire avec lesquels ils vivaient en bonne intelligence. En ce temps-là, d'ailleurs, le Territoire formait une seule et unique entité placée sous la férule d'un roi et d'une reine pacifiques chéris de leurs sujets.

» Avec les années, cependant, une ombre se répandit dans le cœur du souverain. L'ivresse du pouvoir le livra brutalement à la plus effroyable calamité : l'ambition dévorante d'accroître sa puissance par tous les moyens, et dès lors, l'exercice débonnaire des droits régaliens se mua en tyrannie et les mesures conçues avec un désir d'efficacité cruelle au cours de longues nuits d'insomnie valurent au monarque la haine de ses sujets et l'effondrement de son prestige.

» Les égarements de son époux jetaient la Reine dans la consternation. Longtemps, elle voulut espérer une guérison et le retour à la paisible harmonie d'antan. Elle essaya la douce persuasion, elle essaya les menaces. Rien n'y fit. Le Roi était atteint d'un mal incurable. Quand sa barbarie en vint à menacer l'intégrité du Territoire, la Reine se résolut à se séparer de lui et lui déclara la guerre.

» Le Territoire fut déchiré. Parmi les malheureux qui avaient tâté de la férocité du Roi, nombreux furent ceux qui rejoignirent le camp de la Reine. Elle reçut aussi le soutien de tous les hommes de bonne volonté, ennemis de la violence gratuite et respectueux de la vie. Ils avaient pour chef Bérek, le plus fort et le plus avisé des champions de la Reine. Mais souvent, la terreur qu'inspirait le Roi était la plus forte, et des cités entières se levèrent pour défendre ses couleurs. Aveuglés par l'épouvante, ceux-là massacraient dans le seul but de perpétuer leur esclavage.

» On crut d'abord au triomphe du parti de la Reine. Ses champions se battaient comme des lions, mais aucun, pour l'ardeur, n'égalait Bérek dont on disait que seul le Roi serait digne de l'affronter en combat singulier. Mais voici qu'au plus fort de la mêlée une sombre nuée venue de l'est déferla sur le champ de bataille. Frappés au cœur, les partisans de la Reine sentirent leurs forces les abandonner tandis que l'ennemi puisait au contraire dans ce brouillard prodigieux une vigueur décuplée et, pris d'une frénésie meurtrière, s'acharnait sur un adversaire défaillant, égorgeant, éventrant, décapitant à qui mieux mieux. L'un après l'autre, les fidèles lieutenants de Bérek abdiquaient devant le désespoir et la mort.

» A la fin, comme il faisait front et s'obstinait, seul de son camp à faire couler le sang félon, Bérek se trouva face au Roi. Ce fut un rude combat dont l'issue demeura longtemps incertaine. Bérek allait porter le coup fatal quand le nuage obscur fit dévier son épée. Peu après, la hache du Roi lui fendait la main. Son épée lui fut arrachée. Eperdu, il regarda autour de lui et ne vit que la brume lourde, fumeuse, qui semblait envelopper d'un suaire les cadavres de ses camarades. Sa rage et son impuissance s'exhalèrent dans un cri terrible. Tournant le dos au carnage, il prit la fuite.

» Il courut pendant trois jours et trois nuits dans l'effarement, l'épouvante et l'horreur du désastre, talonné par l'armée du Roi, hanté par le souvenir de l'ombre maudite. Hors de lui, il parvint au pied des Hauts du Tonnerre et, jetant ses dernières forces dans l'escalade, se hissa jusqu'à un promontoire rocheux sur lequel il s'abattit en pleurant. " Pitié pour la Terre ! s'écria-t-il. Nous sommes vaincus et abandonnés de tous. S'il en reste ainsi, toute beauté sera bannie du Territoire. "

» La roche qu'il arrosait de ses larmes s'émut d'une douleur si poignante. " Celui qui possède la sagesse du cœur possède aussi un ami, dit-elle. — Les rochers ne sont point mes amis ! riposta Bérek. Regarde ! Mes ennemis parcourent le Territoire et nulle crevasse ne s'ouvre pour les engloutir. — Ils sont comme toi de chair et d'os et, comme toi, ils ont besoin d'avoir un sol sous leurs pieds. Mais la Terre abrite un ami. Il te répondra si tu fais le serment sur ton âme de panser les blessures du Territoire. "

» A ces mots, Bérek retrouva courage et prêta serment. Le sang répandu par sa main mutilée fut le garant de la parole donnée. Aussitôt, un grondement sourd, monté des entrailles de la montagne, fit trembler le sol. D'énormes Rugissantes dévalèrent le versant des Hauts du Tonnerre, dévorant tout sur leur passage. Le Roi et son armée furent anéantis. Il ne resta que Bérek sur l'éperon qui surplombait l'œuvre de mort comme la proue d'un navire se dresse au-dessus des flots.

» Quand tout fut consommé, Bérek rendit hommage aux Rugissantes et jura que lui-même et ceux qui vivraient après lui sur le Territoire honoreraient et serviraient la Terre. Dans le bois de l'Arbre, il façonna le Bâton de la Loi dont il se servit pour fermer les plaies innombrables du Territoire. Plus tard, on l'appela le Rédempteur. Il devint le Père Fondateur, ancêtre de la lignée des Seigneurs primordiaux. Ses disciples crûrent et se multiplièrent pendant deux mille ans à travers le Territoire.

Atiaran avait terminé depuis longtemps que les Pétragîtés, paralysés par la part de beauté, de ténèbres et de folie contenue dans le récit gardaient encore le silence. Soudain, comme si leur sang battait au même rythme, d'un commun élan ils se portèrent en avant, les mains tendues pour toucher la narratrice, et elle, bras ouverts, semblait prête à les étreindre tous. Certains ne purent l'atteindre et s'embrassèrent les uns les autres pour communier dans l'allégresse générale.

7

Léna

Etranger à ces effusions spontanées, Covenant se retrouva seul. La sensation d'étouffement était revenue, aggravée. Il se sentait traqué, pris au piège. Sa vitalité semblait s'être recroquevillée dans quelque recoin inaccessible de ses poumons, inaccessible à l'air pur, serein, qu'il inhalait à grandes bouffées angoissées sans parvenir à surmonter la terreur de l'asphyxie. Chez les lépreux, la crise de claustrophobie menace chaque fois qu'un bain de foule intempestif les met à la merci d'une brutalité imprévue. Si elle ne le cernait pas, la masse compacte des Pétragîtés pouvait à tout moment se tourner contre lui. Et cette légende ! L'intention d'Atiaran était limpide. Grand Dieu, ces gens croyaient-ils vraiment qu'il allait se conformer au comportement héroïque du sauveur local ?

Sans en avoir pris la décision consciente, il tourna les talons et s'éloigna d'un pas vif. Il était souffrant, l'ignoraient-ils ? Il s'en fallait de si peu ! Une égratignure mal soignée... Il était la dernière personne dont on pouvait exiger le genre de courage qui avait pétrifié Bérek Mimain dans sa légende. « *Il veut faire de toi mon ultime adversaire. Il t'a désigné pour être l'instrument de ma perte.* » Ainsi parlait Férus. S'il n'y prenait garde, il se trouverait contraint de jouer les héros dans une guerre fomentée par un rêve ! Dans son cas, toutes les formes d'altruisme pouvaient se révéler suicidaires. Mais le moyen de résister à ses fantasmes oniriques ? Il savait trop bien ce qu'il risquait d'arriver s'il résistait et s'efforçait de lutter à contre-courant. Déjà, alors que les lueurs de l'Assemblée projetaient encore son ombre devant lui, il sentait se resserrer autour de son crâne la sarabande d'ailes invisibles. Que représentaient ces ténèbres menaçantes sinon la punition d'un mouvement de révolte ? Etourdi, il dut s'arrêter et s'appuyer contre un mur. Le fol espoir que le Territoire pût lui rendre vigueur et joie de vivre s'effrita d'un coup.

Je ne puis ni poursuivre ni m'arrêter. Qu'attend-on de moi ?

Un bruit de pas précipités le décolla du mur comme un gamin apeuré d'être pris en flagrant délit de terreur nocturne. Quelqu'un accourait. Léna n'avait pas lâché le vase phosphorescent et ses oscillations couvraient son visage d'ombres fantastiques. Arrivée auprès de lui, elle leva la lampe afin d'éclairer ses yeux.

— Thomas Covenant, es-tu malade ?

— Oui ! fit-il d'un ton cinglant. Oui, je suis malade ! Et les choses ont empiré depuis mon divorce. Es-tu satisfaite ?

Divorce. Le mot lui avait brûlé la langue. Son regard buté semblait mettre la jeune fille au défi de demander le sens de ces trois syllabes.

Elle s'en garda bien. Plus tard, peut-être, sa curiosité serait satisfaite. Pour l'instant, l'homme avait besoin de quelque chose que personne ne pouvait lui donner. Ce désir irradiait vers elle en ondes douloureuses. Il avait besoin de solitude. Elle lui toucha le bras.

— Suis-moi. Je sais un endroit où personne ne viendra te déranger.

Il l'entendit à peine. Ses nerfs allaient lâcher d'un instant à l'autre et le fracas de la colère rompant les vannes l'assourdissait. Sa patience avait cédé d'un coup. Ils descendirent vers la rivière.

Quelques centaines de mètres plus loin, un pont enjambait la Mithil, doublé par une ombre si nette qu'elle semblait découpée à l'emporte-pièce dans l'eau murmurante. En dépit de son apparence vénérable, Covenant hésitait à lui faire confiance. Les pierres que nul mortier ne soudait semblaient tenir par la grâce de lignes d'ombre à la minceur perfide. En y posant le pied, il s'attendait à trouver un sol glissant qui frémirait sous son poids. Le pont demeura imperturbable. Covenant s'arrêta au sommet de l'arc et, s'accoudant au parapet trapu, scruta la Mithil, comme pour puiser du réconfort dans le spectacle de cette eau qui courait avec un enthousiasme si serein vers sa dissolution dans la mer. Ne pouvait-il passer outre aux menaces, aux aberrations, à l'extravagance inhérente à sa situation et retourner au Pétragîte pour annoncer à ces gens naïfs, en toute mauvaise foi, qu'il était Bérek Mimain ressuscité ?

Impossible ! Il avait la lèpre. Ces fantaisies lui étaient interdites. Il découvrit que, sans s'en rendre compte, il martelait le muret de coups de poing rageurs. Ecœuré, il se maîtrisa, et, quand il eût voulu se donner des gifles, examina simplement ses mains pour s'assurer que ce mouvement d'humeur n'avait pas laissé de traces.

Le pont franchi, ils suivirent la rive opposée en direction de l'ouest. Ils gravirent un escarpement, descendirent l'autre versant jusqu'au fond d'une ravine déchiquetée, hérissée de rochers fracassés entre lesquels ils louvoyèrent, coupant les ombres obliques de rares sapins. Aux abords de la rivière, le repli chaotique s'évasait pour former une crique sablonneuse qui allait ensuite s'effilant vers une saillie granitique dardée comme une flèche au-dessus de l'eau.

Léna s'agenouilla sur le sable. Posant la lampe, elle creusa des deux mains une sorte de vasque où elle répandit les cailloux ardents. Leur éclat inattendu enroba la crique d'une lumière couleur de miel en même temps qu'une douce chaleur rayonnait jusqu'à Covenant. La nuit, par contraste, lui parut brusquement fraîche. Il frissonna.

Léna s'était approchée de la rivière. Elle s'était postée le plus loin possible, à l'extrémité du cap où la lumière l'atteignait à peine. Tête levée, elle regardait le disque étincelant de la pleine lune qui venait de surgir au-dessus des montagnes. A la voir ainsi solitaire sur son petit promontoire, enveloppée d'un halo nacré comme d'une vapeur lumineuse, Covenant ressentit une étrange jalousie. Elle se tenait là où il eût dû être. Cette austère contemplation de l'immensité cosmique lui appartenait. Elle lui volait quelque chose.

Peu après, Léna revenait près du foyer.

— Désires-tu que je m'en aille ? murmura-t-elle, les yeux fixés sur les phosphorescentes.

Covenant frémit. La main lui démangeait de punir cette fille qui avait l'audace d'insinuer que peut-être il désirait sa présence. D'un autre côté, la nuit l'effrayait. Il se leva gauchement et s'éloigna de quelques pas.

— Et toi, que désires-tu ?

Le silence de la jeune fille ne le surprit pas. Il commençait à s'habituer à ces répits studieux qui précédaient des réponses fermes et mûrement réfléchies. Une fois de plus, la calme assurance de Léna fit mouche.

— Je désire en savoir plus long à ton sujet.

Covenant rentra la tête dans les épaules dans l'attente du coup prochain.

— Interroge-moi.

— Es-tu marié ?

Ebahi, fou de rage, il pivota vers la jeune fille comme si elle l'avait poignardé dans le dos. Son expression devait être affreuse, semblable à celle des chiens qu'on écrase sur la chaussée et qui découvrent leurs crocs dans un rictus terrible, car elle le dévisagea, stupéfaite, puis se hâta de baisser les yeux. Il s'était promis de se contenir, et voilà qu'en toute innocence ce tendron pastoral avait mis le doigt sur la plaie ! Plus que tout le reste, c'était elle, Léna, qui venait de raviver la braise. Sa voix claqua comme une mèche de fouet.

— Je le suis. Je l'étais. Quelle importance ?

Cette fois, le silence de rigueur se prolongea plus que de raison. Covenant se mit à faire les cent pas en tiraillant sur son alliance. La voix de la jeune fille s'éleva dans son dos avec une volubilité placide, comme si cela n'avait rien, absolument rien à voir avec ce qui venait d'être dit.

— Moi, je connais un homme qui voudrait bien m'épouser. Il

se nomme Triock, fils de Thuler. Je n'ai pas l'âge requis, bien sûr, mais ça ne l'empêche pas de me courtiser. Quand le moment sera venu, j'accepterai sans doute ; pourtant, si je devais lui donner ma réponse aujourd'hui, ce serait non. C'est un brave homme, je ne dis pas, un bon pasteur, fier de son troupeau, dur à la tâche et d'une taille supérieure à la moyenne. Mais le monde est si vaste ! Il y a tant de trésors à découvrir, tant de beautés à partager et à créer... et je n'ai pas vu galoper les Ranyhyns. Je ne pourrais pas épouser un pasteur qui n'aurait d'autre ambition que de prendre pour femme une *suru-pa-maerl*. Il vaudrait mille fois mieux entrer dans la Loge comme le fit ma mère et supporter toutes les épreuves jusqu'à recevoir le titre de Seigneur. On prétend que de telles choses arrivent. Le crois-tu ?

Covenant n'avait pas écouté. Il pensait à Joan, et ce souvenir tyrannique exaspérait son désarroi. L'ombre de son amour perdu reléguait la nuit argentée du Territoire et sa jeune compagne dans l'insignifiance. Pourquoi dois-je souffrir à ce point ? se demandait-il. Est-ce ma condition de paria qui me rend si vulnérable ? Existe-t-il de pire supplice que de devenir un laissé-pour-compte ? Je n'en puis plus. Qu'au moins son souvenir cesse de me harceler ! La page est tournée. Il ne criait pas, mais Léna pouvait l'entendre murmurer : « Assez, assez, assez ! » Il se laissa tomber sur le sable et replia ses genoux sous le menton puis les enlaça de toutes ses forces.

— Comment se marie-t-on, chez vous ? fit-il brusquement.

— Rien de plus simple. Quand un homme et une femme se plaisent, ils vont trouver le Cercle des Anciens. Ceux-ci leur imposent un sursis d'une saison afin d'éprouver la solidité de leur affection. Ce délai écoulé, tous les membres du Pétragîte se rassemblent sur la place tandis que les Anciens enlacent les futurs époux en déclarant : « Etes-vous prêts à vous aimer pour le meilleur et pour le pire, au repos comme à la peine, pendant la paix ou la guerre, afin que le Territoire se régénère ? » Et tous deux de répondre : « Nous sommes prêts. Ensemble, nous partagerons les vicissitudes de la Terre. » (La voix tranquille se ménagea une pause silencieuse avant de poursuivre :) Alors, tout le Pétragîte laisse éclater sa joie. Les jeunes époux enseignent aux autres toutes sortes de chants, de danses et de jeux inédits afin d'insuffler à la communauté un enthousiasme nouveau et de garantir l'harmonie future. L'union de ma mère et de mon père fut un jour mémorable entre tous, les Anciens m'en ont parlé maintes et maintes fois. Trell occupa l'inévitable sursis à parcourir les montagnes, empruntant des sentiers oubliés, explorant des cavernes inconnues. Il cherchait un fragment d'*orcrest*, la pierre magique. En ce temps-là, une sécheresse terrible exerçait ses ravages sur les plaines Méridionales et la vie même du Pétragîte était menacée.

» Il la trouva à la veille de son mariage. Le lendemain, quand les paroles rituelles eurent été prononcées et tandis qu'Atiaran chantait un hymne à la Terre, une prière enseignée par la Loge et depuis longtemps disparue des traditions de mon peuple, Trell referma son poing sur l'*orcrest* et le broya. Comme la poussière ruisselait entre ses doigts, un éclair unique jaillit de sa main. Le tonnerre roula entre les montagnes et quand rien ne le laissait prévoir, subitement, le ciel s'obscurcit. Une pluie torrentielle s'abattit sur les plaines. Le Pétragîte était sauvé.

Covenant se cramponnait en vain à ses jambes repliées. Impossible d'enrayer l'irrésistible montée de la colère. Ce conte à dormir debout, cette geste virile le cinglait comme un affront cruel et gratuit à sa propre décrépitude. D'une détente, il fut debout. Il courut vers la rivière, sauta sur le promontoire et s'arrêta pile à l'endroit où s'était tenue Léna pour contempler la lune.

— En cadeau de mariage, je lui ai offert des bottes d'équitation, fit-il à mi-voix, s'adressant aux reflets glissants de la Mithil. (Vociférant soudain, il lui montra le poing :) Des bottes d'équitation ! Me voilà impuissant, stérile, pour ce que j'en sais ! Vous trouvez ça juste ?

Léna écouta sans les comprendre ces mots prononcés dans la rage. Elle s'approcha doucement, une main projetée en avant comme pour conjurer la violence qui nouait le dos de l'homme. Elle fit halte derrière lui, laissant entre eux la distance de quelques pas.

— Qu'est-elle devenue ? chuchota-t-elle.

— Ma femme ? demanda-t-il d'une voix épaisse. Elle m'a quitté.

— Comment est-elle morte ?

— Elle n'est pas morte. Ce serait plutôt moi. Elle m'a quitté. Elle s'est séparée de moi. Elle m'a plaqué quand j'avais le plus besoin d'elle. Elle m'a imposé le divorce.

— Comment peut-on se résoudre à cette solution tant qu'il y a de la vie ? s'étonna la jeune fille, scandalisée.

— Quelle vie ? l'entendit-elle marmonner entre ses dents. Je ne suis pas vivant. Je suis lépreux. Je suis un paria, un être abject. Les lépreux sont une abomination, la lie de l'humanité !

Ces paroles emplirent Léna de stupeur et d'indignation. Elle trouva le courage de se rapprocher et d'élever la voix.

— Je n'en crois rien ! Tu n'es pas une abomination. Cela se peut dans le monde d'où tu viens, mais ici, dans le Territoire, tout est différent. Le Territoire seul est source de vérité. Le reste ne compte pas.

Covenant dressa la tête. Tout son corps se contracta. Sa respiration se fit soudain profonde et rauque.

— Tu veux m'égarer, n'est-ce pas ? Tu veux m'entretenir dans l'illusion que je suis un homme comme les autres. Tu mens !

Sa voix résonna si calme, si froide, si menaçante, qu'elle frissonna, surprise et craintive tout à coup comme si la crique, perdant son caractère innocent d'asile propice à la rêverie solitaire, resserrait ses parois autour d'elle. Elle hésitait encore à reconnaître l'afflux de la peur quand Covenant pivota et, dans un mouvement fauchant, lui assena au visage un coup si brutal qu'elle dégringola du promontoire pour aller rouler dans le périmètre de lumière.

Il la rejoignit sans hâte, le regard hanté. Il savait qu'elle ne bougerait pas, trop terrifiée pour imaginer seulement pouvoir lui échapper. Elle le vit venir avec ses yeux intenses, brillants, sauvages, sans tendresse et crut réellement qu'il voulait la tuer et tandis que l'antique instinct de vie la poussait à s'enfuir, elle ne fit pas un geste. Il y avait en elle quelque chose d'inerte et de lourd. Et même lorsqu'il s'agenouilla au-dessus d'elle, souleva sa robe et déchira ses dessous, elle demeura passive. Ce fut seulement lorsqu'il la recouvrit qu'elle sentit le désir de se rebeller. Le corps de l'homme serré contre elle la pressait, la voulait. Il était trop tard. Un poids étrange pesait sur ses membres. Elle avait perdu toute liberté. Elle sentit le contact de sa peau quand il entra en elle. Et la douleur qui lui transperça le ventre lui arracha un cri alors même qu'elle ne pouvait plus rien puisqu'on venait de lui ravir l'irremplaçable garantie de sa pureté.

L'idée qu'il se rendait coupable d'une extorsion était à mille lieues des préoccupations de Covenant. Inconscient de sa frénésie, il s'attachait à ce corps parfaitement immobile avec une passion éperdue. Il ne savait plus rien. Hors de lui, il s'abandonnait à l'ineffable sensation qui tournoyait et se gonflait jusqu'à remplir peu à peu le vide béant de sa conscience. Le plaisir lui coupa le souffle. Il resta sur elle, suffoqué par l'intensité de sa jouissance, et, l'espace de quelques instants, le monde, le vrai, celui qu'il connaissait, eût pu s'écrouler sans que cela lui fît plus d'effet qu'une rafale de vent.

Plus tard, il relâcha son emprise et prit conscience des sanglots étouffés de Léna. Il se souleva, abaissa les yeux sur elle et vit le sang qui maculait ses cuisses. La réaction fut foudroyante. Tout vacilla autour de lui. Il se leva et, comme un fou, courut se jeter sur le rocher. La tête dans le vide, secoué de spasmes, il vomit dans la Mithil dont le courant dissipa tout jusqu'à la limpidité, comme si rien ne s'était passé.

Il demeura longtemps sur le rocher, terrassé par la peur et l'épuisement. Léna se leva à son tour, mit de l'ordre dans ses vêtements et quitta la crique sans un mot, sans un regard pour lui. Il ne l'entendit même pas. Il ne percevait que la complainte indifférente de la rivière. Il n'avait d'yeux que pour les cendres de sa passion défunte. Il ne sentait que le froid et la rugosité du granit contre sa joue, humide comme s'il l'avait baigné de larmes.

8

A l'aube du message

Quelques secondes d'étourdissantes extases, tels furent, à son réveil, ses premiers souvenirs de la nuit précédente. Un bonheur si absolu, si inespéré qu'il eût volontiers vendu son âme si le sacrifice avait pu lui assurer le renouvellement de l'expérience dans la vie réelle. Ensuite, ensuite seulement, il se souvint que le prix de cette exaltation avait été le viol d'une jeune fille.

Léna !

Dressé sur son séant, il parcourut la crique d'un regard anxieux. Le soleil n'avait pas encore dépassé la cime des montagnes, mais on y voyait assez dans la lumière fragile réfléchie par la rivière. Il n'y avait pas trace de Léna. Les phosphorescentes brasillaient toujours dans leur trou de sable. Il se leva d'un bond. En vain scruta-t-il les deux rives. Personne. Son imagination inquiète lui présentait déjà une meute de robustes villageois assoiffés de vengeance. Il ne fallait pas compter les émouvoir avec des explications, des excuses. Ces tailleurs de pierre n'accepteraient aucune circonstance atténuante. Il s'identifiait au fugitif traqué et comme tel cherchait dans le paysage les indices qui pourraient justifier son affolement.

Mais l'aube sereine semblait vierge de toute turbulence humaine, qu'elle fût désir de vengeance ou désir d'absolution. Sa panique reflua.

Le bon sens lui commandait de se mettre en route sur-le-champ, en suivant la rive pour gagner la relative sécurité des plaines. Il n'en fit rien. Un lépreux se garde de toute décision hâtive. Il convenait d'abord de faire le point et de dresser un plan.

Primo, bannir Léna de sa pensée. Il avait trahi sa confiance et celle des siens, bafoué son innocence. La gravité même de la faute prêchait en faveur de l'amnésie volontaire : l'irréparable avait été accompli. Il découvrit que l'angoisse métaphysique née de sa ressemblance troublante avec un héros de légende s'était dissipée comme par enchantement. Léna, Bérek ne constituaient que des accidents malheureux, épreuves imposées par l'évolution d'un rêve dont les tenants et aboutissants lui échappaient. Sa conscience ainsi apaisée, il se livra avec délices à sa première S.V.P. sérieuse depuis une éternité. Rassuré, il se posta à l'extrême pointe de la flèche granitique. Patiemment, il attendit que le besoin de mortification eût raison de ses frileuses hésitations. Quand il se sentit prêt, il plongea tout habillé dans l'eau glacée.

Le courant le prit dans sa longue main souple et le tira vivement, comme pour l'inciter à prolonger sans réticence les ébats nautiques auxquels invitait cette belle journée de printemps. L'illusion se prolongea quelques minutes au terme desquelles, transi, rouge comme une écrevisse, il se hissa sur le rocher et s'ébroua. Aveuglé par l'eau qui lui dégouttait dans les yeux, il fut un moment sans se rendre compte de la présence d'Atiaran. Dressée au milieu de la crique comme la statue de Némésis, elle fixait sur lui un regard dépourvu d'aménité.

Covenant se pétrifia. Quand elle ouvrit la bouche, il se raidit pour affronter le déluge d'imprécations.

— Tu dois avoir froid, Thomas Covenant, dit-elle simplement. Viens donc te sécher.

Le cœur battant, il s'approcha comme s'il subissait l'obligation magnétique d'obtempérer et s'accroupit devant les phosphorescentes. Réduit aux plus folles conjectures, son esprit déployait une activité inouïe, éliminant à toute vitesse d'improbables hypothèses sur l'attitude d'Atiaran tandis qu'il contemplait le rougeoiement des gravillons dans un silence de mort. Contre toute vraisemblance, l'explication la plus plausible, c'était qu'elle ignorait l'infortune de sa fille.

— J'étais certaine de te trouver encore ici, murmura-t-elle. Pendant que je tenais conseil avec les Anciens, Léna a laissé un message à la maison avant d'aller rejoindre une amie pour le reste de la nuit.

— Son père l'a-t-il vue? demanda-t-il étourdiment car rien ne justifiait une question aussi saugrenue.

— Non. Elle n'est pas entrée. Elle s'est contentée de crier en passant devant la maison.

Tout d'abord, il n'en crut pas ses oreilles. Ainsi, elle s'était « contentée de crier »! Puis le soulagement arriva, d'autant plus vif que ses angoisses avaient été plus cuisantes. L'extraordinaire comportement de Léna lui octroyait un précieux sursis. Décidément, les habitants du Territoire étaient prêts à consentir des sacrifices!

A la réflexion, il comprit que le sacrifice de la jeune fille ne concernait pas Thomas Covenant. Non, à travers lui, c'était la figure de Bérek, porteur d'un message destiné aux Seigneurs, qu'elle avait voulu épargner afin que les foudres du Pétragîte ne le retardent pas dans l'accomplissement de sa mission. En somme, ce silence était sa contribution personnelle à la défense du Territoire menacé par le retour du Sombre Fléau.

Le geste ne manquait pas d'héroïsme. La petite avait dû se faire violence pour ne pas succomber à la légitime tentation d'en appeler à la solidarité de son peuple. Pour la première fois de sa vie, flétrie dans son corps et dans sa conscience, elle avait dû affronter seule le fardeau de la honte. Au souvenir de ses cuisses souillées de sang, le dégoût de lui-même lui affadit la bouche. Pour elle, songea-t-il, pour que son renoncement ne reste pas vain, je dois me rendre au Conseil.

— Qu'ont décidé les Anciens ? s'enquit-il sombrement.

— Ils n'avaient guère le choix. Je leur ai fait part de ce que je savais à ton sujet et du danger qui semble menacer le Territoire. Ils m'ont priée de te servir de guide jusqu'au Donjon seigneurial. C'est pourquoi je suis venue te chercher. (Elle désigna deux sacs posés non loin.) Vois, je suis prête. Trell mon époux m'a donné sa bénédiction. Le cœur me saigne de devoir partir sans dire adieu à ma fille. Mais le temps presse. Tu m'as révélé la teneur de ton message et je pressens qu'à partir de maintenant chaque jour qui passe est un jour perdu pour le Territoire.

Pour la première fois, il la regarda en face. Dans les yeux d'Atiaran se lisaient la détermination et l'angoisse. Covenant se demanda ce qui se lisait dans les siens.

— Allons, dit-il, pour s'encourager lui-même et pour la rassurer, la situation n'est pas si tragique ! Un Lémure a découvert le Bâton de la Loi, soit, mais il est incapable de s'en servir. Les Seigneurs doivent trouver le moyen de le lui reprendre, voilà tout.

Si l'intention était bonne, elle échoua complètement. Atiaran pâlit.

— Si tu dis vrai, le salut du Territoire dépend de notre diligence. Hélas, nous ne pouvons faire appel aux Ranyhyns et, d'ailleurs, les hommes du Ra hésiteraient à s'engager dans un conflit contre le Sombre Fléau. A l'exception des Seigneurs et des Sangdragons, nul n'a monté de Ranyhyn depuis le commencement des temps. Nous ne pouvons compter que sur nos jambes, Thomas Covenant. Tes vêtements sont-ils secs ? Trois cents lieues nous séparent de la Pierre-qui-Rit, la demeure seigneuriale. Il faut partir. Mais avant... (son regard vacilla ; sa voix se fit sourde, comme accablée sous le poids d'une humiliation volontaire)... me fais-tu assez confiance pour te laisser guider par moi ? Tu ne me connais point. J'ai échoué aux épreuves de la Loge.

L'ironie de la situation lui glaça le sang. La mère de Léna s'inquiétait de savoir si lui, étranger et coupable, lui faisait confiance !

— Qui suis-je pour douter de toi ? balbutia-t-il. Ne t'ai-je pas entendue dire que j'étais venu pour sauver ou perdre le Territoire ?

— Je l'ai dit, en effet, mais tu ne dégages pas l'odeur fétide des suppôts du Sombre Fléau. Du fond du cœur, je sens que le destin du Territoire exige que nous ayons foi en toi, advienne que pourra.

— Dans ce cas, qu'attendons-nous pour partir ?

Il prit le sac qu'elle lui tendait et, passant les bras dans les courroies, l'assujettit sur son dos. Atiaran s'était agenouillée devant les phosphorescentes. Elle fredonnait à bouche fermée un air qui sonna faux aux oreilles attentives de Covenant, faux et discontinu comme si cette berceuse était quelque chose dont elle n'avait pas l'habitude. Le mot de berceuse s'était imposé à Covenant en sentant se dissiper la chaleur des cailloux tandis que, peu à peu, ils viraient au gris, comme assoupis. Quand ils furent tout à fait froids, Atiaran les recueillit tous jusqu'au dernier pour remplir de nouveau le vase. Elle rangea celui-ci dans son sac qu'elle fixa sur son dos.

— En route, Thomas Covenant. Ce matin, nous trouverons le long de notre chemin des baies prodigieuses en quantité. Elles nous serviront de petit déjeuner. Gardons nos provisions pour les hasards du voyage.

L'un suivant l'autre, ils escaladèrent le versant bouleversé de la faille. Covenant était soulagé de repartir et se sentait tout disposé aux fatigues d'un périple de trois cents lieues. Le gravier giclait sous le choc impétueux de ses pieds. Ils gagnèrent rapidement le vieux pont sur lequel Atiaran s'engagea sans hésiter. Parvenue au sommet de l'arche, cependant, elle s'arrêta.

— J'ai l'intime conviction que nous gagnerons du temps en marchant vers le nord. Nous franchirons de nouveau la Mithil là où un changement de cap l'entraîne en direction du Levant. Nous atteindrons Andelain, dont les gracieuses collines sont le fleuron des beautés innombrables de la Terre. Nous poursuivrons jusqu'à la rivière de la Sérénité où j'ai bon espoir qu'un bateau nous transportera en amont, à travers l'ouest de Fiefféal où sont tenues toutes les promesses des Seigneurs, jusqu'à notre but, la Pierre-qui-Rit, le Donjon. Les courants de la Sérénité sont toujours favorables aux voyageurs, mais cet itinéraire nous conduira à moins de cinquante lieues des Hauts du Tonnerre que l'on appelait jadis Gravin Threndor. (Sa voix se chargea d'un léger frisson quand elle prononça les antiques syllabes. Après un silence, elle enchaîna :) Nous n'aurions pas trop de l'éternité pour nous repentir si, par malheur, un Lémure entrait en possession de ton anneau d'or blanc. Les êtres malfaisants sont toujours prompts à libérer les pouvoirs occultes. Et quand bien même les Lémures ne sauraient utiliser l'anneau, je redoute que certains Ur-Vils ne vivent encore sur les Hauts du Tonnerre. Ces créatures ont été initiées ; l'or blanc ne leur ferait pas peur.

» Mais le temps nous oblige à prendre au plus court et, d'ailleurs, une autre raison dicte mon choix. Si nous faisons vite, nous serons récompensés d'avoir traversé Andelain en cette période de l'année. Je n'en dirai pas plus. Souhaitons qu'aucun malheur n'entrave notre progression jusque-là. Alors, tu verras et tu te réjouiras.

Ses yeux se fixèrent sur ceux de Covenant avec un regard si intense qu'il semblait vouloir le transpercer et, comme la veille, l'homme eut l'impression d'être évalué impitoyablement. Compte tenu des circonstances, il dut faire appel à toutes ses réserves de duplicité pour soutenir l'examen sans sourciller.

— Te voilà averti du danger, Thomas Covenant. Me suivras-tu ?

De nouveau, il éprouva la saveur aigre-douce du soulagement immérité et l'aiguillon de la honte.

— Je suis prêt.

— Tant mieux !

Elle lui tourna le dos et gagna l'autre rive.

Le soleil dardait ses premiers rayons au-dessus des crêtes. Suivant la Mithil, Covenant et Atiaran se dirigeaient vers les plaines du Nord. Aucune parole n'était échangée. Covenant s'arrêtait sans cesse pour dépouiller les buissons d'*aliantha*. Les petites baies rouges étaient prodigieuses à plus d'un titre. L'alchimie d'une texture veloutée et d'un arôme où se mêlaient l'onctueux de la pêche et l'acidité du citron transformait l'acte trivial de la mastication en une sensation poignante. Afin de rattraper son retard, il dut mettre un frein à son appétit dévorant et courut se rincer la bouche à la rivière avant de rejoindre Atiaran.

L'expression sévère du visage de la jeune femme n'incitait pas à la conversation. Covenant se résigna donc au silence et s'efforça de retrouver la cadence martiale qu'il avait adoptée en quittant le Refuge pour se rendre à la *Bell Telephone Company*. Il enviait la fière assurance d'Atiaran qui semblait moralement disposée et physiquement apte à battre le trimard pendant des jours d'affilée. Sa propre vulnérabilité l'effrayait. Tout l'entraînement si chèrement acquis à l'hôpital ne serait pas de trop s'il voulait arriver intact au terme de la première journée. Tôt ou tard, il faudrait bien expliquer à son guide intraitable les précautions élémentaires que lui imposait sa condition de lépreux. L'aide d'Atiaran et, dans le meilleur des cas, sa compréhension, lui seraient d'un réconfort précieux. Mais le moment n'était pas encore venu.

Ils cheminaient depuis plusieurs heures quand elle s'écarta de la rivière pour s'engager sur une trajectoire oblique qui filait droit sur les collines du nord-est. Dès lors, les vraies difficultés commencèrent. Ils montèrent, descendirent, escaladèrent, glissèrent et se déchirèrent abondamment aux ronces. Covenant haletait. Les courroies du sac lui sciaient les épaules. Lorsque Atiaran, sans prévenir, fit halte à flanc de coteau, il s'écroula, baigné de sueur et frémissant de la tête aux pieds.

— Pourquoi ne pas avoir contourné ces collines en poursuivant vers le nord ? bougonna-t-il.

— Pour deux raisons. Tout d'abord nous atteindrons bientôt un défilé très praticable qui traverse les collines sur un axe sud-nord-est. Ensuite... (elle s'arrêta pour jeter alentour un coup d'œil significatif)... il est plus facile de semer un poursuivant en terrain accidenté.

Covenant sursauta.

— Sommes-nous suivis ?

— Ce n'est qu'une impression. Elle ne m'a pas quittée depuis que nous avons traversé la Mithil. Peut-être le Sombre Fléau a-t-il déjà lâché sur nous ses espions. On dit que ses plus éminents serviteurs, les Ravageurs, ne peuvent rendre l'âme tant que leur maître est en vie. Ce sont des créatures désincarnées dont l'esprit condamné à l'errance trouve asile dans les êtres vivants qu'il faut maîtriser. Ainsi, sous l'apparence d'hommes ou de bêtes, parcourent-ils le Territoire qu'ils souillent de leur présence. Toutefois, il m'étonnerait fort qu'on ait gardé notre trace à travers ces collines. As-tu récupéré ? Il faut partir.

Sans attendre sa réponse, elle rajusta son sac et reprit la descente interrompue. Covenant se hâta de l'imiter. Le reste de la matinée s'écoula pour lui à lutter contre l'apitoiement sur soi-même, prélude à l'effondrement total, qui menace tout individu au bord de l'épuisement physique. Atiaran marchait devant lui, sans ralentir et sans faux pas. Rien ne semblait pouvoir atténuer son ardeur.

A midi, elle l'entraîna dans un ravin dont le sillon rectiligne se prolongeait vers le nord aussi loin que portait le regard comme une incision à travers l'alignement des collines. Un ruisseau coulait dans le fond. Après s'être débarrassés de leurs sacs, ils s'abreuvèrent, lavèrent leurs visages visqueux de sueur et s'installèrent, l'une posément assise, l'autre affalé sur le dos, les yeux clos.

Covenant ne pensait à rien. Il écoutait son propre souffle rauque auquel les soupirs étouffés de la brise fournissaient un heureux contrepoint. Quand il cessa de haleter, il ouvrit les yeux pour embrasser le ciel et ce qu'il pouvait discerner de l'environnement dans sa position allongée.

Son regard stupéfait buta contre le sommet d'une gigantesque flèche oblique pointée vers le firmament comme l'index menaçant d'un titan. L'Observatoire de Kévin ! Covenant se dressa d'un coup. La fatigue, le remords, l'incertitude, toutes ces considérations furent bousculées par le souvenir du Contempteur. Il se sentit brusquement exposé. Même la lumière semblait avoir perdu sa transparence.

— Tu reconnais l'Observatoire ? dit Atiaran. C'est là que Kévin le Dévastateur, descendant direct de Bérek Mimain, Seigneur absolu et Maître du Bâton, affronta le Sombre Fléau dans une joute ultime. On raconte qu'il fut défait. Miné par le désespoir, le tout-puissant Kévin, héros s'il en fut, Protecteur des hommes, déclencha la Désolation qui tarit toute vie à la surface du Territoire pour de nombreuses générations. Bien peu furent épargnés. Ta présence là-haut ne présageait rien de bon, Thomas Covenant. (Sa voix s'éteignit et, l'espace d'un moment, elle devint songeuse. Elle se ressaisit abruptement pour se préparer au départ.) Pendant plusieurs lieues, nous marcherons dans l'ombre de l'Observatoire, autant se faire à cette perspective. Hâte-toi. Tout retard peut avoir des conséquences funestes. Pour te faire oublier ta lassitude, je te parlerai du Territoire.

Covenant enfila ses bras dans les courroies.

— Sommes-nous encore suivis ?

— C'est difficile à dire. Je n'ai rien vu, rien entendu. Ce n'est qu'un sombre pressentiment. Je doute que la journée s'achève sans surprise.

Covenant se leva en soupirant, l'échine courbée sous le poids du sac. Le pessimisme d'Atiaran lui semblait de circonstance. Ils se mirent en route le long du ruisseau, tellement encaissé que l'on pouvait tout juste cheminer deux de front sur sa berge. Les buissons d'*aliantha* s'étaient faits rares, aussi s'arrêtaient-ils pour une cueillette consciencieuse chaque fois que l'un d'eux se présentait.

— Il n'est pas facile de trouver une approche satisfaisante de l'histoire du Territoire, commença la jeune femme. Tout se tient, et pour une question dont je connais la réponse, trois surgiront sur lesquelles je serai bien en peine de fournir des éclaircissements. Mon savoir est proportionnel aux quelques années que j'ai passées à la Loge. N'attends donc pas de moi la révélation de tous les mystères.

» Bérek le Rédempteur eut un fils, Damelon, l'Ami des Géants, dont le propre fils, Loric Mortauvil, nettoya le Malfrai et le frappa de stérilité. Kévin, baptisé le Dévastateur moins pour blâmer son geste de désespoir que par compassion, était le fils de Loric et devint Seigneur absolu quand le Bâton lui échut. Pendant mille ans, Kévin présida le Conseil. Sous sa férule, la Pacification prit une dimension nouvelle et, pour cela surtout, tous le vénéraient.

» Au commencement, sa sagesse égalait sa force et sa clairvoyance. Quand il eut l'intuition que les ténèbres de naguère ne s'étaient pas complètement dissipées, il sonda l'avenir et conçut grand-peur de ce qu'il découvrit. Son savoir considérable, il l'enferma dans Sept Tabernacles qu'il serra en un lieu secret afin que la Tradition ne quittât point le Territoire, même si lui-même et les Seigneurs primordiaux venaient à être vaincus.

» La Paix régna longtemps. Hélas, au cours de ces temps heureux, le Sombre Fléau parut au grand jour et sous le masque de l'amitié se présenta devant Kévin ! Aveuglé, celui-ci l'admit dans son cœur et dans le cercle du Conseil. Ainsi furent abolis le pouvoir des Seigneurs et l'œuvre qu'ils avaient menée à bien.

» Bien des générations après que la défaillance de Kévin eut plongé le Territoire dans la Désolation, les plaies se pansèrent, et, lentement, ceux qui avaient cherché l'exil dans les Solitudes et les crêtes Boréales rentrèrent chez eux. Au fil des ans, à mesure que la vie reprenait son cours rassurant, certains furent pris du désir de parcourir le Territoire dans l'espoir de recueillir des bribes de légendes. Ils atteignirent la vieille contrée de Marepremere et là, découvrirent que les Géants, aimés de Loric et fondateurs de la Fraternité du Roc, avaient survécu au Rituel de la Profanation.

» De tout temps, des rengaines célébrèrent à juste titre la fidélité des Géants. Quand ceux-ci apprirent le retour des habitants du Territoire, ils entreprirent un long voyage jusqu'à la Pierre-qui-Rit, l'antique citadelle qu'ils avaient de leurs mains arrachée à la montagne pour sceller l'amitié qui les unissait au Seigneur Damelon.

» Devant ces murs vénérables, les Géants offrirent un présent inestimable aux survivants rassemblés. Ils exhumèrent le Premier Tabernacle, car c'était à eux, et à nul autre, que Kévin avait confié ce trésor avant de livrer son dernier combat. Les Seigneurs et ceux des habitants du Territoire qui assistaient à la cérémonie acceptèrent ce don avec reconnaissance et prêtèrent le serment solennel de chérir la puissance et la beauté du Territoire et de les préserver envers et contre tout. Ils jurèrent aussi de maintenir la Paix sous toutes ses formes afin de bannir du Territoire les passions destructrices semblables au désespoir qui avait embrumé le cerveau de Kévin. Pour se donner les moyens d'assumer cette tâche écrasante, ils décidèrent d'apprendre à maîtriser le contenu du Premier Tabernacle. La Tradition, espéraient-ils, les aiderait à ressusciter le Territoire et leur apprendrait à gouverner leurs propres impulsions.

» Des messagers sillonnèrent le Territoire en tous sens. Tous ses habitants, sans exception, prêtèrent serment. Ensuite, ceux qui avaient été désignés pour cette tâche transportèrent le Premier Tabernacle à Kurash Plénéthor, la pierre Rompue, site qui avait le plus souffert des ravages de la guerre. En témoignage de leur volonté de vivre en harmonie avec un Territoire régénéré, ils le nommèrent Fiefféal et jetèrent les fondations de la Loge, lieu d'étude et d'apprentissage où les volontaires seraient initiés à la Tradition des Seigneurs primordiaux et s'exerceraient à rester fidèles au Serment de Paix.

Atiaran demeura longtemps silencieuse, si longtemps que Covenant craignit qu'elle n'eût décidé de s'en tenir là. Or, il avait besoin d'entendre sa voix. Outre qu'elle lui permettait d'oublier fatigue et courbatures, le récit lui-même charriait la promesse que toute sueur versée au service du Territoire ne le serait pas en vain.

— Ne peux-tu rien me dire de plus au sujet de cette Loge? demanda-t-il.

La véhémence de sa réaction le laissa interloqué. Atiaran s'arrêta net et lui fit face, le visage blême et crispé.

— Insinuerais-tu que je suis, de tous les habitants du Territoire, la moins qualifiée pour parler de ces choses? Qui es-tu, Thomas Covenant, Incrédule paré d'or blanc, pour me donner des leçons ? (Comme il la dévisageait, stupéfait, elle se reprit et murmura d'une voix sourde :) Pardonne-moi ! Coupable, je ne puis admettre l'innocence d'autrui. En somme, tu n'as rien fait pour mériter ma colère. Voici le peu que je puis te révéler de la Loge. Elle se trouve à Fiefféal, dans la vallée des Deux-Rivières. C'est une communauté de recherche et de formation ouverte à tous ceux qui veulent se consacrer à la Pacification et s'initier à la Tradition des Seigneurs primordiaux.

» Les choses ne sont pas si simples. En dépit d'efforts acharnés, les arcanes de la Tradition demeurent obscurs. Tout d'abord, on se heurte à un problème de traduction, car la langue employée par les Seigneurs primordiaux diffère de la nôtre. Ensuite, les textes traduits doivent être interprétés. Enfin, quand on croit posséder la théorie, il faut s'initier à la pratique. De mon temps, les Maîtres prétendaient que la Loge n'avait fait qu'effleurer l'immense savoir compris dans le Premier Tabernacle, qui ne représente lui-même qu'un septième du Tout.

» Le texte le plus facile à traduire concernait la Tradition militaire. Mais cette science-là exige tant d'adresse et de persévérance qu'au cours des années que je passai à la Loge le Collège militaire ne regroupait pas plus de deux mille hommes et femmes.

» Cela dit, l'objectif fondamental de la Loge reste l'enseignement et la compréhension du langage et des richesses de la Terre. En premier lieu, on révèle au novice l'histoire du Territoire, ses prières, ses chants, ses légendes, et, peu à peu, tout ce que l'on sait des Seigneurs primordiaux et de leur lutte contre le Sombre Fléau. Ceux qui peuvent saisir le sens profond de ces révélations et tirer la leçon du passé, ceux-là seuls sont dignes de devenir Maîtres et de transmettre à leur tour le savoir reçu, à moins qu'ils ne préfèrent poursuivre leurs recherches et acquérir d'autres pouvoirs dans la pénétration toujours plus profonde des mystères du Premier Tabernacle. Le prix payé pour atteindre une telle perfection est élevé. La Tradition de Kévin exige tant de fermeté, de clairvoyance, de maîtrise de soi et d'abnégation que certains ne peuvent faire front. Pour ma part... (sa voix se durcit sous l'effet d'une décision farouche de ne pas épargner son amour-propre)... j'ai échoué lorsque les Maîtres ont tenté, sans insister beaucoup, de me faire mesurer la haine du Sombre Fléau. Voilà ce que je n'ai pu supporter. J'ai rompu mon engagement et m'en suis retournée au Pétragîte pour placer mes modestes connaissances au service de mon peuple. Et c'est aujourd'hui, quand ma mémoire me trahit, que je suis mise à l'épreuve ! (Avec un soupir, elle enchaîna :) Pour en revenir à la Loge, ceux qui suivent jusqu'au bout l'enseignement de l'Epée et celui du Bâton et passent Maîtres dans ces deux disciplines sans jamais céder à la tentation de la rêverie solitaire comme le font les Affranchis, ces êtres d'exception deviennent Seigneurs et se joignent au Conseil qui élit en son sein le Seigneur absolu, gardien de la Tradition. Quand j'étais là-bas, le Seigneur absolu avait pour nom Variol Tamarantha-mi, fils de Pentil. Il était déjà d'un âge avancé. Je me demande qui lui a succédé.

— Prothall, fils de Dwillian, déclara Covenant sans réfléchir.

Atiaran poussa une exclamation étouffée.

— Malheur ! Je le connais bien. Ce fut lui qui m'enseigna les premières prières. Il se souviendra de mon échec et refusera sans doute de m'accorder sa confiance. (Elle lui coula un regard acerbe.) Tu connais toutes les réponses, n'est-ce pas, Thomas Covenant ?

L'accusation implicite d'être ce qu'il refusait même d'envisager lui fit monter la moutarde au nez.

— Enfer et damnation ! Ça suffit comme ça ! Je vous répète que je ne sais rien, à moins que quelqu'un ne me mette les points sur les *i* ! Je ne suis pas votre sacré Bérek ! (Sa voix tomba dans le silence dubitatif d'Atiaran. Il s'arrêta, dressa le torse, prit une profonde inspiration et débita d'une traite :) Voici le message de Férus le Contempteur : « Au Conseil, à Prothall, fils de Dwillian, Seigneur absolu, tu diras que l'intervalle qu'il leur reste à vivre sur le Territoire n'excède pas sept fois sept années à compter de maintenant. Avant l'expiration de ce délai, j'aurai sur tous pouvoir de vie et de mort. »

Il se tut subitement, comme si une main venait de s'appliquer sur sa bouche et prit seulement conscience de l'extraordinaire intensité du silence. Le vent était tombé. Les oiseaux ne chantaient plus. Il n'y avait plus un son. On eût dit que toute la nature attentive se retenait de respirer. Jusqu'au cours du ruisseau qui semblait suspendu. Ce fut alors qu'Atiaran cria.

— *Melenkurion abatha !* Ne divulgue pas ton message avant l'heure ! Je ne puis nous préserver de telles calamités.

Le silence palpita et mourut. Covenant entendit de nouveau le grêle gazouillis du ruisseau. Un oiseau lança un trille. Il éprouva le besoin de s'essuyer le front d'un revers de manche.

— Alors, cessez, tous autant que vous êtes, de me traiter comme si j'étais quelqu'un d'autre ! lança-t-il d'une voix dure.

— Je ne puis te voir, Thomas Covenant, car tu es insaisissable, fit-elle avec douceur. Dis-moi une chose — es-tu sain ou souffrant ?

Il la regarda en battant stupidement des paupières avant de comprendre qu'elle lui offrait sans s'en rendre compte l'occasion d'amener sa maladie sur le tapis.

— Souffrant, bien sûr ! Je suis lépreux.

Atiaran ferma les yeux. Cet aveu lui arracha un gémissement d'effroi, comme s'il venait de confesser un crime.

— Dans ce cas, malheur sur le Territoire, car la magie est enroulée autour de ton doigt et tu peux nous perdre tous !

Covenant réprima l'envie de lui cracher sa frustration au visage. Elle poursuivait sa chimère sans tenir aucun compte de ce qu'il disait. Elle ne s'adressait pas à lui ; elle parlait seulement devant lui.

— Pas si vite ! J'ai dit que j'étais souffrant. Qu'as-tu compris exactement ? Ignorez-vous ce qu'est la lèpre ? N'êtes-vous jamais malades dans ce monde de fous ?

Atiaran remua les lèvres. Elles articulèrent les trois syllabes — *malade*. Puis le regard de la jeune femme fixa un point pardessus l'épaule de l'homme et la peur fit une embardée sur son visage.

— Le poursuivant ! Cours, Thomas Covenant ! Cours aussi vite que tu peux !

Il oublia son épuisement, la chaleur et les tiraillements du sac et s'élança dans le sillage d'Atiaran. Il perçut, ou crut percevoir, l'écho de sa propre course, juste au-dessus de lui, le long de la ligne de faille. Il franchit ainsi une courte distance, mais son corps criait grâce. Il trébucha. « Cours ! » hurlait Atiaran. Sa voix lointaine, trop lointaine, ne portait plus. Cette fois, il avait atteint ses limites. Il se tourna et fit front.

Ce fut si rapide ! Une silhouette fondit sur lui du haut du talus. Son bras décrivit un mouvement précis. Covenant vit le miroitement du couteau. D'instinct, il se baissa pour esquiver, projetant les mains en avant dans un réflexe dérisoire. L'arme lui érafla les doigts.

L'autre heurta le sol, boula au milieu du passage et, dans un rétablissement impeccable, se retrouva debout. Il toisa Covenant, athlétique, élancé, le poil dru et sombre, plus grand que la moyenne de ses frères du Pétragîte puisqu'il ne faisait aucun doute qu'il appartenait à la petite communauté. En dépit de sa jeunesse, son visage semblait usé, creusé, parcheminé, presque mort. Covenant n'eut aucun mal à identifier la passion qui avait pris possession de ses traits. C'était de la haine à l'état pur.

— Voleur ! cria le jeune forcené. Voleur et violeur ! Violeur ! Violeur !

Le couteau fauchait l'air devant lui. C'était une lame de pierre aiguisée comme un rasoir. Covenant recula jusqu'au milieu du ruisseau. L'eau lui arrivait à mi-mollet. Du coin de l'œil, il aperçut Atiaran qui accourait vers eux. Il éprouva une sensation de chaleur sur sa main droite. Du sang ruissela sur ses doigts.

— Triock !

C'était la voix d'Atiaran.

Le sifflement du couteau le frôla. Covenant semblait devenu de pierre, lui aussi. Le sang s'échappait à un rythme spasmodique ; il sentait les pulsations jusque dans le bout de ses doigts. L'agresseur se ramassa pour porter le coup mortel.

— Triock ! cria Atiaran. Es-tu devenu fou ? Tu as prêté le Serment de Paix !

Effaré, Covenant contempla sa main. C'était impossible, impossible... Cette chair de lépreux, engourdie, misérable, atrophiée, voilà qu'elle s'embrasait sous l'effet de la douleur ! Atiaran s'était arrêtée à quelques mètres d'eux. Sa présence semblait exercer sur Triock une terrible contrainte. Ses yeux brûlaient, mais la main qui tenait le couteau à hauteur de hanche s'était figée. Il demeurait ployé en avant comme un homme blessé à mort qui reste debout un instant.

— Violeur ! fit-il d'une voix sourde et chuchotante. Violeur ! Je vais te tuer.

— Je te le défends ! gronda Atiaran.

Triock tressaillit sous l'injonction. Rejetant la tête en arrière, il laissa s'échapper un cri déchirant. Son corps se détendit et s'affaissa, comme disloqué.

— Tu as prêté serment, dit Atiaran. Veux-tu nous perdre tous ?

Dans un geste convulsif où il se libéra des derniers vestiges de sa rage, le jeune homme ficha son couteau dans le sol. L'arme s'y plongea jusqu'à la garde.

— Il a violé Léna. Il a violé ta fille, la nuit dernière.

Covenant n'entendait rien. Covenant n'avait conscience de rien. Il ne vivait que pour la sensation sublime qui lui déchirait la main, cette douleur à laquelle ses doigts d'infirme ne pouvaient plus prétendre. Impossible ! Le mot roulait dans sa tête. Puis son visage se noua, se crispa, se convulsa. La nuit venait de tomber. Le ravin s'emplit du battement d'ailes innombrables. L'air vibrait autour de lui. Impossible ! Elles l'attaquaient de toutes parts. Impossible ! Les jambes d'Atiaran se dérobèrent sous elle. A genoux, elle enfouit son visage dans ses mains et tomba en avant, le buste droit. Son front heurta le sol.

— Les premières lueurs de l'aube effleuraient la vallée quand je la trouvai dans les collines, énonça lentement Triock, sans colère, comme s'il récitait une chose apprise par cœur et dépourvue de sens. Je l'aime trop pour avoir observé sans émotion la fascination que l'inconnu exerçait sur elle au cours de l'Assemblée. Un homme venu de nulle part et dont on ne savait rien... Plus tard, j'allai m'enquérir d'elle auprès de Trell, ton époux. Il me fut répondu qu'elle passait la nuit chez une amie, Térass, fille d'Annoria. Térass, que j'interrogeai, ne l'avait pas vue et ne savait rien. L'angoisse m'étreignit le cœur. A sa recherche, je parcourus les environs du Pétragîte. Je la découvris au petit matin, ses vêtements déchirés tout tachés de sang. A ma vue, elle voulut s'enfuir, mais la faiblesse, la douleur et le froid la jetèrent bientôt dans mes bras où elle confessa tout.

» Je la ramenai chez elle. Tandis que Trell la réconfortait, je me mis en route dans l'intention de tuer l'infâme. Je t'aperçus, Atiaran, et pris le parti de te suivre, persuadé que notre but était le même et que tu entraînais l'étranger dans les collines afin de lui faire subir un juste châtiment. Je me trompais. Tu t'acharnes à le sauver. Tu t'acharnes à sauver l'homme qui a violé ta propre fille. Ce corrupteur t'a donc touchée, toi aussi ? Tu me défends de porter la main sur lui, Atiaran, mais comment la fidélité à des serments d'un autre âge nous rendra-t-elle la pureté de Léna ?

Folles furieuses, les ailes acculèrent Covenant à se réfugier dans le ruisseau. Une sarabande d'images l'assaillit. La léproserie. « *Votre mal est sans espoir, monsieur Covenant.* » La fille derrière le comptoir de la *Bell Telephone Company*. Il s'engageait dans le passage piétonnier quand une voiture de police lui était arrivée droit dessus. Voyons, cela ne se peut ! J'ai mal et cela ne se peut.

Ainsi que Triock l'avait fait, Atiaran renversa la tête en arrière. Elle tendit les bras vers le ciel comme pour offrir sa poitrine au pieu miséricordieux qui abrégerait ses souffrances.

— Trell, aide-moi ! murmura-t-elle. Léna, ma petite fille, ton sacrifice est digne d'éloge. Pardonne-moi de ne pas être à tes côtés en ces heures d'épreuve. (Son regard bascula sur Triock.) La fidélité à ton Serment compte plus que tout. Je t'interdis de satisfaire ta vengeance. Léna a compris cela avant toi. Imite sa retenue.

— Qui châtiera le coupable ?

— Ne crains rien ! Le Territoire y pourvoira. Sinon, laissons les Seigneurs faire œuvre de justice. (Sa voix se brisa.) Triock, je t'en conjure ! Souviens-toi de ton Serment.

Le jeune homme fit face à Covenant. Son visage qui paraissait quelques instants auparavant irrévocablement modelé en forme de défi trahissait désormais une grande faiblesse, une grande fragilité, comme s'il avait été cassé, puis recollé imparfaitement.

— Incrédule, je te connais ! lança-t-il. Nous nous retrouverons.

Il tourna les talons et s'éloigna au pas de course. Atiaran le regarda s'engouffrer dans un affaissement de la muraille. Quand il eut disparu, elle continua de regarder.

— Par ta faute, Thomas Covenant, mon cœur est devenu un désert.

— Cela ne se peut, murmura-t-il. Je suis malade. Les nerfs ne renaissent pas. Quand ils sont morts, rien ne peut les régénérer.

— Ton mal te libère-t-il de toute obligation ? demanda-t-elle d'une voix rendue distante et comme abstraite par l'écart qu'avait creusé entre eux la pitié ou le dégoût. Est-ce qu'il justifie ce crime ?

— Mon crime ? (Le mot trancha net dans les battements d'ailes. Il perdait du sang comme tout être humain valide, soit, mais l'écoulement se tarirait bientôt. Restait la douleur. La *douleur* ! Cette volupté était réservée aux gens dont les nerfs vivaient. La vie, justement, on en faisait grand cas par ici.) J'ai mal, gémit-il. J'ai mal, donc, je vis. Donc, je rêve.

Gagné par un sentiment d'euphorie désespérée, il se sentit tout près d'éclater en sanglots. Heureusement, la discipline pointilleuse à laquelle il s'était si farouchement astreint l'empêcha de céder à cette absurde impulsion. Il plongea sa main dans l'eau.

— Que m'importe ta douleur ? s'exclama Atiaran. Mon cœur saigne à cause de toi et la blessure ne se fermera jamais. Léna,

Léna, ma petite fille... Ah, puissent les Seigneurs t'infliger un châtiment exemplaire !

L'eau se teintait fugitivement de rouge. Sous la morsure du froid, sa main s'engourdit et la douleur remonta pour encercler son poignet. L'hémorragie cessa bientôt. Covenant surveillait sa main, toute blanche dans l'eau vive. Sans qu'il sût pourquoi, peut-être parce qu'il venait à son insu de reprendre contact avec le monde qui l'entourait, son désarroi se mua en colère. Il n'y avait que cette femme. Ce fut vers elle qu'il tourna son irritation croissante.

— Pourquoi continuerais-je, dans ce cas ? Que représentent pour moi toutes vos histoires ? Votre sacro-saint Territoire peut bien partir en fumée, je m'en moque !

— Par les Sept Tabernacles ! hurla Atiaran d'une voix si terrible que les mots semblaient ciselés dans l'air même. Tu iras à la Pierre-qui-Rit, dussé-je te traîner tout le long du chemin !

Covenant examinait sa main. De la zone écorchée sourdait encore un peu de sang. Il se redressa et, pour la première fois depuis l'attaque, dévisagea la jeune femme.

— Il me faudrait un pansement.

Les yeux d'Atiaran s'agrandirent. Les veines de son cou battirent sauvagement. L'espace d'un instant, Covenant se demanda si elle n'allait pas se jeter sur lui pour lui arracher les yeux. Cela ne dura pas. Il savait déjà de quelle trempe était son âme. Elle farfouilla dans son sac. Elle en sortit un rouleau de toile blanche dont elle déchira la longueur appropriée. Elle s'approcha, saisit rudement sa main, l'inspecta et, sans commentaire, la lui banda solidement.

— Tu devras te passer de baume, dit-elle. Je n'ai ni le temps ni l'intention d'en chercher. Ce n'est rien. Cela guérira vite. (Quand elle eut arrimé son sac sur ses épaules, elle se remit en marche le long de la berge.) Allons, lança-t-elle sans se retourner. Nous sommes en retard.

Il prit son temps, tout au plaisir de savourer les élancements de sa main. Les ténèbres s'étaient dispersées. L'air ondulait par intermittence, signalant des battements d'ailes isolés. Du moins pouvait-il regarder autour de lui sans effarement. Sur une impulsion, il se pencha pour arracher du sol le couteau de Triock. Il se servit de sa main droite, mais sa prise incomplète rendit la tâche délicate. Il dut faire jouer la lame à plusieurs reprises afin de la libérer. Taillée dans un fragment plat, elle avait été soigneusement lissée et son manche gainé de cuir pour assurer une bonne préhension. Quant au tranchant, il semblait assez effilé pour faire office de rasoir. Covenant glissa l'arme dans sa ceinture. D'une secousse, il remonta son sac. Atiaran était déjà loin.

9

Jéhannum

En fin d'après-midi, perclus de douleurs, Covenant n'avançait plus que par la grâce de la volonté d'Atiaran qui semblait le tirer en avant comme une chaîne invisible. Entravée par les courroies du sac, la circulation se faisait à peine dans ses bras ; sa main gauche n'était plus qu'un foyer d'élancements ardents. Ses pieds couverts d'ampoules souffraient le martyre dans ses chaussettes mouillées. Les muscles ankylosés de ses jambes réagissaient avec la souplesse du bois aux mouvements qu'il leur imposait. Sa vue se brouillait. Il avait perdu le sens du temps et de l'espace. Seules comptaient la douleur et la tache hypnotique du dos sévère de son guide. Il ne sut même pas qu'il s'était endormi avant d'être réveillé en sursaut par une secousse brutale.

Il faisait nuit noire, mais cette nuit-là n'avait rien d'effrayant. Les phosphorescentes diffusaient leur lumière ambrée. Atiaran lui tendit une écuelle de brouet. Il l'avala en clignant des yeux, abruti de sommeil. Il fit de même avec la flasque de vin nouveau qu'elle lui fourra dans la main. L'action revigorante du breuvage pétillant fut immédiate. Il cala le sac sous sa tête et s'endormit, presque détendu, sous le regard terriblement froid, terriblement attentif d'Atiaran.

L'aube se levait, fraîche, sereine et magnifique quand elle l'arracha au sommeil. Il eut froid. Il se frotta le visage avec énergie, comme si la nuit l'avait paralysé. Il mit un certain temps à redécouvrir la sensibilité de ses doigts. Alors, il les contempla avec une stupeur respectueuse, tels les miraculés qu'ils étaient et comme s'il les voyait pour la première fois.

Ensuite, ayant écarté la couverture, il remua les orteils à l'intérieur de ses bottes. Les cloques réagirent douloureusement. Ses pieds étaient bien vivants, eux aussi. Puis le souvenir de s'être endormi sans avoir pensé à se recouvrir empoisonna aussitôt sa joie. Qui d'autre qu'Atiaran avait pu jeter sur lui cette couverture ?

Evitant son regard, il se leva et gagna le ruisseau pour de brèves ablutions avec l'aisance d'un vieillard rhumatisant. Où trouvait-elle le courage de le traiter avec humanité ? Tout en s'aspergeant le visage et le cou, il fut forcé d'admettre qu'elle lui faisait peur, constatation désagréable et humiliante à plus d'un titre. Pourtant, rien de menaçant dans le comportement d'Atiaran. Au contraire — elle le nourrissait, pansait ses blessures, le bordait dans son sommeil et décidait de tout comme s'il était un enfant à sa charge ; un enfant, ou un fardeau inerte. Seulement, les cernes prenaient sous ses yeux des allures de meurtrissures et le rictus hautain de ses lèvres scellées trahissait une détermination implacable.

Quand elle fut prête à partir, il sacrifia au rite de la S.V.P., glissa ses épaules dans les courroies et se plia à l'exigence impérative de la silhouette qui s'éloignait déjà comme si elle détenait la clé de son existence. *Marche ou crève*, proclamait le dos provocant à force de raideur. Il marcha donc.

Aux alentours de midi, atteignant la fin de l'étroit corridor, ils débouchèrent à flanc de coteau. Le versant, mauve de bruyère, s'élevait au nord de l'Observatoire tandis que le ruisseau prenait la direction de l'ouest pour rejoindre les plaines Méridionales. Atiaran poursuivit résolument vers le nord, entraînant Covenant au hasard de sentiers à demi effacés qui serpentaient à travers la brande. A l'ouest, les plaines ondoyaient, dénouant jusqu'à l'horizon le moutonnement des fougères arborescentes qu'enflammait un soleil ardent. A l'est, en surplomb de la route choisie par Atiaran, les collines exhibaient souverainement leurs mamelons où le vert sombre de l'herbe alternait avec la bruyère. Des papillons voletaient sur cette débauche de couleurs. Quelques bosquets de chênes et de sycomores auxquels se joignaient parfois des arbres à feuilles dorées qu'Atiaran nommait les « Vermeils », projetaient ici et là une ombre bienfaisante. Toute cette nature sauvage regorgeait de parfums et de beautés.

Aveugle à cette magnificence, Covenant cheminait comme un pénitent sur les traces d'un prophète.

Le crépuscule béni arriva enfin. La dernière lieue s'effectua dans un état de détresse considérable ; toutefois, il ne perdit pas connaissance comme la veille et même, lorsque Atiaran eut manifesté son désir de se reposer en s'arrêtant et en laissant tomber son sac, il déballa et déplia les couvertures tandis qu'elle préparait le souper. Quand les étoiles s'allumèrent en ordre dispersé, il s'étendit et s'efforça, encouragé dans cette voie par le vin nouveau, de trouver dans leur contemplation le repos de l'âme auquel il aspirait tant.

Il dormit d'un sommeil agité dont il s'éveilla, sans l'aide de personne, aux premières lueurs. Il se sentait de méchante humeur. Il considéra l'est pâlissant d'un œil mauvais, comme si l'aube qui allait se lever sur le Territoire était un affront à sa santé mentale. Il passa en revue ses petites misères. Ses pieds commençaient à s'endurcir et, sous le bandage, sa plaie se cicatrisait. D'une manière générale, il se sentait physiquement plus dispos, moins fragile. Brusquement, le contact de ses chaussettes sur ses orteils, devenu presque familier en si peu de temps, l'horripila. Ainsi, son système nerveux continuait à faire des siennes. Il se mit à détester cette sensibilité inexplicable, preuve manifeste de bonne santé, qui semblait dénier à sa maladie tout droit à l'existence.

C'est l'un ou l'autre, songeait-il impétueusement. Ou je suis lépreux ou je ne le suis pas. Ou bien Joan m'a plaqué ou elle n'a jamais existé.

La violence de l'effort qu'il s'imposa lui fit presque grincer des dents. Je suis lépreux. Je suis lépreux, et tout ceci n'est qu'un rêve de lépreux. Tels sont les faits. Son équilibre était à ce prix. Mieux valait mille fois s'accrocher à une lucidité pleine de souffrance et d'amertume que d'accepter une guérison qui relevait de l'absurde. Le mystère de l'origine de sa maladie, déjà si difficile à avaler, était le seul qu'il se sentît capable de tolérer. Sa résolution lui mit le feu au regard. Ce matin-là, il suivit Atiaran à grandes enjambées résolues, comme s'il était prêt à lui sauter dessus à la moindre provocation. Naturellement, elle ne lui fit pas ce plaisir.

Des heures durant, sa silhouette ne relâcha pas d'un pouce son impeccable verticalité. Par les montées et les descentes, à travers les ravins, autour des bosquets, elle le remorqua sans pitié pour son esprit révolté et son corps qui criait grâce. En début d'après-midi, cependant, elle s'arrêta net, la tête dressée, le nez froncé comme si l'air charriait une odeur capricieuse et résolument maléfique. Covenant renifla les quatre points cardinaux sans rien sentir de particulier.

— Que se passe-t-il ? Sommes-nous de nouveau suivis ?

— Si Trell était ici, peut-être pourrait-il expliquer pourquoi le Territoire est aux aguets, murmura-t-elle, s'adressant aux arbres, avant de faire volte-face et de reprendre sa route vers le nord.

Ce soir-là, elle fit halte plus tôt qu'à l'accoutumée. Pendant les dernières lieues, elle s'était livrée à un manège étrange, cherchant un signe, un indice, une trace, quelque chose, sur les arbres et la végétation alentour. Réduit par son silence à des conjectures angoissées, Covenant fut tout surpris de la voir tourner brusquement sur la droite pour s'engager dans une vallée encaissée. Peu après, ils atteignaient un épais taillis qui s'épanouissait au pied d'une petite colline. Atiaran le contourna jusqu'au moment où Covenant, toujours à la traîne, la vit s'enfoncer carrément à l'intérieur.

De plus en plus intrigué, il s'approcha vivement de l'endroit où elle avait disparu. Là, il discerna un semblant de piste qui l'invitait à pénétrer sous les arbres. Vingt pas plus loin, il se trouva sur le seuil d'une sorte de clairière artificielle, comme une cellule érigée en plein taillis. Les parois en étaient de jeunes arbres, plantés de façon à délimiter un rectangle grossier, coiffé d'un entrelacs de branches et de feuilles rapportées. L'espace ainsi circonscrit était assez vaste pour que trois ou quatre personnes puissent s'y mouvoir à l'aise. Contre chaque mur attendait une paillasse odorante d'herbe fraîchement coupée et dans un angle se dressait un arbre de respectable dimension dont le tronc en partie évidé avait été aménagé en garde-manger et ses étagères garnies de récipients et de flasques de bois et de pierre. En dépit de la rudesse des matériaux et du confort sommaire, l'endroit semblait accueillant car tout y était conçu pour le repos et le bien-être.

Atiaran posa son sac sur une des couchettes.

— C'est un Repaire, annonça-t-elle froidement. (Comme il la regardait, l'air interrogatif, elle précisa d'un ton aigre :) Un lieu où le voyageur peut faire halte et se reposer avant de reprendre la route.

Elle s'éloigna pour aller inspecter le contenu des étagères et, tandis qu'elle renouvelait leurs réserves et préparait le repas, il n'osa la questionner. Ils mangèrent en silence. Mais quand ils furent installés sur leurs lits d'herbe moelleuse, Atiaran tournée du côté de la paroi, il comprit qu'elle était résolue à le laisser dans l'ignorance aussi longtemps qu'il ne prendrait pas l'initiative de se renseigner.

— Explique-moi ce que sont exactement ces Repaires, dit-il avec douceur. Je suis un étranger. J'ai besoin de savoir.

Il y eut un silence, suivi d'un soupir excédé.

— Savoir quoi ?

— Existe-t-il beaucoup d'endroits semblables à celui-ci ?

— Oui. Le Territoire en est parsemé.

— Pourquoi ? Qui a pris l'initiative de les aménager ?

— Ce sont les Seigneurs, afin d'adoucir la route des lointains habitants du Territoire qui décideraient d'entreprendre le voyage de la Pierre-qui-Rit ou même de se rendre visite, entre communautés éloignées.

— Mais qui s'en occupe ? Qui veille à ce que l'herbe et les vivres soient toujours frais ?

Nouveau soupir. Il lui en coûtait vraiment de satisfaire sa curiosité.

— Parmi les créatures du Malfrai qui survécurent à la Désolation, il y en eut pour se souvenir avec gratitude de Loric Mortauvil. On les appelle les Repentis. Ils tournèrent leur animosité contre les Ur-Vils et prièrent les Seigneurs de leur confier une mission en expiation des péchés de leur espèce. Ce fut ainsi qu'ils se virent chargés de l'aménagement et de l'entretien des Repaires et des bois qui les entourent. Cela dit, les Repentis fraient peu avec les hommes et tu n'en verras pas un seul. C'est pour réparer leur faute passée, et non par affection qu'ils s'acquittent de leur tâche.

— Mais comment as-tu déniché ce Repaire ? As-tu consulté une carte avant de partir ?

— Il n'y a pas de carte. Un Repaire est une bénédiction que le voyageur accepte avec reconnaissance quand il s'en trouve un sur son chemin. Toutefois, les Repentis signalent son existence par de menus indices éparpillés alentour.

Il crut déceler dans sa voix un assouplissement qui pouvait être dû à la fatigue autant qu'à la pitié. Il était lui-même trop las pour s'interroger longtemps sur les contradictions de cette femme tourmentée. Sa paillasse embaumait. Le sommeil arriva sans se faire prier.

Le ciel se couvrit pendant la nuit. Au matin, un vent violent du nord charriait droit sur eux de sombres nuages d'orage. Bien qu'il eût dormi sans trêve, il se sentait aussi harassé que s'il avait passé la nuit à se chamailler avec lui-même.

Atiaran s'occupa du petit déjeuner. Il inspecta le contenu des étagères et trouva ce qu'il cherchait : une cuvette d'eau et un petit miroir. Pas de savon. Apparemment, le sable fin, semblable à celui dont il s'était servi dans la demeure d'Atiaran, faisait l'unanimité parmi les habitants du Territoire. Comment ces gens se rasaient-ils ? Il essuya soigneusement le couteau de Triock et se mit à l'œuvre, un peu anxieux tout de même. Le miroir lui renvoyait l'image d'une espèce de prophète à la tignasse sauvage, ses joues émaciées rongées de barbe. Il ne manque plus que le regard halluciné, songea-t-il rageusement. Surpris, soulagé, ravi, il constata que le tranchant de pierre glissait comme du velours contre sa peau. L'opération prit du temps ; elle exigea beaucoup de minutie, mais Covenant se déclara fort satisfait du résultat, obtenu sans la plus légère éraflure.

Le gruau avalé, ils décampèrent. Lorsqu'ils se retrouvèrent en terrain dégagé, Atiaran huma l'air et considéra le ciel menaçant avec une épouvante si manifeste que Covenant se hâta de la rejoindre pour se renseigner.

— Pourquoi cet affolement ? Il va pleuvoir, c'est certain, mais où est le drame ? Ce n'est qu'un orage de printemps.

— Apporté par le vent du nord ? Sûrement pas ! lança-t-elle par-dessus son épaule. Ici, c'est toujours du sud que nous arrive le printemps. Non, cette pluie provient directement de Gravin Threndor. Le Lémure qui s'est emparé du Bâton met à l'épreuve son pouvoir usurpé. Je le sens. Hélas, nous arriverons trop tard !

Elle se courba pour affronter la bourrasque qui les frappait de front. Comme les premières gouttes s'abattaient, il cria :

— Le Bâton peut-il réellement faire la pluie et le beau temps ?

— Les Seigneurs primordiaux n'en ont jamais fait l'expérience car il n'entrait pas dans leurs intentions de bousculer l'ordre naturel du Territoire. Mais il n'y a rien qu'un tel pouvoir ne puisse accomplir.

Soudain, la lumière déclina. Le gros de l'orage les cueillit de plein fouet, plongeant le paysage dans une nuit prématurée. En l'espace de quelques secondes, la pluie atteignit son crescendo, lacérant le ciel noir de flèches obliques tandis que le vent rugissait et que les rafales écrasaient les collines comme sous le pas d'un géant. Trempés jusqu'aux os, les voyageurs s'évertuaient à progresser à travers cette violence. Des trombes d'eau leur cinglaient la figure et l'on n'y voyait plus à deux mètres devant soi. Les tiraillements de la bourrasque sur leurs vêtements alourdis menaçaient à chaque pas de les entraîner dans les torrents de boue qui dévalaient les pentes.

L'absurdité de l'effort eut vite raison de la détermination de Covenant à se maintenir à la hauteur d'Atiaran afin de ne pas la perdre de vue. Il lui empoigna l'épaule.

— Arrêtons-nous ! Il faut s'abriter, attendre. Nous ne pouvons plus continuer.

Elle tourna vers lui un visage ruisselant, hagard, noyé, dans lequel les yeux fixes brûlaient d'une résolution fanatique.

— Jamais ! Jamais ! Il est déjà trop tard.

Elle se dégagea d'une secousse si brutale qu'il perdit pied dans la gadoue. Il n'eut pas le temps de se relever. Déjà, une poigne de fer l'avait saisi par le bras et le traînait contre la tempête comme s'il eût été un boulet. Telle était l'intensité de la foi qui l'habitait qu'Atiaran put franchir une bonne dizaine de mètres avant qu'il ne parvînt à se hisser sur ses pieds. Il échappa à son étreinte. Elle trébucha, se ressaisit et s'enfuit dans une grotesque parodie de course qui ressemblait aux rebonds pathétiques d'un animal blessé.

— Enfer et damnation ! Tu t'arrêteras ! hurla-t-il.

Mais il était dit que Covenant ne pourrait rien contre la volonté d'Atiaran. Dans sa précipitation, au premier pas qu'il fit pour la rejoindre, le pied lui manqua et il roula au bas du versant. Quand il dressa la tête et scruta le paysage fouaillé, Atiaran avait disparu, escamotée par la tourmente.

La pluie avait déjà lavé la boue de son visage. Il se releva, au comble de la fureur. Toisant le ciel sombre et violent, il lui montra le poing.

— Tu ne m'auras pas comme ça !

A cet instant précis, un formidable losange de feu flamboya à côté de lui. Il eut l'impression que sa main gauche venait d'être frappée par la foudre. Pas de douleur sur le moment, mais un impact terrible qui le souleva et le projeta contre la pente.

Etourdi, les oreilles bourdonnantes, il entendit à peine le fracas du tonnerre. La brûlure arriva, fulgurante. Son alliance semblait être chauffée au rouge, mais lorsqu'il eut recouvré ses esprits et voulut chercher l'origine de cette sensation atroce, il ne trouva rien. Il n'y avait même pas de marque sur ses doigts. Il regarda autour de lui — rien n'indiquait que la foudre fût tombée à proximité. Quelque chose avait changé, cependant. Troublé, il ne savait pas encore quoi.

A peine fut-il debout qu'il aperçut Atiaran allongée sur le flanc de la colline, un peu plus haut. Les jambes flageolantes, il s'approcha. Elle gisait sur le dos, indemne en apparence ;

pourtant, son regard abasourdi donna quelque inquiétude à Covenant.

— Qu'as-tu donc fait ? balbutia-t-elle.

— Moi ? Mais je n'ai rien fait, rien du tout !

Négligeant la main qu'il lui tendait, elle se releva. Attentifs, précis, méfiants, ses yeux ne quittaient pas le visage de Covenant.

— Quelque chose est venu à notre secours. Sens-tu comme l'orage a décru ? Le vent a tourné. Il souffle à présent de la bonne direction. Remercie la Terre, Incrédule, si ce miracle n'est pas ton œuvre.

— Mon œuvre ? C'est ridicule ! murmura-t-il. Je ne commande pas aux éléments.

Sa stupeur égalait à présent celle d'Atiaran, mais la sienne était de nature bien différente. C'était sa propre réticence à reconnaître toute responsabilité dans la métamorphose d'un ouragan démoniaque en un banal orage de printemps qui le déconcertait le plus. Il secoua la tête, mais ses idées demeuraient confuses. Et lorsque Atiaran proposa de se remettre en route, sa voix changée, empreinte d'un respect de mauvaise grâce lui donna le frisson.

La pluie tomba toute la journée, drue, cristalline, rassurante, normale. L'hébétude de Covenant persista jusqu'au soir. Il se sentait trempé ; il avait froid. Pour le reste, son corps demeurait sourd et aveugle aux sensations extérieures. Il ne pouvait se défaire de l'impression que l'obscur phénomène qui avait modifié le temps en avait profité pour agir sur lui aussi.

Au matin suivant, ils découvraient un ciel magnifique, totalement vide, n'était la trame de deux ou trois nuages. Après le cauchemar de la veille, Covenant éprouva avec une acuité extraordinaire la beauté somptueuse de ce que lui révélaient ses sens éblouis. Tout le ravissait : la fraîcheur émoustillante de l'air, le scintillement de l'herbe, le chant des oiseaux, le chatoiement lustré de la bruyère gorgée de rosée. Il humait avec délice les odeurs exhumées par l'orage. Il marchait vite. Il était heureux.

Atiaran se figea brusquement, aux aguets. Ainsi qu'elle en avait l'habitude, elle flaira le vent, la mine franchement dégoûtée. Covenant suivit son exemple et ressentit un frisson d'excitation. La moue d'Atiaran était justifiée. Une puanteur indéfinissable altérait l'air, un relent sournois dont l'origine ne pouvait être que malsaine, voire corruptrice. Cela ne provenait pas de l'environnement immédiat, mais cela s'insinuait en douceur à travers les effluves de fleurs et de terre mouillée. Cette odeur malséante, Covenant l'identifia aussitôt : c'était celle de la maladie.

Peu après, chassée par un caprice de la brise, elle se dissipa. Le contraste qu'elle offrait avec les saines odeurs naturelles, retrouvées intactes, aiguisa sa perception de la formidable vitalité de la flore ambiante. Le moindre buisson d'*aliantha* exprimait une ardeur prodigieuse. Covenant était impressionné. Les pensées confuses qui l'agitaient, faites de sensations éparses et d'émerveillement naïf, se cristallisèrent brusquement autour de l'idée de *santé*. Ce n'était pas ici un vain mot. Elle se manifestait partout, comme l'incarnation de l'esprit du Territoire. Même Atiaran, être las, torturé s'il en fut, débordait de santé. Il surprit justement le regard étonné de la jeune femme fixé sur son visage et comprit qu'elle devait y lire comme dans un livre l'émotion suscitée par la révélation qui venait de s'opérer en lui.

Quelle garce ! songea-t-il. Elle voit tout, ma maladie comme le reste. Si ça lui crève les yeux, ne pourrait-elle se montrer plus compréhensive ?

Cherchant autour de lui un moyen de tester l'acuité de leurs regards respectifs, il avisa non loin du faîte d'une colline un Vermeil resplendissant dont la vue lui procura sur-le-champ un obscur sentiment de malaise. Il le désigna à l'attention d'Atiaran.

— Que vois-tu ?

— Sans être une *lillianrill*, répondit-elle tranquillement, je vois que cet arbre est touché au cœur et s'achemine vers sa mort. Est-ce donc la première fois que tes yeux s'ouvrent à ces phénomènes ?

Il ne prit pas la peine de répondre. Il voulait simplement la mettre au défi afin de mesurer une bonne fois pour toutes ce qu'elle discernait exactement chez Thomas Covenant. Il se remémora soudain une phrase qu'elle avait dite et qui l'avait frappé sur le moment comme une énigme agaçante : « *Je ne puis te voir, car tu es insaisissable.* » Le sens de ces paroles lui apparaissait clairement à présent et le remplissait d'aise. Ainsi, jusqu'à nouvel ordre, sa maladie resterait un secret bien gardé. Il s'était mépris sur la perspicacité d'Atiaran ; cette femme ignorait qu'il était malade et, du même coup, lui devenait plus sympathique. Quand elle se remit en marche, il la suivit sans déplaisir.

Au fil des heures, il s'exerça à discerner la vigueur cachée derrière les formes et les couleurs. Par deux fois, il flaira, fuyant, subtil, comme un intrus dont on sent la présence avant de l'avoir repéré, le relent nuisible. Rien de tel, cependant, au bord du charmant ruisseau où Atiaran décida de leur faire passer la nuit. Rassuré, il s'endormit sans arrière-pensée.

Mais son rêve tourna au cauchemar. Des esprits s'arrachant à leurs adorables corps d'emprunt révélaient leur nature abjecte et corruptrice. Son réveil fut une véritable libération. Même les gestes rituels du petit déjeuner et de la toilette lui procurèrent du plaisir. Il n'hésita pas à se raser sans miroir.

Au cours du sixième jour, l'odeur fétide s'installa pour de bon. Bientôt, il devint évident qu'elle s'intensifiait à mesure qu'ils progressaient vers le nord. Malgré tout, elle continuait de défier toutes les tentatives de Covenant pour la localiser ou déterminer sa nature précise. Elle le pénétrait avec une pugnacité malveillante en dépit du rempart que composaient les effluves d'herbe et d'*aliantha*, en dépit de la vitalité triomphante du paysage, semblable, par son caractère élusif, à ces puanteurs de charogne qui rôdent à la périphérie de l'odorat.

A la fin, n'y tenant plus, il rompit la loi de silence qu'il s'était imposée pour répondre à celle d'Atiaran.

— Est-ce que tu le sens, toi aussi ?

— Oui, répondit-elle sans se retourner. Oui, Incrédule, je le sens.

— Qu'est-ce que cela signifie ?

— Cela signifie qu'un danger nous menace. A quoi t'attendais-tu ?

Il serra les poings, refoula une riposte cinglante et formula sa question autrement.

— Très bien. D'où vient cette pestilence ? Qu'est-ce qui la produit ?

— Comment le saurais-je ? Je ne suis pas devin.

— Bon Dieu ! Vas-tu me dire ce qui peut puer à ce point ?

— Le meurtre ! fit-elle, exaspérée.

Elle pressa le pas afin de maintenir entre eux la distance convenable. Son dos n'eût pas été plus explicite s'il avait porté un écriteau proclamant : « Pas de pardon pour les violeurs ! » Covenant était atterré. La zone glacée qui s'était formée dans sa poitrine se resserra autour de son cœur.

Vers le milieu de l'après-midi, il eut l'impression que son malaise grandissait à chaque pas. Ses yeux s'affolaient à fouiller les collines dans l'espoir de découvrir la source du mal. Bien sûr, il n'y avait rien à voir, que des bosquets généreux et des prairies semées de fleurs. Seul indice : l'invisible menace, suspendue dans l'air qu'elle empoisonnait.

Pendant quelque temps, l'horrible sensation s'aggrava régulièrement. Soudain, alors qu'ils venaient de contourner une colline à mi-hauteur, Atiaran s'immobilisa dans une attitude de tension extrême. Covenant se prépara au pire. Figée, légèrement ramassée sur elle-même, la jeune femme scrutait le vallon suivant au fond duquel, de l'endroit où elle se trouvait, pouvait plonger son regard. Elle demeura ainsi une longue minute avant de dévaler la pente à toute vitesse. En trois enjambées, Covenant atteignit son poste d'observation. Un unique bosquet faisait tache au milieu du vallon, bien innocent d'aspect. Pourtant, c'était vers ce moutonnement sombre qu'accourait Atiaran et l'aiguillon impérieux de son flair poussait Covenant dans la même direction. Il s'élança.

Parvenue à quelques mètres des arbres, Atiaran s'arrêta net. Elle frissonnait. Elle tremblait, jetant de tous côtés son visage altéré par une haine peureuse, comme si une force bien au-dessus d'elle l'empêchait d'avancer et qu'elle cherchait vainement une issue.

— Repentis ? hurla-t-elle. *Melenkurion !* Quelle horreur !

Sitôt qu'il l'eut rejointe, Covenant discerna le sentier à peine ébauché qui prenait naissance à la lisière du petit bois pour s'y enfoncer. Il l'emprunta résolument et, comme il s'y attendait, se trouva bientôt dans un espace dégagé très semblable au Repaire dans lequel ils avaient passé la nuit. Celui-ci était circulaire, mais surtout, il y avait du sang sur ses parois et quelqu'un gisait par terre, très seul et très mort.

Ce fut moins le cadavre que son aspect inhumain qui bouleversa Covenant. Un tronc interminable auquel étaient soudés quatre membres courts et trapus dont la longueur rigoureusement identique indiquait l'habitude de la station verticale autant que des « quatre pattes », un cou flexible surmonté d'une tête ronde et glabre coiffée de deux oreilles pointues ; pas d'yeux mais deux narines béantes cernées par une membrane charnue, une fente pour la bouche, et voilà ! La créature était clouée au sol par un long javelot qui lui transperçait le torse de part en part à hauteur du cœur. Dans ce petit espace pourtant ouvert à tous les vents, le relent de violence était si dense, si effroyable que Covenant, pris à la gorge comme par une fumée suffocante, tourna les talons et s'enfuit à toutes jambes. Toutefois, il avait eu le temps de comprendre une chose : contrairement à ce qu'il avait cru tout d'abord, ce n'était pas du corps monstrueux que s'exhalait cette puanteur, mais de l'arme du crime.

Dès lors, et jusqu'au soir, ils s'ingénièrent à mettre le plus grand nombre de lieues possible entre eux et la source de l'infection. Quand la fatigue et l'obscurité les contraignirent à s'arrêter, il fallut se rendre à l'évidence : ils n'avaient pas laissé derrière eux l'intégralité du mal. Quelque chose subsistait droit devant qui, de l'avis de Covenant, ne pouvait être que l'émanation nauséeuse du meurtrier. La permanence de la menace indiquait qu'il se déplaçait lui aussi vers le nord, au même rythme qu'eux. Atiaran partageait sans doute cette conviction. Mine de rien, elle lui demanda s'il savait se servir du couteau.

Le sommeil tardant à venir pour tous deux, il s'inquiéta de savoir s'il n'eût pas été plus correct d'enterrer le Repenti au lieu de détaler comme des lapins.

— Son peuple prendra soin de lui, répondit Atiaran avec dignité. Mais je redoute fort que cette indignité ne les incite à rompre le pacte d'alliance avec les Seigneurs. Si cela était, nous perdrions de précieux alliés.

Sans qu'il comprît pourquoi, Covenant dut convenir que cette perspective l'épouvantait.

Le septième jour commença par un petit déjeuner froid et vite expédié. Atiaran avait géré leurs vivres dans la certitude de pouvoir se réapprovisionner au Repaire, de sorte que les flasques de vin nouveau étaient vides et les réserves de pain et de céréales presque épuisées. Pour la première fois, Covenant affronta délibérément le souvenir de l'horrible Gloton et du Contempteur. Ni l'un ni l'autre ne reculerait devant le meurtre gratuit d'un Repenti, il le savait, et le plus terrifiant des deux, celui dont il portait le message, savait où le trouver.

La journée s'écoula pourtant sans incident. L'altération de l'air resta stable. Le seul changement notable concernait l'abondance des buissons d'*aliantha*. Covenant n'en avait jamais vu autant. Sa colère et son angoisse s'essoufflèrent peu à peu. Tout en marchant d'une foulée de chasseur, il contemplait le paysage avec un émerveillement intact, fasciné par l'exubérant, l'irrésistible épanouissement du printemps, jailli en verdures profondes, en herbe drue, en fleurs vivaces, à côté de quoi le pâle sillage de la mort perdait sa charge d'horreur.

Le matin suivant était déjà bien avancé lorsque Atiaran incurva leur trajectoire vers l'est. Ils suivirent l'itinéraire sinueux d'un chemin qui, d'une vallée à l'autre, les fit pénétrer au cœur des collines. Quand le déclin du soleil plongea dans l'ombre les versants orientaux, les voyageurs arrivèrent en vue de la Haute Sylve.

De la hauteur voisine, une vaste échappée dans la forêt leur permit de découvrir l'Arbopolis dans son superbe isolement. Elle était de proportions titanesques, pas moins de cent mètres pour la hauteur et dix pour le diamètre du tronc. Celui-ci élevait son fût vierge de rameaux à quarante pieds au-dessus du sol où il se ramifiait brusquement pour former un gigantesque parapluie, si dense que le regard ne pouvait pénétrer son feuillage. Toutefois, Covenant aperçut par fragments quelques échelles dressées contre les maîtresses branches.

— Voici la Haute Sylve, annonça Atiaran. C'est la demeure des adeptes du *lillianrill*, comme Mithil Pétragîte est celle des adeptes du *rhadhamaerl*. J'y ai fait halte naguère, à mon retour de la Loge. Les Sylvestres ont la réputation d'être conciliants et de bon conseil. J'ai grand besoin de conseils. Allons !

Arrivés au pied de l'arbre géant, ils en firent le tour et découvrirent dans le tronc rugueux une brèche donnant accès à une cavité intérieure juste assez large pour contenir un petit escalier en spirale. Celui-ci, expliqua Atiaran, débouchait à l'air libre au niveau des basses branches. A partir de là, l'ascension se poursuivait à l'aide d'échelles. Covenant se sentait pris de vertige à la seule pensée de devoir gravir des barreaux à quarante pieds au-dessus du sol, mais cette échéance redoutable semblait devoir être indéfiniment retardée par la lourde barrière qui interdisait l'entrée de la cavité, obstacle insurmontable puisqu'ils n'avaient aucun moyen de l'ouvrir et que nul ne se présentait pour le faire de l'intérieur. D'ailleurs, il n'y avait pas un bruit, pas une lumière malgré le crépuscule naissant.

— Bizarre ! murmura Atiaran. A ma première visite, cette barrière n'existait pas et des enfants jouaient dans la clairière. (Elle recula de quelques pas et, scrutant l'opacité de l'immense parapluie, lança un appel :) Salut à toi, Haute Sylve ! Nous sommes des voyageurs dont la route est encore longue et l'avenir incertain. Nous demandons l'hospitalité ! (Comme sa requête ne provoquait aucune réaction, elle s'époumona pour de bon.) Jadis, on vantait partout la chaleur de votre accueil ! Que vous est-il arrivé, Sylvestres ? Qu'est devenu votre sens de la solidarité territoriale ?

Il se produisit une sorte de bruissement dans lequel l'oreille avertie eût pu reconnaître une cascade de chutes très légères. Atiaran et Covenant firent volte-face. Sept individus déployés en arc de cercle les acculaient contre l'arbre. Tous étaient armés de dagues de bois très finement taillées, qu'ils tenaient avec l'intention manifeste de s'en servir à la première occasion. L'un d'eux brandissait une torche.

A la lueur vacillante de cette flamme, Covenant découvrit sept gaillards qui le dépassaient d'une bonne tête, minces, avec cette musculature longue, souple que l'on rencontre chez certains athlètes privilégiés. Ils avaient les cheveux blonds et les yeux clairs. Leurs tuniques aux couleurs de brun et de vert étaient d'un tissu si léger, si fluide, qu'elles semblaient épouser leurs moindres mouvements.

— La solidarité évolue avec le temps, déclara le porteur de torche. L'ombre se répand partout et de sombres nouvelles circulent. Nous avons appris à nous méfier des étrangers.

Covenant eût voulu rentrer sous terre, mais Atiaran avait déjà recouvré son sang-froid. Croisant les bras devant elle, elle fit claquer sa réponse d'une voix retentissante :

— Eh bien, soyez rassurés ! Je suis Atiaran Trell-mie de Mithil Pétragîte. Ne me reconnaissez-vous pas ? Vous m'avez accueillie, du temps que vous ne receviez pas encore les voyageurs l'arme au poing. Mon compagnon se nomme Thomas Covenant, Incrédule et porteur d'un message pour les Seigneurs. Etes-vous satisfaits ?

— Quand nous serons satisfaits, nous demanderons votre indulgence pour notre rudesse, répliqua l'autre sans se démonter. Pour l'instant, vous allez nous suivre dans un lieu où votre innocence pourra être établie.

Il s'avança afin de déverrouiller la barrière.

C'en était trop pour Covenant. Il eût peut-être accepté d'aller faire le singe au sommet d'un arbre en pleine lumière, alors qu'il aurait pu s'assurer *de visu* des points d'appui possibles, mais son pouls s'emballait à l'idée qu'on veuille lui imposer la même gymnastique dans l'obscurité. Il s'écarta d'Atiaran.

— Pas question !

Impossible de contenir le tremblement de sa voix.

La réaction fut sans ambiguïté. Deux Sylvestres lui tombèrent dessus, maîtrisèrent sans difficulté ses efforts pour se dégager et l'immobilisèrent, les bras levés.

Il se fit un silence de mort. L'espace d'un instant, tous les regards se braquèrent sur ses mains, sur la bague et la cicatrice, puis l'homme à la torche aboya un ordre :

— Amenez-le !

— Non ! hurla Covenant. Je suis incapable de grimper là-haut. Vous ne comprenez pas ! Je ne supporte pas le vide. J'ai le vertige ! Le vertige ! Enfer et damnation, voulez-vous me tuer ?

Un flottement sensible se produisit parmi les athlètes blonds. Des cris fusèrent, que sa panique grandissante l'empêcha de comprendre. Puis une corde dégringola à côté de lui. En un clin d'œil, il avait les pieds liés et se sentait hissé dans les airs. Il crut entendre une exclamation de protestation d'Atiaran. Terrifié, les épaules raidies contre l'effort, il cherchait désespérément à discerner l'autre extrémité de la corde, mais au-delà du rayonnement de la torche commençait un abîme de ténèbres insondables. Puis cette lueur même disparut et la nuit se referma autour de lui. Il montait toujours, avec une lenteur affolante. Un soudain froissement l'avertit qu'il venait d'atteindre le niveau des premières ramifications. Sous l'effet des oscillations de la corde soumise à ses propres trémoussements, il effleurait parfois le feuillage. Pendant toute la durée de l'ascension, ces frôlements fugitifs furent ses seuls contacts avec l'arbre. Il n'y avait toujours ni bruit ni lumière. Si ce n'était l'absence des étoiles, il eût aussi bien pu être enlevé jusqu'au ciel.

Puis, sans transition aucune, la corde s'immobilisa. Une torche flamboya, révélant, à la même hauteur que lui, trois hommes debout sur une énorme branche. Au premier regard, Covenant trouva qu'ils ressemblaient comme des frères jumeaux aux sept escogriffes du comité de réception. Toutefois, l'un d'eux était coiffé d'un diadème de feuilles. Les deux autres empoignèrent le prisonnier par ses vêtements et l'attirèrent sur la branche. A l'instant où ses pieds rencontraient l'écorce, la corde libéra ses bras.

Malgré ses poignets toujours attachés, il voulut se cramponner à l'un des hommes. Peine perdue. Ses bras étaient morts, aussi inutiles que des prothèses cassées. Le gouffre d'ombre l'aspirait. Le monde autour de lui n'était qu'un grand trou noir dans lequel luisaient les yeux austères, indifférents des trois inconnus. Sa vie était entre leurs mains. Son cœur cessa de battre. Ils le retinrent juste à temps. Des doigts secourables lui crochetèrent brutalement les épaules, mais bien que d'aplomb sur ses jambes il refusa de se soutenir et se laissa traîner sur toute la longueur de la branche jusqu'à une large entaille pratiquée dans le tronc. Là, l'énorme pilier avait été évidé pour former un vaste alvéole sur le sol duquel on le jeta sans douceur.

Il se garda de bouger. Les yeux clos, éperdu de reconnaissance, il éprouvait avec ferveur la stabilité de son nouveau support et le retour douloureux de la circulation dans ses bras. Il souleva prudemment les paupières.

Il occupait le centre d'une cible géante composée par la myriade de cercles concentriques établissant l'âge de l'Arbopolis. Elle devait être pour le moins millénaire ! Fichées dans les parois polies, des torches éclairaient *a giorno* la grande cavité. Les flammes ne produisaient aucune fumée, remarqua-t-il, et les torches elles-mêmes ne semblaient pas se consumer. Par l'unique ouverture, il aperçut la nuit. Il regarda ses mains. Les poignets étaient à vif. Ils ne saignaient pas.

Salauds ! Salauds !

Cette invective silencieuse s'adressait aux cinq Sylvestres qui lui faisaient face, deux femmes et trois hommes, dont le porteur du diadème. Ils ne faisaient rien. Ils se contentaient de le toiser superbement. Covenant se hissa sur ses pieds et, dans le même temps, se libéra de son sac à dos. Qu'ils étaient grands ! Même debout, il leur arrivait à l'épaule.

Peu après entrait le chef du septuor du rez-de-chaussée, suivi d'Atiaran. La jeune femme semblait lasse et déprimée, mais rien n'indiquait qu'on l'avait bousculée. Elle prit place à côté de Covenant.

— Ils ne sont que deux, Soranal ? s'enquit l'une des femmes.

— Deux, confirma celui qui avait escorté la prisonnière. Nos éclaireurs n'ont repéré aucune autre présence suspecte dans les collines.

— Des éclaireurs, à présent ? s'étonna Atiaran d'un ton persifleur. Le Territoire serait-il en guerre ?

La Sylvestre fit un pas vers elle.

— Dans la mesure où le Territoire est notre patrie commune et dans la mesure où, depuis le grand retour, nous avons vécu en bonne intelligence avec le Mithil Pétragîte, je veux adoucir la rigueur de notre accueil en expliquant les raisons d'une si grande méfiance. (Aussi longtemps qu'elle parla, jamais son regard ne daigna prendre Covenant en considération. C'était à Atiaran seule qu'elle s'adressait.) Tu as devant toi la Sommité de la Haute Sylve, les représentants de notre communauté. Je suis Llaura, fille d'Annamar. Voici Omournil, fille de Mournil ; Soranal, fils de Thiller ; Padrias, fils de Mill ; Malliner, fils de Veinnin, et Baradakas, Initié au *lillianrill*. A l'unanimité, nous avons opté pour une vigilance accrue.

» Je n'abuserai pas de ta patience forcée en décrivant les tornades, les ouragans dévastateurs qui nous arrivent régulièrement de Kiril Threndor. Je ne discuterai pas davantage du bien-fondé des rumeurs de meurtre qui nous sont parvenues. Je n'entonnerai pas les chants de courroux. Je dirai simplement ceci : tous les sbires du Sombre Fléau n'ont pas succombé. Nous avons la certitude qu'un Ravageur s'est glissé parmi les habitants du Territoire.

A ces mots, Atiaran sursauta. Covenant remarqua le tressaillement indigné de sa paupière et comprit subitement. Les Sylvestres les soupçonnaient d'être tous deux à la solde de Férus.

— Absurde ! s'exclama-t-il.

Personne ne sembla l'entendre. L'autre femme prit la relève.

— Voilà deux jours, la Haute Sylve a reçu la visite d'un étranger. Quelque temps auparavant, le dernier en date des orages funestes sécrétés par les Hauts du Tonnerre s'était brusquement apaisé. Nous en avions conclu qu'une victoire dont nous ignorions tout avait été remportée quelque part contre les forces de la Destruction. Ce fut donc d'un cœur léger que nous accueillîmes l'étranger. Tout en lui désignait l'originaire d'un Pétragîte et le nom qu'il nous donna fut Jéhannum. Seuls les enfants manifestèrent leur crainte et leur hostilité en refusant de s'approcher de lui. Hélas, rien n'échappe à la clairvoyance de leurs yeux innocents!

» L'étranger répondit à notre hospitalité par des insinuations mauvaises et des sarcasmes, accablant de son mépris nos coutumes et nos techniques. Le Serment de Paix reste gravé dans toutes les mémoires. Nous ne réagîmes pas. Le lendemain, ses calomnies perfides devinrent des prophéties de mort pour le Territoire et tous ses habitants. Ses paroles suintaient la haine avec tant d'impudence que la Sommité lui proposa l'épreuve du *lomillialor*.

— Le *lomillialor* est l'équivalent de l'*orcrest* du *rhadhamaerl*, précisa Baradakas. C'est un surgeon de l'Arbre dans le bois duquel fut taillé le Bâton de la Loi. Nous n'eûmes pas le temps de mettre Jéhannum à l'épreuve. A peine eut-il posé les yeux sur le *lomillialor* qu'il se sauva, épouvanté. Nous lui donnâmes la chasse, bien sûr, mais outre qu'il nous avait pris de court, sa fantastique vélocité lui a permis de s'échapper. Il a fui en direction de l'Orient. (L'Initié marqua un temps d'arrêt et soupira.) Un jour s'est écoulé depuis cet incident. Nous recommençons notre apprentissage de Protecteurs du Territoire.

Ce dernier mot tomba dans le silence. Il se prolongea un peu, puis Atiaran prit la parole:

— C'est moi qui vous prie de pardonner ma colère et mon impatience, fit-elle doucement. Mais vous voyez bien que nous n'avons rien de commun avec ce Jéhannum.

— Tu portes vaillamment ton fardeau de souffrance. Nous le savons, car nous voyons clair en toi, dit Llaura, ses yeux rivés sur ceux d'Atiaran. Ton compagnon, lui, reste impénétrable. Peut-être serons-nous obligés de le retenir prisonnier.

— *Melenkurion!* prononça Atiaran d'une voix sifflante. Ne faites pas une chose pareille! Ne l'avez-vous point regardé?

Un murmure de soulagement parcourut la Sommité. Soranal s'approcha d'Atiaran, paume offerte dans le geste de bienvenue.

— Nous voici tout à fait rassurés sur ton compte, Atiaran Trell-mie. Nul ennemi du Territoire n'aurait laissé ce nom franchir ses lèvres en défense d'un compagnon.

Prenant la jeune femme par le bras, il l'entraîna vers la périphérie de la cavité.

A présent qu'elle n'était plus à ses côtés, Covenant se sentait étrangement vulnérable. Il enrageait d'être devenu aussi dépendant de son guide, et quand cela n'eût été que pour se prouver à lui-même qu'il pouvait assurer seul sa défense, il se prépara à rendre coup pour coup si besoin était.

— De tous les présages de malheur dont nous gratifia Jéhannum, un seul mérite d'être cité ici, assura Llaura. Il a dit que du sud venait vers nous un être malfaisant entre tous qui avait pris l'aspect de Bérek Mimain. Voici... (sa voix prit de l'ampleur tandis qu'elle désignait Covenant d'un index pâle) ... voici un étranger qui n'est pas né du Territoire. Sa main droite est amputée et la gauche cerclée d'or blanc ! Et que porte-t-il au Seigneur si ce n'est un message de mort ?

— Accordez-lui la présomption d'innocence ! s'écria Atiaran. Souvenez-vous du Serment. Nous ne sommes point qualifiés pour le juger. Accordez-vous foi aux paroles d'un Ravageur ?

— Ce n'est pas le message, mais l'homme que nous souhaitons mettre à l'épreuve, souligna Baradakas. (Sa main disparut derrière son dos. Quand il la ramena devant lui, son poing tenait par le milieu un bâton de trois pieds de long dénudé de son écorce.) Voici le *lomillialor*.

Comme il articulait ce nom, Covenant vit très distinctement scintiller le bois poli du bâton.

Encore des diableries ! En prévision de l'attaque, il fit basculer le poids de son corps d'un pied sur l'autre. Baradakas feinta, fit tournoyer son bâton et, d'un mouvement si fulgurant que Covenant le discerna trop tard, lui jeta l'arme au visage. Covenant l'évita de justesse en sautant de côté, mais sa main droite arrêta le projectile en pleine course. Il crut que l'impact lui arrachait l'épaule. L'étreinte précaire de ses trois doigts laissa aussitôt glisser le bâton qui heurta le sol avec un claquement sec dont l'écho ricocha contre la paroi circulaire comme s'il cherchait à s'échapper par l'unique ouverture.

Quand le silence fut revenu, d'une seule voix, la Sommité laissa tomber son verdict :

— Le *lomillialor* l'a rejeté. Sa présence est une insulte au Territoire.

10

La Célébration du Printemps

Dans un mouvement fluide, Baradakas fit surgir une matraque des plis de sa tunique. Il marcha sur Covenant.

Face au danger, celui-ci ne s'accorda pas le temps de la réflexion. Légitime défense. Il se pencha vivement, saisit le *lomillialor* de sa main gauche et l'abattit de toutes ses forces sur l'arme de l'Initié. La matraque fut pulvérisée. On eût dit qu'elle se dissolvait en une gerbe d'étincelles. Baradakas alla bouler à deux mètres de là, comme balayé par le souffle de l'explosion.

Le premier surpris fut sans conteste Covenant. Mais tout à son triomphe, il parcourut les visages d'un coup d'œil menaçant.

— Osez donc me répéter en face que ce *lomillialor* me rejette ?

Omournil et Padrias s'étaient précipités auprès du corps inerte de l'Initié. Atiaran accrocha le regard de Covenant et le tint captif. Il n'y avait aucune peur dans ses yeux, aucun étonnement. Elle le regardait comme si elle voyait à travers lui quelque chose qui eût aiguisé sa clairvoyance.

— Du temps que Kévin s'était pris d'amitié pour le Sombre Fléau, il lui avait fait don d'un *orcrest* et d'un *lomillialor*, dit-elle gravement. Ces présents inestimables s'égarèrent, mais tant qu'ils furent en possession du Sombre Fléau, ni l'un ni l'autre ne le rejeta. Le mal peut prendre le masque de la vérité. Peut-être, en fin de compte, le Contempteur est-il plus fort que la vérité.

Covenant la dévisageait avec curiosité. Le haïssait-elle à ce point ?

— Peut-être, en effet, mais nous ne sommes que d'humbles Sylvestres, répondit Llaura. Ces mystères sont du ressort des Seigneurs. Jamais, dans toute l'histoire de la Sylve, l'épreuve de vérité n'avait terrassé un Initié du *lillianrill*. (Elle tendit vers Covenant une main incertaine, paume levée dans le salut traditionnel.) Bienvenue à toi, Incrédule. Pardonne-nous notre hésitation. Désormais, tu es ici chez toi.

— N'en parlons plus, murmura Covenant, troublé par l'évidente sincérité de ses excuses.

A tous, il rendit leur salut, même à Baradakas qui s'était relevé, indemne, étourdi malgré tout, et le dévisageait avec un mélange de surprise et d'effarement. Sans attendre d'en être prié, Covenant lui redonna le *lomillialor*, trop heureux d'être débarrassé d'un objet aussi imprévisible. L'Initié le fit disparaître dans son dos. Puis, avec un large sourire, il considéra Covenant.

— Incrédule, ta présence et la mienne ne sont plus indispensables en ce lieu, et point n'est besoin de lire en toi pour deviner ta faim et ta fatigue. Me feras-tu l'honneur d'accepter l'hospitalité de ma demeure ?

Pris de court, Covenant hésita. La franche jovialité de Baradakas inspirait confiance, mais une ambiguïté s'attardait dans son sourire trop éclatant, beaucoup moins explicite que la courtoisie digne et résignée de Llaura. D'un autre côté, si les choses se gâtaient, il lui serait plus facile d'affronter Baradakas en combat singulier que la Sommité tout entière. Il décida d'accepter.

— Tout l'honneur est pour moi.

D'un regard circulaire, l'Initié s'assura du consentement de ses compagnons et, l'ayant obtenu, se glissa hors de l'alvéole. Covenant chercha le regard d'Atiaran mais celle-ci, absorbée dans un aparté avec Soranal, semblait avoir oublié jusqu'à son existence. Inquiet, il rejoignit Baradakas sur l'énorme branche. Autour d'eux, les lumières scintillaient, innombrables, révélant chacune un foyer. Covenant éprouva le besoin impérieux de s'appuyer sur l'épaule de son guide.

— Ce n'est pas loin, murmura l'Initié. J'habite sur la fourche du dessus. Va devant, je te suis. Tu n'as rien à craindre.

De quoi aurait-il l'air en manifestant un effroi trop ostensible ? La gorge serrée, il étreignit les barreaux de l'échelle. Leur qualité adhésive le rassura aussitôt. Ce n'était pas du bois mais un matériau bizarre qui, sans les poisser le moins du monde, collait presque à ses paumes. D'ailleurs, Baradakas n'avait pas menti. Ils eurent vite fait d'atteindre la branche supérieure, laquelle bifurquait à peine séparée du tronc. La fourche constituait le socle du logis.

C'était un nid douillet — le mot semblait approprié —, composé de deux pièces auxquelles les branches fournissaient une charpente solide et l'enchevêtrement des feuilles et des rameaux des cloisons étanches. Les aspérités naturelles du bois avaient été modelées de façon à pouvoir servir de table et de sièges. L'habileté qui avait présidé à l'aménagement du lieu masquait mal l'atmosphère d'austère dévotion. L'Initié était avant tout un inflexible serviteur de la Tradition. S'il la croyait menacée, nul doute qu'il se révélerait dangereux.

Tandis que Covenant s'installait, Baradakas alluma deux torches par simple frottement de leur extrémité de ses mains jointes, aidé d'une incantation murmurée. Ensuite, il s'affaira dans l'autre pièce d'où il revint bientôt, portant un plateau chargé de tranches de pain, de fromage, de raisins et d'une longue carafe en bois.

Covenant mourait de faim. Suivant l'exemple de son hôte, il se confectionna des sandwiches qu'il engloutit voracement. Il but beaucoup et parla peu. Après deux jours de régime d'*aliantha*, ces mets plus solides et plus orthodoxes requéraient toute son attention.

— Voici une bonne chose de faite, Incrédule, dit Baradakas lorsqu'ils se furent restaurés. A présent, que puis-je faire pour toi ?

— Tu peux répondre à une question, répliqua Covenant, méfiant. En bas, tu m'aurais volontiers fendu le crâne si ce *lomillialor* ne t'avait expédié une décharge carabinée. Alors, pourquoi m'avoir invité sous ton toit ?

L'autre resta perplexe, comme quelqu'un qui se demande jusqu'où peuvent aller ses confidences. De l'autre pièce, où il s'absenta quelques instants, il rapporta un long bâton et se rassit sur le lit, face à Covenant. Tout en s'appliquant à faire reluire le bois poli, sans regarder son interlocuteur, il parla d'une voix détachée, dénuée d'intonation.

— Tout d'abord, Thomas Covenant, il te fallait un lit, et ma demeure était la plus proche. Ensuite, mon offre avait valeur d'excuse. J'allais te blesser grièvement, te tuer peut-être, et toute violation du Serment de Paix demande réparation. Si tu avais été une créature du Sombre Fléau, le seul contact du *lomillialor* t'eût pétrifié sur place. Et si je t'avais blessé pour de bon, incapable de poursuivre ta route, tu n'aurais pu porter toi-même le message à la Pierre-qui-Rit. Mon erreur devint fla-grante lorsque l'impact du coup que tu me portas me projeta au sol dans les conditions dont nous fûmes tous témoins. Je voulais racheter ma faute, voilà tout.

Pour la première fois, il regarda Covenant.

— Ta réponse est incomplète, déclara simplement celui-ci.

— Peut-être bien. Peut-être les vraies raisons de mon invita-tion m'échappent-elles. (Debout, il cala le bâton entre ses pieds pour le fourbir sur toute sa longueur.) Regarde, Thomas Covenant, je te fais don de ce bâton. Je l'avais taillé à mon intention, mais tu en auras plus besoin que moi. Il te sera utile chaque fois que tu te sentiras menacé. Non, celui-ci n'est pas né de l'Arbre, mais il n'en possède pas moins quelques facultés. Accepte-le.

Covenant secoua la tête.

— Pas avant que tu ne saches vraiment à quoi t'en tenir à mon sujet.

Baradakas ne releva point. Simplement, il assena l'extrémité du bâton sur le plancher de la petite chambre. L'espace d'un instant, Covenant pensa qu'un ouragan plus terrible que celui de l'avant-veille venait de se lever. La branche massive frémis-sait. Le logis de l'Initié se balançait comme un canoë sur une mer démontée. L'Arbopolis allait s'écrouler. Ils mourraient tous. Cela cessa brusquement. Baradakas releva la tête jusqu'à fixer de ses yeux pâles le visage terrifié de Covenant.

— Retiens ceci, Incrédule. Une épreuve n'a pas plus de valeur que celui qui l'impose. Nous sommes les alliés de l'Arbre. Il nous accorde sa protection, mais à côté de toi, je suis aussi démuni qu'un enfant. Je ne puis extirper la vérité de ton âme. Malgré ta maîtrise du *lomillialor*, pour ce que j'en sais, tu pourrais être le Contempteur en personne, venu réduire en cendres toute vie sur le Territoire !

— Pourquoi ? Pourquoi proférer cette absurdité ? s'exclama Covenant.

Baradakas se laissa choir sur le lit, comme accablé. Ses mains tremblaient sur le bâton. Il le regarda, étonné, puis dans un murmure :

— Un jour, j'en saurai assez pour reconnaître mes amis. Pour l'instant, j'ai besoin de comprendre. Mais je crois en toi. A l'heure du plus grand péril, tu ne nous abandonneras pas. Je t'en conjure, prends ce bâton !

Covenant ne répondit pas aussitôt. Son propre tremblement était intérieur. Cette foi que l'on plaçait en lui... c'était atroce !

— Tant de confiance... balbutia-t-il. Pourquoi moi ?

Les yeux de l'Initié brillaient comme s'ils étaient baignés par des larmes de joie.

— Parce que tu connais la valeur de la beauté, dit-il en souriant.

Covenant se détourna. Le courage lui manquait pour affronter un tel regard. La confiance qu'on lui témoignait le renvoyait implacablement à la certitude de son indignité. Son bras se détendit. Il arracha presque l'humble présent de la main tendue de Baradakas. Le contact pur et glacé du bâton lui donna le frisson.

On le sentait taillé dans le bois le plus sain, le plus vigoureux, et l'on devinait avec quelle tendre dévotion l'artisan avait veillé à sa perfection. A sa grande honte, Covenant se surprit à souhaiter que la fréquentation d'un objet aussi sain lui insufflât un peu de cette innocence qui lui faisait si cruellement défaut.

Trente secondes plus tard, il bâillait à s'en décrocher la mâchoire. Réveillée par le vin nouveau, sa fatigue lui montait à la tête sous la forme d'une ivresse apaisante et consolatrice. Remords et regrets s'estompaient. Aussitôt, Baradakas quitta le lit et, d'un geste, l'invita à s'étendre. Covenant protesta, bâilla derechef, se laissa convaincre et, sitôt couché, s'endormit du sommeil d'un enfant.

A son réveil, le lendemain matin, il souffrait d'atroces courbatures dans les bras, comme s'il avait passé la nuit à se colleter avec un ange.

Atiaran attendait, assise face au lit. Dès qu'elle lui vit les yeux ouverts, elle vint se poster à son chevet.

— Lève-toi, Thomas Covenant ! Il est tard. Nous devrions déjà être en route.

Il prit le temps de la dévisager. Derrière la fatigue qui adhérait comme un masque à ses traits, il décela une accalmie qu'il attribua à ses longues conversations nocturnes avec leurs hôtes. Manifestement, l'échange de confidences, d'incertitudes, d'encouragements, lui avait profité. Il y avait même dans ses yeux une petite lueur d'optimisme. Tout espoir, disaient-ils, n'était pas encore perdu.

Trop heureux de ce changement d'humeur qu'il comptait voir tourner à son avantage, Covenant ne se fit pas prier. Il s'arracha du lit avec enthousiasme, se lava le visage et le buste à grande eau, se frictionna à l'aide d'un étrange drap de bain fait de feuilles tressées et se sentit tout à fait dispos quand il eut vérifié que ses poignets allaient bien et que, mis à part ses bras douloureux, toute sa personne resplendissait de santé. Il avisa une miche posée sur la table. L'or bruni de la surface n'était que le prélude à l'agréable surprise que révélait l'intérieur sitôt la croûte rompue : un savoureux pâté à la viande qu'il alla mastiquer devant la fenêtre.

Atiaran le rejoignit. L'ouverture était orientée au nord. Entre les branches, on découvrait une lointaine rivière au-delà de laquelle les collines ondulaient à l'infini, croupe après croupe, superbes, irrationnelles, bien différentes de celles qu'ils avaient traversées jusqu'alors, comme si le cours d'eau, frontière naturelle, bornait deux secteurs distincts. Là-bas, c'était comme si les entrailles mêmes du Territoire, affleurant en vagues successives, s'étaient brusquement pétrifiées à l'instant où un changement de vent avait bouleversé leur alignement. Pour qui savait déchiffrer un tel paysage, le Territoire révélait son âme.

— Voici Andelain, fit Atiaran dans un murmure déférent. La Mithil prend la direction du Levant avant de reprendre son cours vers le nord où l'attendent Kiril Threndor et la Sérénité. Sur l'autre rive commencent les collines d'Andelain, joyau du Territoire. La seule vue de ces espaces miraculeux me met du baume dans le cœur. Partons vite, Thomas Covenant ! Grâce à l'itinéraire que m'a indiqué Soranal, j'ai bon espoir de voir se réaliser mes prévisions les plus ambitieuses. Es-tu prêt ?

A descendre de ce perchoir insensé ? songea-t-il. Pas tout à fait. Il acquiesça néanmoins, enfila sa chemise et, grimaçant de douleur, hissa le sac sur son dos. Avec le bâton de Baradakas bien en main, il se fit plus que jamais l'effet d'un pèlerin. Atiaran était déjà dehors. Il sortit de la chambre.

Il n'alla pas plus loin que le seuil. La terre ferme l'attendait, deux cents pieds plus bas. La chute morale qui accompagna les premières fluctuations du vertige le laissa sans souffle. La nausée montait. Il songeait au lit de Baradakas. Afin d'éloigner cette tentation, il fit deux pas, glissant un pied devant l'autre, et s'arrêta, tout son être pétrifié dans l'attente d'un miracle. Des cris d'enfants le tirèrent de sa torpeur. Un instant, sans oser lever la tête, il suivit des yeux la joyeuse sarabande d'une fillette et d'un petit garçon, l'une poursuivant l'autre de branche en branche avec une agilité diabolique. Le garçon aperçut Covenant, dégringola juste derrière lui et, de cette cachette inédite, hurla d'une voix frémissante de fou rire rentré :

— Ça y est ! Je suis hors de danger. Trouve-t'en un autre ! Je suis hors de danger !

— Hors de danger, marmonna Covenant. Ce gosse est hors de danger.

Il entendit le rire sonore de la fillette et perçut son piétinement menu sur la branche du dessus. Il ramena les yeux sur le tronc, si lointain, puis de moins en moins à mesure qu'il se traînait le long des deux mètres fatidiques, étayé au bâton, d'un pas si chancelant qu'il faillit dix fois se rompre le cou. Enfin, ayant mis le bâton dans les courroies, il put étreindre des deux mains les barreaux de l'échelle et ce fut l'interminable descente, avec des mouvements précautionneux et saccadés comme ceux d'un invalide. A mi-distance, son cœur retrouva un battement régulier.

La Sommité s'était rassemblée en bas pour leur dire adieu. Après une minute de silence recueilli, ce fut Llaura qui prit la parole :

— Messagers, vous avez prétendu que le destin du Territoire reposait sur vos épaules, et nous le croyons. Nous regrettons de ne pouvoir vous soulager de ce fardeau, mais c'est à vous seuls qu'il appartient de mener à son terme la mission pour laquelle vous avez été désignés. La tâche qui nous échoit est plus modeste : défendre nos logis, prier pour vous. Bonne route, messagers, et puissiez-vous arriver à temps pour la Célébration car tous les espoirs sont permis à ceux dont les yeux sont témoins de ce prodige ! Thomas Covenant, Incrédule et étranger, quand l'ombre sera sur toi, n'oublie pas le bâton de l'Initié.

— La Haute Sylve nous a procuré un abri et nous a rendu l'espoir, répondit Atiaran d'un ton protocolaire. Nous nous en souviendrons.

Elle se toucha le front du bout de ses doigts joints, puis étendit les bras en croix. Covenant l'imita gauchement. Les Sylvestres leur rendirent le salut métaphorique, puis les voyageurs s'éloignèrent sans se retourner.

Le repos, les bons traitements, les témoignages d'amitié leur donnaient du cœur au ventre. Ils marchaient vite, impatients d'atteindre Andelain. De plus, les renseignements selon lesquels Jéhannum avait pris à l'est en fuyant la Haute Sylve éloignaient ce danger pour l'avenir immédiat. Les collines autour d'eux se paraient de teintes fastueuses. Le soleil amorçait tout juste son déclin quand ils atteignirent la rive de la Mithil.

Ils traversèrent à gué. Observant qu'Atiaran se déchaussait avant d'entrer dans l'eau, Covenant ôta ses bottes et ses chaussettes et roula ses jambes de pantalon. A ses yeux, ce gentil barbotage dans les eaux limpides du fleuve-frontière revêtait l'importance d'un acte purificatoire. Il se lavait symboliquement de ses souillures. Au fond, c'était un peu comme s'il se baptisait avant de fouler la terre d'Andelain. Parvenu de l'autre côté, il ne fut pas surpris de sentir l'extraordinaire vitalité du sol sous la forme de picotements qui lui remontaient le long des jambes. A présent, même ses plantes de pieds étaient devenues sensibles au dynamisme ambiant. Toutefois, bien qu'il lui en coûtât, il remit chaussettes et bottes, indispensables s'il voulait maintenir le rythme d'enfer qu'imposait Atiaran. Il ne s'en plaignait pas. L'euphorie de cette terre sainte entre toutes était communicative. Il promenait alentour un regard avide de touriste pour découvrir les signes extérieurs du changement qu'il ressentait déjà par tous les pores.

La différence, brutalement sensible, excédait les détails visibles qui la composaient. Certes, les arbres étaient plus puissants de ce côté-ci de la Mithil, les buissons d'*aliantha* plus luxuriants, l'herbe plus drue, les fleurs plus odorantes. Pour apporter la touche finale à cet éden de verdure, de petits animaux sympathiques — lapins, écureuils, blaireaux — filaient se cacher dans les frondaisons. Mais la véritable différence était d'ordre transcendantal. Les collines d'Andelain exhalaient la promesse d'un bonheur qui jamais ne se démentirait. L'aura de vie était si puissante qu'il se prit à regretter d'appartenir à un monde comparativement si pauvre, où la force vitale demeurait une vertu morale qu'il s'agissait d'établir sans cesse. Pour la première fois, il se demanda comment il supporterait le réveil. L'autre aspect de la beauté d'Andelain lui apparut soudain. Le pouvoir séducteur d'un tel paradis était dangereux. Il tournait la tête, il enivrait. Mais d'où venait qu'Atiaran lui demeurait insensible ? Cent fois Covenant eût voulu s'arrêter pour savourer une nouvelle révélation. Cent fois il dut déchanter. Indifférente à la gloire d'un paysage dont elle-même avait tant vanté les charmes, Atiaran poursuivait son bonhomme de chemin, les yeux inexorablement fixés sur l'horizon où scintillait la promesse de cette mystérieuse Célébration.

Au soir du second jour suivant leur départ de la Haute Sylve, la clarté se prolongea si longtemps qu'ils marchèrent jusqu'à minuit. Après le souper, Covenant observa le ciel piqueté d'étoiles à l'éclat de nickel. Il considéra le croissant de lune, pâle réminiscence de l'effrayante lumière qui avait embrasé sa première nuit sur le Territoire.

— D'ici à quelques jours, nous aurons une nouvelle lune, fit-il observer avec détachement.

Atiaran lui jeta un coup d'œil pénétrant, comme s'il venait de lui dérober une pensée intime. Devant son silence, il se demanda si elle avait réagi à un souvenir ou à une anticipation.

Le troisième jour commença dans la splendeur des précédents. A chaque pas, Covenant se sentait le cœur gonflé de reconnaissance de pouvoir, au moins une fois dans sa vie, contempler cette perfection. L'incident se produisit en début d'après-midi. Ce ne fut pas grand-chose, une sensation fugitive que rien de sérieux n'étayait ; pourtant, il eut l'impression que toute joie se tarissait en lui. Ils avaient emprunté un sentier naturel entre deux vallons boisés. Covenant savourait l'élasticité de l'herbe quand il tressaillit et sauta en arrière comme s'il venait de poser le pied sur une plaque de sable mouvant. L'impression menaçante s'évanouit aussitôt, le laissant tout frissonnant d'horreur et glacé jusqu'à la moelle des os. Il s'accroupit au-dessus du périmètre suspect, s'enhardit à balayer l'herbe de la main. Il n'éprouva que l'innocente vitalité ambiante. Perplexe, il résolut de continuer et prit le trot pour rattraper Atiaran.

La seconde offensive le surprit à la tombée du jour. Cette fois, il crut qu'il avait marché sur de l'acide. Dans un réflexe de peur et de répulsion insurmontable, il cria et plongea de côté. Atiaran revint en courant sur ses pas. A genoux, Covenant arrachait l'herbe par touffes rageuses.

— Là ! hurla-t-il. Bon Dieu, je sais ce que je dis ! C'était là ! Je l'ai senti !

Atiaran le gratifia d'un regard incertain. Il bondit sur ses pieds et désigna le sol d'un index furibond.

— Et toi, tu n'as rien senti ? C'est impossible ! Je t'ai vue poser le pied dessus !

— Je n'ai rien senti, confirma-t-elle sans se départir de son calme.

— On eût dit du feu... ou de l'acide. (Il se remémora soudain la sensation éprouvée devant le cadavre du Repenti. Sa voix se fit sourde.) On eût dit... le souvenir d'un meurtre. Et maintenant, il n'y a plus rien. Je pourrais aussi bien avoir rêvé.

— Je n'ai rien senti, répéta Atiaran, mais mon toucher est loin d'être aussi sensible que celui d'un *rhadhamaerl*. Est-ce déjà arrivé ?

— Une seule fois, il y a quelques heures.

— Si j'étais Seigneur, je comprendrais, soupira-t-elle. Ce doit être l'œuvre d'un esprit malin retranché dans les profondeurs de la Terre. Faut-il qu'il soit puissant pour oser se manifester dans les collines d'Andelain ! Mais le mal est jeune encore, et timide. Il ne persiste pas. Heureusement, car nous serions bien en peine de riposter. Notre unique atout est notre vitesse. Il faudrait ne plus s'arrêter, ne plus dormir...

Le lendemain, les attaques se multiplièrent. A deux reprises pendant la matinée, à quatre reprises dans l'intervalle compris entre le déjeuner et la halte nocturne, Covenant ressentit sous l'un ou l'autre pied l'atroce déchirement qui faisait courir une onde de souffrance dans tout son corps. Il avait parfaitement conscience de l'affront que ces pointes mauvaises représentaient par rapport à cette enclave de bien-être où le moindre souffle d'air véhiculait l'idée de grâce et de plénitude. Quand ils s'arrêtèrent pour la nuit, il était à bout de force.

Au cours du cinquième jour, les décharges s'espacèrent et s'intensifièrent. Peu après midi, il tomba sur une zone d'agression dont les effets ne s'évanouirent pas comme par enchantement dès qu'il l'eut touchée. En dépit de la douleur que lui transmettaient les vibrations du sol, il maintint son pied et capitula seulement lorsque l'engourdissement eut gagné sa jambe. L'expérience le confirma dans le sentiment que c'étaient les souffrances de la Terre elle-même qui se propageaient à travers lui. Quand Atiaran le rejoignit, il était à quatre pattes en train d'explorer le sol à tâtons. Rien. Atiaran à sa suite l'imita. Elle palpa le sol. Rien.

Sur une impulsion, Covenant dénuda l'un de ses pieds et se tint debout à l'endroit précis où s'était manifesté le phénomène. Cette fois, sa stupeur fut à son comble. Seul le pied encore chaussé continuait à recevoir les décharges. Pourtant, aucune confusion possible : le sol, et non la botte, était bien la source du mal.

En deux temps, trois mouvements, il avait ôté l'autre botte et l'autre chaussette. Il les lança au loin. Assis par terre, la tête dans ses mains, il écoutait le sang cogner à ses tempes.

— Je n'ai pas de sandales de rechange, dit Atiaran d'une voix aigre. Il faudra te rechausser si tu veux aller jusqu'au bout.

Covenant ne l'entendait même pas. Il avait identifié le danger. Il avait mis un nom sur la menace qui le harcelait depuis plusieurs jours. Il avait reconnu son ennemi.

Est-ce ainsi que tu comptes me briser, Férus ? Sa propre voix hurlait sous son crâne. Tu commences par ressusciter mes nerfs, puis c'est Andelain qui endort ma méfiance. Enfin, je me débarrasse de mes bottes, n'est-ce pas ? Quand cela finira-t-il ? Quand jugeras-tu que je suis assez vulnérable ?

— Nous avons perdu assez de temps, déclara Atiaran. Décide-toi. Que veux-tu faire ?

Ce que je veux ? Enfer et damnation ! Il se leva d'un coup de reins. Fulminant, il alla chercher ses chaussettes et ses bottes. Il enfila les premières et planta ses pieds dans les secondes comme si c'était une armure.

— Je veux survivre !

Le restant de la journée, il l'employa à éviter les plus légères excitations du sol. Ressentait-il les signes avant-coureurs d'une attaque, il s'écartait d'un bond. Pas une fois il ne ralentit son allure. Avec une obstination maniaque, il s'attachait à mettre ses pas dans ceux d'Atiaran. Son visage farouche reflétait sa détermination de ne pas céder un pouce de sa souveraineté. Vers le soir, la guerre d'usure se fit plus offensive. La virulence du sol augmenta. Peut-être fallait-il voir dans cette recrudescence une sorte de baroud d'honneur. Toujours est-il que, peu après, les attaques cessaient tout à fait. N'était-ce qu'un répit ? Covenant n'osait pas se poser la question.

La nuit fut sombre et venteuse. Une pluie tenace les contraignit à se mettre à couvert sous les ramures fléchissantes d'un saule. Leurs couvertures étaient trempées. Ils dormirent peu.

A l'aube, comme souvent sur le Territoire, un ciel lavé exaltait la merveilleuse sérénité du paysage. Atiaran ne tenait pas en place. Chacun de ses mouvements trahissait une impatience fébrile. Elle bouscula un peu Covenant qui ne se préparait pas assez vite à son gré, mais son obsession de gagner du temps trouva un écho dans le désir de Covenant de penser à tout sauf à Férus. Il se mit lui aussi à compter les lieues.

La clémence de la température ainsi que le terrain plat les invitaient à se surpasser. Quand le soleil fut au zénith, sans prendre la peine de s'arrêter, Atiaran ralentit simplement pour piller les buissons d'*aliantha*.

A la fraîche, l'itinéraire conseillé par Soranal les conduisit au débouché d'une immense vallée. Là, Atiaran fit halte pour s'orienter et repartir dans la même direction. Ils gravissaient maintenant le versant d'une colline sur un axe rigoureusement perpendiculaire qui les fit passer entre deux Vermeils jumeaux dressés à quelque cinquante mètres au-dessus de la vallée. Le versant semblait escalader le ciel, mais Covenant s'attaqua sans protester à cette ascension prodigieuse. Vidé de ses forces, il avançait en automate docile et, comme tel, silencieux. Où Atiaran avait décidé d'aller, il irait.

Derrière eux, le soleil couchant sombrait dans une exhalation voluptueuse, comme si la nature tout entière se libérait dans un lent soupir exténué. A la nuit tombée, Atiaran atteignait la crête de la colline. Elle fit halte, et Covenant crut rêver lorsqu'il la vit lever les bras au ciel et s'écrier d'une traite d'une voix transportée de joie :

— Nous y sommes ! Nous sommes arrivés à temps ! *Banas Nimoram !* Ah, cœur sacré ! Cœur sacré d'Andelain ! J'aurai vécu pour te voir !

Interloqué, il la rejoignit aussi vite que le lui permettait son état lamentable, persuadé que ses yeux éblouis allaient pour le moins contempler l'incarnation de l'esprit d'Andelain.

Il découvrit, devina plutôt, sous un reste de clarté, une vaste cuvette circulaire, si régulière qu'on eût dit une vasque immense cachée entre les collines boisées. C'était beau, mais certes pas davantage que mille paysages qu'Atiaran avait traversés sans s'émouvoir. Il grogna de dépit.

Souriante, elle l'entraîna sous les branches du dernier arbre posté comme une sentinelle au bord du cirque gazonné. Laissant tomber son sac, elle s'assit contre le tronc. Quand il fut installé en face d'elle, sans se départir de son sourire, elle consentit à s'expliquer.

— Refoule ta mauvaise humeur, Incrédule ! Nous sommes arrivés à temps. Voici la lune noire qui marque le milieu du printemps dont *Banas Nimoram* est la Célébration, le rituel le plus exquis parmi tous ceux qui scandent la respiration des saisons. Si ta colère ne sème pas le trouble alentour, nous verrons la Danse des Esprits d'Andelain. Prends patience.

Impressionné par l'ardeur des intonations chantantes qui conféraient à la voix d'Atiaran une volubilité inhabituelle, Covenant réprima ses questions et se résigna à l'attente. Ils

110

mangèrent l'excellent pain des Sylvestres et burent du vin nouveau. Une brise tiède faisait trembler les feuilles. Covenant soupira d'aise et se détendit. Maîtresses du ciel sans lune, les étoiles brûlaient d'une avide espérance. Des fétus d'or, songea Covenant. Comme elles sont innocentes !

Au premier feu follet qui se matérialisa, ce fut comme si le magnifique décor de la nuit prenait brusquement tout son sens. Il apparut de l'autre côté de la grande vasque ; pourtant, Covenant eut l'impression que la distance ne comptait pas. Si la petite flamme capricieuse avait jailli devant lui, elle n'eût sans doute pas été plus haute que sa main. Atiaran ne souffla mot. Simplement, son souffle s'accéléra.

Avec une lenteur délibérée, l'Esprit descendit en spirales folâtres vers le centre de l'amphithéâtre. Une autre flamme s'alluma, tout près du lieu de naissance de la première, puis deux autres, à l'opposé. Et d'un seul coup, comme si toutes les étoiles accouraient pour se mirer dans cette voûte d'ombre inversée, les lueurs surgirent par centaines, de toutes les directions. Certaines filèrent à quelques mètres seulement de Covenant et d'Atiaran. Inconscientes de leur présence, elles poursuivaient leurs itinéraires fantasques, chacune selon son propre rythme, chacune pour elle-même, semblait-il.

Ebloui par le formidable mouvement qui aspirait ces milliers d'Esprits vers le centre tout en préservant l'agilité et le caprice individuel, Covenant osait à peine respirer. L'émotion l'oppressait, et la crainte que la plus infime turbulence ne fît s'évaporer ce vagabondage enchanteur.

Peu à peu, à mesure que s'élevait une mélodie à la structure indistincte qui paraissait plus l'émanation d'une ferveur commune qu'un chant proprement dit, une ordonnance sembla prévaloir. Les rotations individuelles se résolurent en une ronde ardente. Quand chaque Esprit eut trouvé sa place, la grande roue de feu commença de pivoter sur son axe. Curieusement, le cercle intérieur demeurait d'un noir intense, comme s'il répugnait à s'imprégner de toute clarté.

La mélodie s'enfla tandis que tournait la couronne flamboyante composée de milliers de feux follets déchaînés. Chacun frémissait, frétillait, fluctuait au gré de ses propres impulsions sans jamais entamer la cohésion de l'ensemble. Longtemps, Covenant écouta et regarda comme jamais il n'avait écouté ni regardé. Longtemps, la Danse des Esprits le tint dans un état voisin de l'hypnose. Quand se produisit le changement, ce fut la crispation de la main d'Atiaran sur son bras qui l'en avertit. Il ne savait rien encore, mais l'excitation s'empara de lui comme une fièvre.

Sous l'effet d'une attraction inexplicable, la couronne se déformait, se déjetait de leur côté. Une excroissance naquit lentement et s'accentua. Les Esprits se rapprochaient des intrus jusqu'à former un éperon dont la flèche désignait Covenant.

En même temps, sa sensibilité à la mélodie s'exacerba. Il en pénétrait les détails, la texture intime. La complainte ardente vibrait de toute la passion d'un hymne funèbre tout en déployant la sublime sérénité d'une profession de foi collective. Le long doigt de feu s'arrêta au-dessus de lui. De si près, ses yeux en dissociaient les innombrables composants et chaque Esprit, sans cesser de danser, s'inclinait en passant devant lui. Un bref instant, les feux follets s'embrasèrent, comme illuminés par la joie d'une décision unanime. L'Esprit le plus proche se détacha du radieux cortège et vint se poser sur l'alliance de Covenant.

Il tressaillit en prévision de la brûlure. En fait, il ne ressentit rien — ni douleur ni souffle. Soudée à son doigt, la petite flamme se dépensait de plus belle. On eût dit que le contact de l'or blanc lui insufflait une vigueur accrue. Peu à peu, du rouge orangé, elle vira au blanc pur.

Quand la mutation fut accomplie, l'Esprit s'envola, aussitôt remplacé par le suivant. Ainsi, par centaines, par milliers vinrent-ils s'abreuver tour à tour à la source vitale de l'anneau. L'homme et la jeune femme demeuraient pétrifiés. Puis Covenant ressentit l'impérieux besoin d'agir. Il se dressa lentement et brandit le poing afin que les Esprits ne soient plus obligés de descendre pour se poser sur l'alliance. C'était peu, mais ce simple geste lui donna l'impression de s'intégrer davantage au processus.

— Quelle horreur ! Par les Sept Tabernacles, il faut empêcher ce sacrilège !

Le cri d'Atiaran le tira d'un rêve. Elle aussi s'était levée. Dans ses yeux fixés au loin se reflétait une terreur folle.

— Là-bas, Thomas Covenant ! Voici le monstre que tes pieds ont foulé !

Il suivit son regard et se sentit devenir glacé comme s'il venait d'être frappé au cœur.

Une immense saillie ténébreuse était en train de basculer par-dessus le bord opposé de l'amphithéâtre. Telle une monstrueuse coulée de lave noire, elle dévalait avec une inéluctable lenteur, sans jamais infléchir sa formation triangulaire. A l'instant précis où la pointe s'inséra dans la couronne de lumière, la mélodie cessa, comme arrachée du ciel. Mais tandis que le fléau poursuivait sa progression, les Esprits dansaient toujours.

Ils tournaient, tournaient, proies idéales, inconscientes, impuissantes à maîtriser leur élan vertigineux. Ceux qui pénétraient dans le cône obscur ne ressortaient pas. L'ogre patient engloutissait les feux follets par centaines et ceux-ci n'avaient même pas la ressource de la fuite.

— Tous... ils mourront tous ! gémit tout bas Atiaran. Ils sont prisonniers du rituel ! Leur danse ne cessera qu'avec la fin de la Célébration. Toutes les flammes vives du Territoire, tous ses Esprits dévorés jusqu'au dernier ! C'est intolérable ! Covenant, Covenant, aide-les !

Mais Covenant ne savait que faire. Le spectacle de ce déferlement abject le plongeait dans une torpeur nauséeuse, comme s'il regardait sans rien faire un dément lui ingurgiter la main. De l'abîme d'inertie où l'avaient précipité la peur et l'écœurement, il fit un geste, un seul : sa main se referma sur le manche du couteau. Réflexe vide de sens. Il avait trop attendu. Il était trop tard pour passer à l'offensive. Accrochée à ses vêtements, Atiaran le secouait avec la dernière énergie. Sans doute hurlait-elle à ses oreilles. A quoi bon ? Sa main n'était plus bonne à rien. Ses doigts gourds laissèrent échapper le couteau de Triock.

Atiaran le lâcha brusquement. Elle pivota et s'élança à la rencontre des ténèbres.

Sa fuite réveilla Covenant. En provoquant un début de panique, le sentiment aigu de sa solitude activa sa reprise de conscience. L'épouvante relâcha son étreinte. L'espoir revint, moins l'espoir que le désir insensé, aveugle, de faire pièce à l'horrible puissance qui l'avait si douloureusement atteint. Empoignant le bâton de l'Initié, il plongea pour éviter les flammes et se jeta à corps perdu sur les traces d'Atiaran. Galvanisé, il courait à perdre haleine.

— Prends garde ! cria la jeune femme quand il passa comme une flèche à côté d'elle. Ce sont les Ur-Vils, la putréfaction du Malfrai !

Il n'y prêta aucune attention. Tout son être tendait vers un seul but : gagner le cercle opaque, le cœur de la Danse. Une myriade d'Esprits frôlaient son visage. Ils s'espacèrent, puis ce fut la nuit. Il venait d'atteindre le centre.

Il s'arrêta. La grande coulée noire était en fait un amas de matière vivante, un grouillement discipliné de créatures si sombres de peau qu'elles ne réfléchissaient pas la lumière, une foule compacte, immense, terrifiante, une armée en marche. Quand les feux follets se précipitaient contre eux, les assaillants les interceptaient et les dévoraient — c'était aussi simple que cela.

A la pointe du triangle se dressait une silhouette solitaire, plus grande que les autres. Covenant la discernait parfaitement. Le monstre était comme un double hypertrophié et malfaisant du Repenti. L'abominable fente de sa bouche se refermait avec un claquement répugnant sur les infortunés Esprits. A la vue de l'homme, il aboya un ordre guttural et toute la troupe se porta en avant avec un enthousiasme accru.

Covenant était au bord de la défaillance. Son corps se défaisait comme celui d'une poupée de son. Derrière lui, cependant, Atiaran s'époumonait.

— Qu'attends-tu ? Frappe-les ! Frappe-les tout de suite !

Il fit deux pas incertains en direction de l'ennemi. Et maintenant ? Et maintenant ?

Le meneur de cette armée de cauchemar apprécia son audace. Un long couteau lui surgit dans la main. La lame écarlate irradiait d'une aura terrifiante. En dépit d'eux-mêmes, Atiaran et Covenant se replièrent précipitamment.

A l'instant où l'Ur-Vil levait le bras pour frapper, l'inspiration descendit sur Covenant. De l'extrémité de son bâton, il effleura un des Esprits. Une clarté fulgurante embrasa la tige de bois, un rayonnement si violent qu'il estompait le nimbe doré des petites flammes. Le monstre gronda de dépit. Il recula et son armée sembla se tasser derrière lui.

Retraite provisoire ; d'un bond, il regagnait le terrain perdu. Le couteau rouge plongea résolument dans le halo blafard. Il se produisit une énorme déflagration. La lame incandescente siffla comme si on l'avait plongée dans l'eau. Le bâton lançait des éclairs.

Mais l'Ur-Vil était invincible. Sa puissance emplissait la vallée d'une sourde résonance, semblable au roulement furieux d'une avalanche. Comme on décide brusquement d'écraser une flamme entre deux doigts, dans un sursaut brutal, il porta le coup décisif. Le bâton s'éteignit dans une gerbe d'étincelles.

Atiaran et Covenant furent précipités au sol. Plus rien ne les préservait. Dans l'affolement ultime de sa conscience, Covenant se dit qu'il allait mourir. Atiaran s'était agenouillée.

— *Melenkurion ! Melenkurion abatha !*

Covenant n'en revenait pas. C'était David contre Goliath. Ce cri fragile, cette injonction énigmatique lancée par une femme au stade suprême du désespoir suspendit le couteau. Apparemment, la surprise du monstre égalait la sienne. Mais le plus stupéfiant, ce fut la voix tonnante, sombre et puissante comme celle d'un dieu, qui venue de l'ouest, fit écho à celle de la jeune femme.

— *Melenkurion abatha ! Minas mill Banas Nimoram Khabaal ! Melenkurion abatha ! Abatha Nimoram !*

L'Ur-Vil s'était ressaisi et s'apprêtait à fondre sur eux. Quelque chose, quelqu'un, un homme gigantesque bondit par-dessus leurs silhouettes recroquevillées pour l'affronter. L'espace d'un instant, ils luttèrent avec un acharnement, une sauvagerie à la mesure de leurs puissances. Cela ne dura guère. Le nouveau venu eut vite fait de se rendre maître du couteau. Il l'enfonça dans le cœur de son propriétaire.

La colère des Ur-Vils se libéra en un concert de rugissements sous lesquels Covenant distingua un trottinement menu, pareil à la galopade évanescente de milliers de petits enfants. Mais ce n'étaient pas des enfants. Regardant par-dessus son épaule, Covenant vit dégringoler dans la vallée une procession effrénée de lapins, de blaireaux, de taupes, de renards et de belettes... Il repéra quelques chiens. Comme des fourmis se lançant à l'abordage d'une proie disproportionnée, ils se ruaient sur l'armée noire des Ur-Vils. L'impeccable ordonnance de celle-ci se disloqua d'un seul coup. Au même instant, les Esprits survivants s'éparpillaient. D'un seul mouvement, les monstres brandirent des couteaux flamboyants. Ils s'abattirent, et le massacre commença.

Covenant était trop atterré pour mesurer toute l'ampleur du

désastre. Il sursauta quand leur sauveteur pivota vers eux pour lancer d'une voix stridente :

— Courez ! Courez vers le nord, jusqu'à la rivière ! J'ai libéré les Esprits. Nous tiendrons tête aux Ur-Vils le temps qu'il faudra. Mais ne perdez pas de temps, fuyez !

— Non ! riposta Atiaran d'une voix pitoyable. Les animaux ne suffiront pas. Tu es le seul vrai combattant. Je t'en supplie, accepte notre aide !

— Oubliez-vous votre mission ? Allez à la Pierre-qui-Rit ! Gloton doit payer pour ce blasphème. Vite, car je ne les retiendrai pas indéfiniment. Allez ! *Melenkurion abatha !*

Il se jeta au cœur de la mêlée.

Atiaran s'élança dans la direction indiquée, non sans avoir eu la présence d'esprit de ramasser le bâton. Covenant détala dans son sillage comme si toute l'armée des Ur-Vils le talonnait. Ni l'un ni l'autre ne songea aux sacs oubliés sous l'arbre. Ils gravirent la pente sans même s'apercevoir de l'effort. A peine eurent-ils franchi le talus qui bordait l'amphithéâtre que le tumulte de la tuerie s'estompa. Personne ne les poursuivait. Peu après, un cri solitaire, bref et déchirant comme le sont les cris d'agonie, les figea en pleine course. Atiaran tomba raide par terre.

— Il est mort ! sanglota-t-elle. L'Affranchi n'est plus... Malheur au Territoire ! Malheur à moi qui apporte la destruction. Tous mes chemins conduisent à la mort. Il n'y aura plus de Célébration, et c'est ma faute. (Elle leva vers Covenant son visage éploré.) Frappe-moi, Incrédule ! Prends ce bâton et frappe-moi !

Covenant la dévisagea, les yeux fixes, ahuris. Il s'empara du bâton qu'elle avait laissé choir et, de l'autre main, lui saisit le bras pour l'aider à se relever. Ainsi s'enfoncèrent-ils dans la nuit et devinrent-ils des ombres, l'une étayant l'autre jusqu'au moment où, vidée de ses larmes, Atiaran s'écarta de lui comme s'il lui faisait horreur. C'était ainsi, et Covenant n'y pouvait rien.

11

L'Errant

L'aube se leva, terne comme si la tragédie de la nuit s'était imbibée de sa clarté. Les nuages pendaient, fuligineux, gonflés, secs, pourtant, car l'air contracté leur interdisait le réconfort de la pluie.

Pour les voyageurs, cette pâle aurore ne fit aucune différence. Nuit et jour se confondaient dans une même obsession d'échec et d'angoisse. Le ciel plombé n'était que la réflexion du cœur endeuillé du Territoire. Ce cœur, jusqu'à quel point le sanglant sabotage de la Célébration l'avait-il mutilé ? Les voyageurs ne pouvaient l'estimer qu'en fonction de leur propre accablement. Hantés par le souvenir des événements de la nuit, ils traversèrent le jour sans plus s'apercevoir du changement que des somnambules. Ils marchaient à corps perdu, délivrés de la faim, de la soif et même de la fatigue.

L'obscurité revenue, leurs jambes refusèrent de les porter plus loin. Un gouffre plus noir que la nuit la plus noire s'étalait à leurs pieds. Ils plongèrent droit dedans et se mirent à descendre, à descendre, à descendre...

Pendant leur sommeil, le ciel donna libre cours à son désespoir, et l'orage longtemps désiré arriva enfin. Ni la pluie, ni les arabesques folles des éclairs, ni le fracas du tonnerre n'arrachèrent les voyageurs à leur repos. Ce sommeil dévorant était comme un avant-goût de la mort. Aux premiers rayons du soleil, ils s'éveillèrent soudainement, les yeux brûlants, la gorge sèche, les vêtements glacés de pluie.

Ils mangèrent des baies prodigieuses, se désaltérèrent au premier ruisseau et repartirent, la démarche inflexible et morne. Le temps passait, lentement, péniblement, comme quelque chose de las et de vieux.

Ce fut peut-être l'effet revitalisant de l'*aliantha*, ou celui du temps, justement, qui vient, dit-on, à bout de toutes les peines, ou encore la suavité de l'air purifié par l'orage, mais les pensées assoupies de Covenant s'émurent à un souvenir précis. La douloureuse décantation avait fait son œuvre. Peu à peu ne subsista que l'élancement familier, mille fois ressenti, de la honte et de la frustration.

« *Covenant, Covenant, aide-les !* » avait crié Atiaran.

« *Ta puissance est réelle*, avait dit le Contempteur, *mais tu n'en connaîtras jamais la vraie nature.* »

Et les Esprits, radieux et vulnérables, avaient rendu hommage à son alliance comme s'ils la reconnaissaient. Et l'anneau d'or blanc les avait transfigurés.

— Si j'avais pu, murmura Covenant, si seulement j'avais su comment faire, je les aurais sauvés !

— Tu le pouvais. Toi seul possèdes ce pouvoir, répliqua Atiaran d'une voix qui semblait sortir du fond d'un puits.

— Quel pouvoir, bon sang ?

Et elle, glacée :

— Portes-tu de l'or blanc pour rien ?

— Mais ce n'est qu'une alliance, un souvenir... Je la porte encore, parce que je suis un lépreux sentimental, voilà ! Si je possède un pouvoir quelconque, montre-le-moi !

— Je ne discerne rien en toi. Tu es impénétrable.

Il eût voulu protester de son innocence, l'empoigner par les épaules et lui vociférer en pleine face qu'il n'était pas un héros de légende. Il n'avait plus la force de s'exalter pour en arriver là. A l'heure de la vérité, cette femme l'avait mis au pied du mur. Il avait failli. La prière était impossible, mais l'important, pour lui, c'était qu'il n'avait pu l'exaucer. Sa défaite était irrémédiable. Au fond, ce cauchemar s'acharnait à le vider de lui-même. Au fond, entre Atiaran et Férus, la seule différence, c'était que ce dernier souhaitait le voir échouer sur toute la ligne. A ses yeux, l'un comme l'autre étaient des vampires.

« *Tu n'en connaîtras jamais la vraie nature.* » Naturellement ! Il rêvait. C'était la réponse à tout, aux espoirs délirants que le Territoire plaçait en lui, comme à l'existence du Territoire lui-même. La colère, peu à peu, s'exacerbait sous la fatigue. Il savait faire la différence entre le rêve et la réalité, tout de même ! Il avait toute sa raison. Un lépreux sentimental et raisonnable.

Hors de lui, il procéda à une S.V.P. de pure forme. En quoi était-il concerné, franchement, par des feux follets hystériques, des tours de magie noire ou blanche et ce Bérek Mimain dont on lui rebattait les oreilles ? Aucune blessure apparente, aucun accroc visible sur ses vêtements froissés. Seule l'extrémité noircie du bâton témoignait de la violence de la nuit passée et des outrages des Ur-Vils. Enfer et damnation ! Je refuse d'être humilié !

Muette, Atiaran ne semblait même pas consciente de la présence de l'homme à ses côtés. Il ne lui adressa plus la parole de tout le jour, comme s'il craignait de ne pouvoir répondre s'il lui fournissait l'occasion de l'accuser de nouveau. Lorsqu'ils firent halte, cette nuit-là, revenu à des préoccupations plus matérielles, il regretta la perte de leurs couvertures et des phosphorescentes. Pour atténuer les aigreurs d'une conscience tourmentée et faire diversion aux rigueurs du climat, il résolut de se replier sur la ligne sécurisante de la curiosité touristique. Puisque à son corps défendant il se trouvait plongé au cœur des énigmes du Territoire, autant glaner le plus de renseignements possible à son sujet.

— Parle-moi de celui qui nous a sauvés. Qui est-il ? D'où venait-il ?

Atiaran différa sa réponse jusqu'au lendemain, neuvième jour depuis leur départ de la Haute Sylve. Sa voix éteinte, assourdie, presque chuchotante, traduisait l'immense lassitude et le dénuement moral de quelqu'un pour qui plus rien n'a vraiment d'importance, ni ses propres paroles ni ce que son abandon peut livrer de lui-même.

— Certains, venus à la Loge pour apprendre à mieux servir le Territoire en pénétrant les arcanes de la Tradition des Seigneurs primordiaux, s'aperçoivent qu'ils ne peuvent poursuivre leur tâche en la compagnie des autres disciples. Ceux-là sont des visionnaires en quête d'une vérité intérieure qu'ils espèrent atteindre dans la solitude. Toutefois, leur isolement ne les coupe pas de la collectivité. Après avoir subi le Rituel de l'Affranchissement, libérés de la discipline commune, ils partent à la recherche d'une tradition qui leur est propre avec la bénédiction des Seigneurs.

» Pour de nombreux Affranchis, la recherche individuelle se transforme en une fuite stérile dont ils ne reviennent jamais. Tous n'ont pas échoué, cependant. On raconte que certains ont percé le secret des rêves ; on parle aussi de guérisseurs capables d'accomplir des miracles, tandis que d'autres, initiés au langage des animaux, s'en seraient fait des alliés. C'est l'un d'eux qui nous a sauvés, fit Atiaran avec un tremblement dans la gorge. Celui-ci en savait plus long sur les Sept Tabernacles que mes oreilles n'en ont jamais entendu ! Jamais encore la Corruption ne s'était attaquée aux Esprits d'Andelain. On dit même que le Rituel de la Profanation les avait épargnés ! L'Affranchi a libéré les derniers, mais c'est dans mon cœur qu'ils ne danseront plus jamais. (Le silence tomba, lourd de sanglots refoulés. De la même voix grise et sinistre, Atiaran reprit :) Peu importe ! Toute chose trouve sa fin, dans la dégradation ou dans la mort. Laissons la douleur à ceux qui n'ont pas encore perdu tout espoir. On murmure aussi que certains Affranchis, suivant la légende de Caerroil Fol-Bois, sont devenus Prodromes. Pour ma part, je n'avais jamais rencontré d'Affranchi. Mais j'ai entendu leur Rituel. On y chante l'Hymne de l'Affranchissement. (Elle récita, dans une morne mélopée :)

Libres,
Affranchis,
Absous,

Ils rêvent que les rêves soient.
Les yeux clos, plus qu'aucun autre, ils voient,
Et de leurs bouches closes montent des prophéties.
Puisqu'ils sont...
Affranchis,
Absous,
Libres.

» Le reste, je l'ai oublié. J'oublie tout. Peut-être ne chanterai-je jamais plus.

Cette nuit-là, pas plus que la précédente, Covenant ne put trouver le sommeil. Le dos contre un talus, il guetta l'apparition de la nouvelle lune. Quand le croissant glissa sa corne par-dessus les collines, il n'était plus nacré mais rouge, rouge comme les yeux magmatiques du Seigneur Gloton. On eût dit un coup d'ongle carminé sur le velours noir de la nuit. Fasciné, stupéfait, Covenant sombra dans une exaltation désespérée, aussi éloignée que possible d'un repos réparateur. Il désirait ardemment parler, mais Atiaran dormait, et quand ce devrait être sa dernière bonne action, il était décidé à respecter son sommeil.

La nuit suivante était la quatrième depuis celle de la Célébration. Covenant fourra son bâton dans la main d'Atiaran et, sans plus de précisions, la pria instamment de rester éveillée quelque temps encore. La lune parut enfin, faucille ventrue, étonnamment grasse par rapport au mince croissant de la veille, nimbée d'un halo sanglant qui absorbait tout, hormis les plus ardentes étoiles. Atiaran la contempla sans sourciller. Seule la crispation de sa main sur le bâton trahissait un émoi quelconque.

— Il nous reste si peu de temps ! dit-elle simplement avant de détourner la tête.

A l'aube, cependant, comme si le rayonnement maladif de l'astre lui avait inspiré la résolution de s'en remettre une bonne fois pour toutes à quelque conviction intime, elle entraîna Covenant à une allure folle. Chaque rouage de son corps manifestait avec acharnement le refus de toute logique défaitiste et prouvait de façon éclatante que l'affliction constitue un excellent stimulant. Usé jusqu'à la moelle des os, Covenant soutenait le rythme tant bien que mal, arc-bouté sur son bâton, fortifié par le fluide lumineux d'Andelain et comme électrisé par le désir d'échapper à des forces capables d'engloutir des Esprits et d'ensanglanter la lune. Il s'astreignait à de scrupuleuses S.V.P. et regrettait de ne pouvoir se raser. Comment se plaindre ? L'*aliantha* poussait à profusion, l'air embaumait et l'herbe épaisse recevait son corps rompu comme l'eût fait un berceau. Pendant près de deux jours, à l'exception d'une courte halte nocturne, ils précipitèrent leur marche jusqu'au bord de la course.

Au sixième jour suivant la Célébration, ils atteignirent le

sommet d'une colline au pied de laquelle serpentait la rivière de la Sérénité.

La soudaineté de son apparition tenait de la magie. Tous deux regardèrent, béats, l'ample coulée d'azur se dénouer d'est en ouest en méandres nonchalants. Cette fois encore, l'impression de borne, de frontière, d'achèvement fut irrésistible. Et celle de baptême. Courir d'une traite jusqu'à la rive, plonger, patauger, s'imprégner de cette pureté cristalline... Un mirage !

Leur attention fut attirée par une longue embarcation qui descendait la rivière au milieu du courant. A peine l'eut-elle aperçue qu'Atiaran partit comme une flèche en criant et en agitant les bras comme s'il y allait de sa vie.

— Ohé, du bateau ! A l'aide ! A l'aide !

Covenant la suivit sans trop d'empressement.

Dans une lente rotation de sa proue, le bateau mit le cap sur eux. Atiaran réitéra plusieurs fois ses appels et ses moulinets. Quand Covenant la rejoignit, elle était assise, les genoux sous le menton, ses yeux fiévreux fixés sur le bateau. Plus celui-ci se rapprochait, plus Covenant ébahi mesurait la taille gigantesque du timonier. Autre source d'étonnement, l'embarcation ne présentait aucun moyen de propulsion apparent. A première vue, cela ressemblait à un gigantesque canot à avirons, mais où étaient les tolets ? Où étaient les avirons ?

Atiaran attendit qu'il fût tout près de la rive pour se lever d'un bond.

— Ohé, Frère du Roc ! Géant de Marepremere, ton nom est synonyme d'amitié. Aide-nous !

Le timonier demeurait impassible. Quand sa longue barque fut sur le point de toucher terre, il pesa de tout son poids à l'arrière de sorte que la proue se souleva hors de l'eau et vint s'échouer en douceur à quelques mètres des voyageurs. Le Géant sauta à terre et s'avança vers eux, la main tendue dans le salut de la bienvenue.

Covenant l'observait, bouche bée. Comment pouvait-on être aussi grand ? Près de quatre mètres, et tout en muscles, comme un chêne qui aurait reçu le don de vie. Il portait un pourpoint de cuir épais et des leggins. Pas d'arme visible. Un triangle de barbe gris fer prolongeait son visage, évidente incarnation de l'humour et de la joie de vivre. Ses petits yeux logés au fond d'orbites caverneuses pétillaient de malice. L'impression générale était celle d'une formidable jovialité.

— Salut, Sœur du Roc, fit-il dans un roulement de ténor bien trop délicat pour la gorge monumentale dont il était issu. Je te rendrais volontiers service, mais on m'a confié une ambassade et mon temps m'est compté. Que puis-je faire pour toi ?

Contrairement à toute attente, Atiaran ne répondit pas aussitôt. Elle fit des manières. Elle se montra hésitante, indécise, pour tout dire réticente. Après s'être mâchouillé la lèvre un bon moment, les yeux baissés, elle hasarda une question :

— Où vas-tu ?

Les yeux du Géant flamboyèrent. Sa voix jaillit, aussi claire et chantante qu'une source sourdant de la roche :

— Seuls les fous sont sûrs de leur destination. Mais j'ai l'intention d'atteindre le Donjon, ainsi que vous autres humains désignez la Demeure seigneuriale.

Atiaran n'était pas satisfaite.

— Et comment te nommes-tu ? demanda-t-elle, les yeux toujours au sol.

Le Géant darda sur elle un regard fulgurant.

— Les noms ne sont pas innocents. Ils recèlent un pouvoir dont je réserve l'invocation à mes seuls amis.

— Ton nom !

L'entêtement d'Atiaran parut le démonter un peu.

— Soit, finit-il par dire. Bien que mon ambassade ne soit pas de mince importance, je veux bien répondre en souvenir de la loyauté qui depuis toujours régit les rapports entre nos deux peuples. Je me nomme Cœur Salin l'Ecumeur.

Quelque chose se défit en elle, comme si la brutale confiance de l'Ecumeur avait eu raison de sa résistance. Elle frissonna et, lentement, releva la tête jusqu'à lui présenter le regard hanté de ses yeux battus, comme creusés par des pouces, des yeux d'enterrée vive.

— Ainsi soit-il ! murmura-t-elle. Cœur Salin l'Ecumeur, Frère du Roc, Ambassadeur des Géants, en ton nom, au nom du Donjon, symbole de la foi, fruit de l'amitié dont vous honora Damelon, je te confie cet homme, Thomas Covenant, Incrédule, étranger parmi nous. Conduis-le sain et sauf au Conseil des Seigneurs où il doit délivrer un message de l'Observatoire de Kévin. Veille sur lui, Frère du Roc ! Pour ma part, je n'irai pas plus loin.

Quoi ? L'exclamation s'étrangla dans la gorge de Covenant. Et ta vengeance ? Et moi ? Tu laisses tout en plan ? Les mots se bousculaient. Il les refoula. Eperdu, il attendit l'explication.

— D'où te vient la hardiesse d'invoquer tous ces noms ? répliqua doucement le Géant. Tu n'avais nul besoin d'eux pour me convaincre. Mais je t'exhorte à être du voyage. Il n'y a point de mal auquel les ressources du Donjon ne sauraient remédier. Ceux qui attendent ton retour t'encourageraient à venir s'ils pouvaient te voir telle que je te vois maintenant.

Les lèvres d'Atiaran s'étirèrent en un sourire d'affreuse dérision. On eût dit qu'elle faisait effort pour ne pas crier.

— C'est une mission sans espoir que je t'abandonne. Par ma faute, elle a déjà échoué. Depuis que je guide nos pas, nous n'avons rencontré que mort et destruction. (Elle ferma les yeux et son visage tressaillit à cette évocation morbide.) Ce fut mon châtiment pour nous avoir entraînés dans l'orbe maudit des Hauts du Tonnerre. Au lieu d'opter pour la voie sûre des plaines Centrales, nous avons progressé dans la révélation du mal jusqu'au point de non-retour. A présent, il est trop tard. Le Sombre Fléau est de retour. Et dire que j'avais choisi cet itinéraire dans la perspective égoïste d'assister au seul événement qui eût pu me rendre la paix ! Que répondraient les Seigneurs si je sollicitais leur aide après un échec si patent ?

Covenant ne comprenait toujours pas. Pourquoi t'arrêtes-tu au milieu du gué ? Pourquoi renonces-tu à ta vengeance ? Au lieu de questionner, il regarda. Il la regarda comme jamais il n'avait osé le faire. Ses yeux étonnés parcoururent la silhouette amaigrie, voûtée, le visage livide que toute miséricorde avait déserté et, pour la première fois, par-delà la dérobade profonde et pathétique du corps, il discerna l'ampleur du conflit qui la minait. Ecartelée entre la répugnance que lui inspirait Thomas Covenant, sa passion pour le Territoire et le désespoir né de la conscience aiguë de ses propres limites, Atiaran était entrée dans une insupportable agonie.

La pénétration de son propre regard l'effraya. Il baissa les yeux. Cette intimité si cruellement, si brutalement révélée le jeta dans un désespoir honteux, et cette honte l'empêcha d'être naturel. Il voulait l'étreindre à l'étouffer. Il tendit mollement la main.

— N'abandonne pas ! balbutia-t-il.

— Abandonner ? s'écria-t-elle, sautant en arrière pour échapper à son contact. Si j'abandonnais, je te poignarderais à l'instant même. (Sa bouche se tordit. Elle devint véritablement affreuse quand, roulant des yeux furibonds, elle sortit des plis de sa jupe un couteau de pierre identique à celui que Covenant avait perdu et le brandit comme pour mettre sa menace à exécution.) Depuis la Célébration, depuis que tu as toléré sans sourciller l'anéantissement des Esprits, cette lame a soif de ton sang ! Les autres crimes, je peux les oublier, mais ce sacrilège... ! Vois comme je te hais ! (D'un geste sauvage, elle jeta l'arme entre les pieds de Covenant où elle se ficha dans l'herbe jusqu'à la garde. Et, d'une voix soudainement apaisée, fragile :) Si je t'épargne, Incrédule, c'est que ces événements me dépassent. Je ne suis bonne qu'à mettre au monde les enfants de mon Pétragîte. Mais il ne sera pas dit qu'Atiaran aura fait passer sa vengeance personnelle avant le dernier espoir auquel peut s'accrocher le Territoire, quand même il serait vain d'espérer. Je n'ai pas failli à mon Serment.

— En es-tu certaine ? fit-il tout bas.

Elle désigna le couteau d'un doigt tremblant.

— Je n'ai pas touché à un cheveu de ta tête. Je t'ai conduit jusqu'ici.

— Tu te détruis toi-même.

— C'est justement la rançon de ma fidélité au Serment, affirma-t-elle d'une voix sifflante. Adieu, Incrédule ! Quand tu seras de retour dans le monde qui t'a vu naître, souviens-toi que tu auras refusé d'affronter le mal en face.

Subjugué par la dureté de son regard, il se pencha pour extirper le couteau du sol. Cela devenait une habitude. Rien de plus facile, cette fois. Il s'attendait presque à voir du sang sortir de terre, mais l'épais gazon se referma sur l'entaille comme si le Territoire, dans sa bienveillance, fermait les yeux sur les défaillances des hommes.

Quand il se redressa, la démarche affligée d'une claudication intermittente, Atiaran se propulsait péniblement vers le haut du versant. La tristesse le submergea à l'idée qu'il ne la verrait plus.

Ce n'est pas juste ! Aie pitié de moi !

Il n'émit pas un son. Sa langue pesait dans sa bouche comme du plomb.

— On lève le camp ? suggéra l'Ecumeur, goguenard.

Covenant s'arracha à la contemplation de la silhouette cahotante ; la mort dans l'âme, il sauta par-dessus le plat-bord et s'installa sur un traversin à l'avant, seul siège de tout le bâtiment qui fût adapté à sa taille. Le Géant n'eut pas besoin de sauter pour monter à bord. Il enjamba, et ce faisant poussa la grande barque à flot. Sans mot dire, il alla reprendre son poste à la poupe. Aussitôt, une impulsion puissante fut donnée à la quille et, d'un coup de barre, l'Ecumeur s'écarta de la rive. En un clin d'œil, l'embarcation avait regagné le milieu du courant et repris sa course fluide vers l'ouest. Leur vitesse eut tôt fait de réduire Atiaran à la dimension d'une tache brune insidieusement rongée par le vert miraculeux d'Andelain. Covenant détourna ses yeux las et se concentra en soupirant sur l'énigme de leur force motrice.

— Comment avance-t-on ? demanda-t-il. Je ne vois aucun moteur.

L'Ecumeur dressait à l'arrière sa silhouette colossale ; la barre coincée sous le bras gauche, il chantait dans une langue inconnue de Covenant. Le déferlement houleux, mordant, des strophes évoquait le grand large et l'air marin. L'Ecumeur laissa la question sans réponse, mais peu après, Covenant l'entendait chanter :

> Que serait la vie sans le roc et la mer,
> Symboles inaltérables du monde ;
> Constants, qu'ils bougent ou qu'ils reposent,
> Inhérents au Pouvoir, ils demeurent.

Le Géant se tut. Sous ses sourcils rebelles, ses yeux gouailleurs se fixèrent sur Covenant.

— Etranger parmi nous, hein ? Cette femme ne t'a donc rien appris ?

Covenant sursauta d'indignation.

— Cette femme, comme tu dis, se nomme Atiaran Trell-mie de Mithil Pétragîte, et je lui dois tout. Ensemble, nous avons affronté les Ravageurs, le cadavre d'un Repenti, la lune pourpre et les Ur-Vils. Grâce à elle, je suis en vie. Aurais-tu mieux fait ? (L'Ecumeur l'observait, la bouche fendue jusqu'aux oreilles en un sourire épanoui.) Enfer et damnation ! s'emporta Covenant.

Me prendrais-tu pour un menteur ? Crois-tu que je condescendrais à mentir à quelqu'un comme toi ?

Le Géant éclata d'un grand rire à pleine bouche, sonore comme un rire d'enfant. Covenant étouffait de rage. Sautant sur ses pieds il brandit son bâton dans l'intention évidente, vite dominée, du reste, de le lancer à la tête de l'insolent.

— Sois raisonnable, dit celui-ci d'un ton conciliant. Voyons, te sentiras-tu plus grand si je m'asseois ?

Covenant ne pouvait faire moins que d'achever son geste. Il assena sur le plancher du bateau l'extrémité noircie du bâton de Baradakas. L'espace de quelques secondes, la tempête se déchaîna follement. Covenant se cramponna au traversin pour ne pas être jeté par-dessus bord. L'instant d'après, tout était terminé. L'Ecumeur n'avait pas bronché. Plus émotif, Covenant éprouva le besoin d'apaiser sa propre effervescence et se réfugia dans un silence farouche qu'il mit à profit pour sonder l'aura de son nouveau guide. Rien de mauvais n'émanait de ce grandiose personnage. L'Ecumeur était aussi pur qu'un bloc de granit.

— Plus que tout autre en ce monde, déclara-t-il enfin, Atiaran mérite le respect.

— J'avais compris. Je te demande pardon. (D'une torsion, le Géant fit descendre la barre de façon à pouvoir l'assujettir sous son bras dans une position assise. Il s'assit.) Je ne voulais offenser personne. Ecoute donc, ta loyauté à son égard me plaît. Il n'y a personne dans tout le Territoire, ni homme, ni Géant, ni Ranyhyn, qui te conduira au Donjon plus vite que moi. Cela dit, Thomas Covenant, Incrédule et étranger parmi nous, tu gaspilles ton talent.

— Vraiment ? (Covenant lâcha un soupir exaspéré.) Tu es bien pressé de juger les autres !

De nouveau, l'énorme déferlement d'un rire satisfait se fit entendre.

— Bien répondu ! On n'avait encore jamais vu ça dans tout le Territoire... un homme accusant un Géant d'être trop pressé ! Tu n'as pas forcément tort, remarque, mais si je ris, c'est que tes semblables nous ont forgé une réputation de lenteur et de circonspection. Bah, tout le monde peut se tromper !

Son rire se mua en divagation tranquille et railleuse. Covenant le foudroya du regard, sans effet, du reste. Il reprit position sur le traversin, le buste tourné vers l'avant, les yeux rivés sans la voir sur la ligne ondoyante de l'horizon vers laquelle, inflexiblement, descendait le soleil. Il sentait monter malgré lui dans sa gorge un tressaillement spasmodique, comme une amorce de rire, et le réprima, furieux de cette nouvelle preuve de son aptitude à la complaisance. La bonne humeur communicative du sympathique colosse était un piège, comme la beauté enchanteresse d'Andelain, comme tout ce qu'il avait vu et entendu, pratiquement, depuis son arrivée ici. Thomas Covenant avait déjà perdu assez de plumes à ce petit jeu de l'innocence et de la séduction. Succomber, c'était mourir à petit feu. Thomas Covenant voulait vivre.

Aucun procédé ne ressuscite les nerfs. Quand ils sont fichus, c'est pour toujours. Un nouvel adage venait allonger sa litanie intime. Les Géants n'existent pas, affirmait-il.

Je sais ce que je dis.

Dans son dos, l'Ecumeur se remit à chanter. Sa voix murmurante épousait le relief d'une invisible houle et dans les syllabes archaïques circulait le souffle impétueux de la haute mer. A intervalles réguliers, le refrain tombait :

Que serait la vie sans le roc et la mer...

Et c'était tout ce que comprenait Covenant.

Il plia ses bras sur le plat-bord et posa dessus sa tête lasse comme si c'était un oreiller de plume. Son corps s'avachit peu à peu. Pour un homme aussi éreinté qu'il l'était, les chants les plus martiaux devenaient des berceuses. Il n'y avait pas si longtemps, une douce jeune fille l'avait endormi de son chant. La houle se fit languissante. Brusquement :

— Es-tu content, Thomas Covenant ?

— Je le fus jadis, répondit l'interpellé d'une voix ensommeillée.

— Je vois ça ! En quatre mots, tu me fais le récit d'une tragédie. Comment as-tu pu abandonner ? Une vie sans imagination, c'est comme un océan qu'on aurait vidé de son sel. Comment peux-tu continuer à vivre ?

Covenant grinça des dents. D'un geste machinal, impulsif, il referma le poing sur son alliance.

— Je vis.

— Malédiction ! Ce conte-ci est deux fois plus court et deux fois plus triste ! Encore un mot de toi et j'éclate en sanglots ! C'est bien ma veine ! Notre traversée ne sera pas une partie de plaisir et je comptais sur toi pour l'égayer. Qu'importe, je vois bien que tu n'as pas le cœur à rire ! A vrai dire, les événements funestes qui ont assombri votre longue marche depuis l'Observatoire ne me surprennent qu'à moitié. Nos Anciens avaient deviné que le Pourfendâmes ne se laisserait pas écraser aussi facilement que l'avait espéré l'infortuné Kévin en prononçant le fameux Rituel de la Profanation. Tant de malheurs pour un faux espoir ! Mais nous avons un proverbe pour consoler nos enfants enclins à gémir sur le passé perdu. Les oreilles qui savent écouter, dit-il, trouveront la joie dont la bouche est privée. Le monde conserve quelques histoires propres à dilater la rate et nous devons nous frictionner sérieusement les oreilles pour affronter l'adversité. Loué soit ce bon vieux Damelon ! Il connaissait la valeur d'un éclat de rire ! Quand nos vaisseaux ont touché au rivage de Marepremere, le chagrin nous avait minés. Sans Damelon, nous n'aurions pas trouvé la force de recommencer à vivre.

Un éclat de rire franc et massif, songeait Covenant. J'ai même oublié à quoi cela pouvait ressembler que de ressentir une telle allégresse! Aurais-je vraiment épuisé en si peu de temps le rire de toute une vie?

— Crois-tu que je divague? s'inquiéta le Géant, agacé par le silence de Covenant. Tu te trompes. J'en arrive à l'essentiel. Puisque nous ne sommes guère d'humeur à supporter le récit de tes sinistres aventures, c'est donc à moi qu'il incombe de nous distraire. Les récits sont source de réconfort et même les Géants ont besoin d'encouragements quand ils doivent s'acquitter d'une tâche aussi rude que la mienne.

Sa voix tomba, et Covenant le regretta aussitôt car elle tissait d'éblouissantes arabesques dans les tumultes de l'eau fendue par l'étrave.

— Poursuis, pria-t-il doucement.

— Bravo! s'exclama l'Ecumeur. Tu commences à te ressaisir, on dirait. Mais ce n'est pas une mince affaire que de choisir une histoire. Cela demande de la réflexion et du discernement. Etant enfant j'ai écouté trois fois de suite le récit des démêlés entre Bahgoon l'Insoutenable et Thelma Brisefer qui finit par avoir le dessus, et je t'assure qu'il en valait la peine, mais chaque fois, il ne fallait pas moins de neuf jours pour le mener à son terme. Cependant, tu ne comprends pas notre langue et la traduction n'a jamais été le fort des Géants. Voilà qui simplifie le travail de sélection. Mais notre existence à Marepremere depuis que le vent y fit échouer notre flotte a enfanté maintes fois maintes histoires... où il est question du règne de Damelon, Ami des Géants, et de Loric Mortauvil, de Kévin, qu'on appelle maintenant le Dévastateur... ou de l'édification de la Pierre-qui-Rit, roc vénéré, le plus bel ouvrage des Géants. D'autres récits relatent le voyage qui nous a permis d'échapper au désastre de la Profanation et d'autres énumèrent les innombrables soulagements apportés par les nouveaux Seigneurs. Toutefois, mon choix se portera sur le seul récit que tu puisses comprendre, le premier qu'imaginèrent les Géants de Marepremere, *la Complainte de l'Errance*.

Covenant s'absorba dans la contemplation du bleu chatoyant de la Sérénité, tout émoustillé par la promesse d'un récit fortifiant, lui qui avait été si longtemps sevré d'une voix amicale. Son attente fut déçue. Au lieu de s'attaquer directement à la narration, l'Ecumeur reprit sa mélodie lancinante, si longuement que Covenant s'assoupit.

Soudain, la modulation s'aiguisa. La mélodie adopta les accents déchirants d'un lamento chanté à pleine voix. Réveillé en sursaut, Covenant comprit les paroles et sut que le récit avait commencé.

Nous sommes les Errants,
Les voyageurs égarés loin du Levant natal,
Au-delà des mers.
Inconscients, nous avons déferlé nos voiles

Et le vent nous a pris, nous, les sans-peur.
Nous sommes devenus les apatrides,
Perdus, nous divaguions çà et là,
Pour user les jours.
Et quand nous avons déferlé nos voiles
Et mis le cap sur le Levant natal,
La tempête a dévié notre route.
Le destin nous a pris, nous, les Errants.
Nous n'atteignîmes jamais la terre au-delà des mers.

» Ah, Thomas Covenant, connais-tu l'antique légende de l'arc-en-ciel rompu ? Un jour de la spirale infinie du temps, le Créateur fut pris du désir d'offrir un cadeau à ses enfants. Descendu dans le grand atelier où se forgent les miracles, le thaumaturge brassa, coula et martela longtemps. Son prodige achevé, il le projeta au firmament, et, tiens-toi bien ! Sur la voûte céleste se déployait la courbe magnifique d'un arc-en-ciel !

» Satisfait, le Créateur contempla son œuvre. Mais voici qu'en y regardant de plus près, il discerna une déchirure, une brèche intolérable. C'est que l'ayant surpris à la tâche, l'Esprit des miasmes et des ténèbres, son Ennemi, avait jeté le mauvais œil dans son mortier. Piqué au vif, le Créateur s'appliqua incontinent à réparer le mal, mais tandis qu'il œuvrait, la ribambelle scintillante de ses enfants découvrait l'arc-en-ciel et s'émerveillait de sa beauté. Ils remarquèrent l'accroc et, loin de s'en formaliser, passèrent carrément au travers à l'occasion de leurs mille cabrioles. Ce fut ainsi qu'ils se trouvèrent dans notre ciel.

» La nouveauté d'un monde sans lumière les enchanta quelque temps, mais bientôt, las de broder à travers notre nuit éternelle les volutes de lumière fuyante inspirées par leurs cavalcades insouciantes et joyeuses, ils voulurent rentrer chez eux et trouvèrent porte close. Entre-temps, le Créateur avait éventé la manœuvre de son Ennemi. Dans un accès de colère aveugle, il avait arraché l'arc-en-ciel, oubliant que ce geste rageur allait condamner ses propres enfants à demeurer dans notre firmament qu'ils constellent chaque nuit, prisonniers scintillants, attendant que leur père ait anéanti l'Esprit de l'ombre et trouvé le moyen de les ramener dans leur univers natal.

» Voilà toute notre histoire, Thomas Covenant. Jadis, mon peuple vivait heureux et uni sur son rocher natal. Quand il sut naviguer, il sillonna les mers alentour et sa prospérité augmenta. Hélas, l'ambition fit germer dans nos cœurs un projet insensé. Nous construisîmes vingt vaisseaux à l'échelle de citadelles humaines et fîmes le vœu solennel de ne point revenir au pays avant d'avoir fait le tour du monde. Deux mille Géants s'embarquèrent, promettant de rapporter autant de récits que la Terre aurait de visages. Deux mille Géants cinglèrent vers un mirage de bonheur.

» Par tous les temps, souffrant de la soif et de la faim, parfois le ventre plein, entre les récifs et les rivages hospitaliers, ils poursuivirent leur odyssée. En l'espace d'une demi-génération, trois vaisseaux furent perdus. Cent Géants séduits par les Sylvestres *Elohim* décidèrent de terminer leurs jours auprès d'eux ; deux cents périrent en combattant sous les couleurs des Bhrathair qui furent presque tous anéantis par les Gorgones des sables. Deux autres vaisseaux firent naufrage. Quand les premiers enfants nés en exil furent en âge de manœuvrer, les quinze vaisseaux survivants tinrent conseil et la nostalgie du rocher natal imprégna les consciences de la vanité du vœu prononcé naguère. D'un commun accord, on se régla sur les étoiles et l'on fit voile vers le pays.

» Le sort en avait décidé autrement. Des routes familières les conduisirent dans des océans jamais vus où les attendaient des périls inconnus. Des tempêtes les égarèrent au-delà de toute estime au point que les filins affolés usèrent leurs mains jusqu'à l'os. D'énormes vagues les prenaient d'assaut comme si elles leur vouaient une haine implacable. Les survivants persévérèrent, animés du fol espoir de rentrer au port coûte que coûte. Peine perdue ! D'autres cataclysmes achevèrent de les égarer. Ils avaient perdu leur position. Les horizons hostiles se ressemblaient tous. Quand le Territoire se présenta, ils jetèrent l'ancre. Moins d'un millier de Géants débarquèrent sur le rivage abrupt de Marepremere. Tout espoir de revoir un jour leur patrie les avait abandonnés.

» L'amitié de Damelon, Seigneur absolu et fils du Rédempteur, leur insuffla un nouveau courage. Ils s'établirent à Marepremere et firent aux Seigneurs prestation de foi et d'hommage. Ensuite, il fut décidé d'envoyer trois vaisseaux en quête du pays natal. Trois fois mille années se sont écoulées depuis lors et nos vaisseaux se relaient toujours, trois par trois, toujours bredouilles, toujours remplacés. Voilà comment nous sommes devenus les Errants, perdus dans le labyrinthe d'une chimère absurde.

» Nous avons la vie longue, comparés aux hommes. Moi-même, je suis né pendant la courte traversée qui nous mit hors d'atteinte du désastre de la Profanation, et mes arrière-grands-parents étaient au nombre des deux mille qui quittèrent le sol natal. Par contre, nous ne sommes guère prolifiques ; nos femmes portent rarement plus d'un enfant. C'est bien simple, nous ne sommes plus que cinq cents, et l'espèce s'étiole au fil des générations.

» Nous n'oublierons jamais notre faute.

» Pourtant, la légende est formelle : les enfants du Créateur gardent confiance. Chaque pluie purificatrice engendre un arc-en-ciel, douce consolation, promesse rappelée au fourmillement d'étoiles qu'un jour le Créateur trouvera le moyen de les ramener au bercail. Pour que la race des Géants ne s'éteigne pas, ils doivent eux aussi retrouver la terre de leurs ancêtres.

Le soleil avait baissé tandis que l'Ecumeur parlait. La rivière assombrie de longues ombres portées s'irisait doucement et, tout à coup, comme le Géant s'enfermait dans le silence, dans une symétrie brutale, la splendeur du soleil couchant déversa dans l'eau son reflet incandescent. L'Ecumeur cambra le torse. A pleins poumons, il jeta son amertume à la face sublime du ciel.

> *... Et quand nous avons déferlé nos voiles*
> *Et mis le cap sur le Levant natal,*
> *La tempête a dévié notre route.*
> *Le destin nous a pris...*

Covenant se retourna pour l'observer. Le spectacle en valait la peine. Déjà, l'or du crépuscule mourant s'estompait.

— Qu'attends-tu pour rire, Thomas Covenant ? fit le Géant d'une voix sourde. Ris donc ! Ris autant que tu peux ! Les oreilles qui savent écouter trouveront la joie.

Covenant entendit la prière et ne put l'exaucer. Le rire était mort en lui. Le rire pour de vrai. Avec un frisson de honte pour le pauvre succédané qu'il avait à offrir, il s'efforça de paraître frivole.

— J'ai faim !

La vaste physionomie du Géant se ferma. Le courroux passa sur son front comme un éphémère nuage d'orage. Il sourit, avec une ironie débonnaire.

— En rabattant ma superbe, tu viens de me rendre un fier service. Voilà que j'allais me prendre au sérieux ! Soyons amis, Thomas Covenant, si tu peux oublier mon persiflage de tout à l'heure. Tu as faim, dis-tu ? A te regarder, je le crois volontiers. Tu as le teint pâle et la mine harassée de quelqu'un dont l'ordinaire se compose d'*aliantha* depuis des jours. Heureusement, j'ai des réserves abondantes. (Il décocha un coup de pied dans une gibecière monumentale. Elle traversa toute la longueur du bateau.) Ouvre ça et sers-toi.

Quand il eut soulevé le rabat, Covenant découvrit d'énormes tranches de bœuf salé, des fromages comme des roues de bicyclette, du pain bis et quantité de mandarines plus grosses que les deux poings réunis. Il y avait aussi une gourde enveloppée de cuir qu'il pouvait à peine soulever. Remettant le problème à plus tard, il se désaltéra de quelques quartiers de mandarine avant d'assouvir sa fringale avec des nourritures plus consistantes. Ensuite, il revint à la gourde.

— C'est de l'*eau de roc*, dit l'Ecumeur. De quoi étendre raide un régiment entier. Je me demande si... Non, ta lassitude fait vraiment peine à voir. Bois, Thomas Covenant, et repose-toi.

L'*eau de roc* avait le goût du whiskey à l'eau. C'était vraiment du feu, mais si velouté qu'il ne râpait ni ne brûlait. Covenant hissa tant bien que mal le goulot à ses lèvres. La férocité du breuvage se réveilla dans son ventre. Les boyaux incendiés, Covenant se persuada qu'avec deux goulées supplémentaires il serait d'attaque pour un nouveau récit. Avant même de se rendre compte que sa tête chancelait, il dormait.

Ce fut un sommeil terrible. Ses concitoyens s'étaient attroupés autour de lui. Leurs yeux se réduisaient à des fentes à l'éclat de silex; ils souriaient. Ils souriaient et tous, sans exception, regardaient ses mains. Lorsqu'il les souleva, il vit qu'elles étaient couvertes d'ignobles marbrures rouges. A ce moment-là, deux hommes en blanc se penchèrent et le firent basculer sur un brancard. Du coin de l'œil, il aperçut l'ambulance. Qu'est-ce qu'ils attendent? se demanda-t-il. Pourquoi ne m'emmènent-ils pas? Les poignes robustes des infirmiers le maintenaient assis, exposé, en quelque sorte, désigné à la vindicte publique. L'énorme visage d'un policier surgit devant le sien.

— Tu t'es jeté sous mes roues! A ton âge, c'est une honte.

Son haleine empestait l'essence de rose.

De la foule monta un cri unique, âpre et sinistre comme un haro funèbre.

— Tu es déjà mort, Thomas Covenant! Hors de la communauté, il n'y a point de salut! A quoi bon vivre si personne ne se soucie de toi?

Covenant eut l'impression qu'on avait jeté sur lui des pelletées de terre. Quel soulagement quand les hommes en blanc l'engouffrèrent tête la première dans l'ambulance. La portière claqua. Derrière la vitre, les autres se congratulaient. Il regarda de nouveau ses mains. Les moisissures immondes proliféraient sur ses avant-bras. Dans son égarement, il souhaita s'évanouir.

— Seigneur... Seigneur...

— Ne crains rien, ce n'est qu'un rêve, gronda une voix de ténor. Un mauvais rêve, voilà tout.

Sa sollicitude le submergea, comme si une main compatissante venait de lui remonter une douce couverture jusqu'au menton. Seulement, il n'y avait pas de couverture. Il avait beau crocheter l'air de ses doigts, ils n'agrippaient rien. Il se cramponna au vide. Il se cramponna si fort que ses articulations blanchirent de désespérance et que toute force l'abandonna. Il se laissa rouler au bas de la civière. L'ambulance l'emporta.

12

La Pierre-qui-Rit

Sa joue gauche écrasée lui faisait un mal de chien, à croire que c'était elle qui supportait tout le poids de son corps. Les taquets du cabestan s'étaient incrustés dans la chair enflammée et ce furent les élancements qui le précipitèrent sous les feux croisés du monde conscient. Il étreignit le traversin et quelques rudes secousses achevèrent de le rappeler aux coriaces réalités de la navigation fluviale, d'autant plus brutales qu'il gardait le souvenir d'un coucher de soleil généreusement répandu en reflets glissants sur le large ruban de la Sérénité, lisse comme un miroir. Il se frotta la joue et risqua un coup d'œil circulaire au ras du plat-bord. Ce qu'il vit le réveilla tout à fait.

Sur la rive Nord, la rivière s'arc-boutait en bouillonnant contre une falaise abrupte. En face s'étendait de tous côtés une plaine grise et dévastée dont les crevasses et les affleurements rocheux constituaient le seul relief. Pas un arbre, si ce n'était quelques spécimens rabougris, pitoyables, le long du cours d'eau qui se jetait non loin de là dans la Sérénité. Ce paysage ravagé évoquait un champ de bataille, impression corroborée par les relents fétides que charriait le vent d'est. Déjà se faisait sentir l'action perturbatrice de l'affluent. Le courant majestueux de la Sérénité s'emballait et ses eaux contaminées roulaient des amas de boue gravillonnés.

La houle était déjà assez forte pour faire piquer le bateau que le timonier maintenait fermement à l'écart des turbulences de la rive septentrionale. Covenant se tourna vers l'arrière où le Géant, bien campé sur ses pieds écartés, la barre bloquée sous le bras droit, déchiffra la question sur son visage inquiet.

— Où sommes-nous ? cria-t-il. C'est bien simple. Fiefféal est droit devant. Nous quitterons bientôt la Sérénité pour remonter la Blanche en direction du nord ; la Grise, elle, descend des monts du Couchant. (Sa voix avait des intonations grinçantes, éraillées, comme s'il l'avait usée à s'époumoner toute la nuit durant. Il chanta soudain, sur un air guilleret que Covenant ne connaissait pas encore :)

> *Nous ne dormirons,*
> *Ni ne fléchirons,*
> *Ni ne perdrons la foi,*
> *Ni n'échouerons,*
> *Tant que les eaux de la Grise ne couleront pas bleues*
> *Et tant que Rill et Maerl n'auront pas la clarté*
> *Du Llurallin d'antan.*

(La rivière se déchaînait comme au passage de rapides. La proue plongeait dangereusement dans les creux.) Encore soixante-dix lieues et nous serons au Donjon ! hurla l'Ecumeur.

Le rugissement du fleuve atteignit brusquement son paroxysme. Le courant se gonfla et fouetta le bateau qui fit une embardée sur tribord et se présenta de flanc aux assauts des vagues. D'instinct, Covenant jeta tout son poids sur le plat-bord de gauche. L'Ecumeur entonna d'une voix asthmatique la monodie devenue familière. La quille geignit lorsqu'un élan puissant s'empara de l'embarcation et l'arracha aux turbulences superficielles des eaux mélangées pour la remettre dans le droit fil du courant régulier qui, dans les profondeurs, poursuivait sa fuite inexorable vers le nord.

— Mille excuses ! cria le Géant. Je suis moins prompt à la manœuvre que je ne l'étais. Ce n'est pourtant pas le moment de se laisser aller ! Nous en arrivons au passage délicat : le franchissement de la Grise. Un jeu d'enfant, si les eaux étaient moins hautes... et si j'étais moins las.

Covenant prit le temps de l'examiner. De fait, la fatigue avait singulièrement creusé les joues de l'Ecumeur et l'éclat de ses yeux s'était terni. Non qu'ils fussent devenus tristes, mais ils étaient vides d'expression, un peu hallucinés comme les yeux d'un homme qui lutte pour ne pas succomber au sommeil. Las ? songea Covenant. Le pauvre est au bout du rouleau ! Louvoyant d'un traversin à l'autre, il gagna la poupe. De près, ses yeux atteignaient le niveau du nombril de l'Ecumeur. Le cou cassé, il s'égosilla.

— Repose-toi ! Je prends la relève.

Le Géant esquissa un faible sourire.

— Merci, mais tu n'as pas l'entraînement requis. Je me débrouillerai, allez ! Rends-moi service. Donne-moi donc un coup d'*eau de roc*.

Covenant ouvrit la gibecière dont il extirpa difficilement la gourde titanesque. Il dut faire plusieurs essais avant de pouvoir la soulever à bout de bras, exactement comme il eût fait d'un haltère. L'Ecumeur referma le poing gauche sur le goulot et le porta à ses lèvres avec une satisfaction qui récompensa Covenant de l'effort. L'espace d'un instant, tout au bonheur de reprendre des forces, le Géant oublia les périls de la rivière. A peine eut-il reposé la gourde que, d'un coup de barre, il mettait le cap sur l'embouchure de la Grise. Son visage était impénétrable.

De nouveau, l'impulsion mystérieuse fit trembler la coque. A l'instant où ils allaient prendre l'affluent de plein fouet, le bateau vira sur son aire de façon à traverser le courant en diagonale. Les gémissements des planches du fond trahissaient l'énorme résistance à laquelle elles étaient soumises. Ils atteignirent ainsi la limite septentrionale de la zone des turbulences. La souple manœuvre du timonier les fit pivoter de cent quatre-vingts degrés. Il ne restait qu'à laisser le courant les précipiter dans les eaux plus sereines de la Blanche. Dès qu'ils eurent franchi la pointe de terre accumulée au confluent des deux cours, les grondements s'estompèrent. L'Ecumeur se passa la main sur le visage comme pour en effacer les traces de fatigue. Sans hâte, il fit descendre le timon et se laissa choir sur le plancher.

— Ouf ! C'était juste, je dois dire. Même un Géant fatigué peut foutre un bateau en l'air.

— Superbe manœuvre ! Toutes mes félicitations ! Comment as-tu fait ? Tu ne m'as toujours pas dit ce qui nous propulsait.

L'Ecumeur poussa un énorme soupir.

— Autant te raconter l'histoire du Territoire depuis le commencement des temps ! Non, pas maintenant ! Je n'ai pas le cœur à me lancer dans l'explication du sens de la vie et de la mort ici-bas. Demande-moi autre chose.

— Mais tu prétends toi-même ne pas connaître d'histoire courte, lui rappela Covenant.

Sa remarque dérida l'Ecumeur.

— C'est ma foi vrai ! Ecoute, passons un marché. J'accepte de satisfaire ta curiosité, en abrégeant un peu, naturellement, mais tu dois me promettre de raconter à ton tour une histoire. Quelque chose de soigné que je n'aurais jamais imaginé tout seul. Tu me le dois bien, et puis, j'ai sacrément besoin de me changer les idées.

Covenant acquiesça d'un hochement de tête. Le Géant avait certainement raison sur un point. Il lui devait bien une petite compensation. Le prix de la traversée, en quelque sorte.

— Dans ce cas, restaure-toi et ouvre grandes tes oreilles. (Et tandis que Covenant, tout surpris de découvrir qu'il avait l'estomac dans les talons, se jetait sur les réserves de la besace, le Géant commença son nouveau récit d'une voix atone :) *Coercri*, le foyer que nous avons édifié à Marepremere, n'était pas achevé lorsque prit fin l'ère de Damelon, l'Ami des Géants. Mes ancêtres avaient taillé le Donjon seigneurial, ainsi que l'ont baptisé les hommes, avant de se mettre à l'œuvre pour leur propre compte, aussi Loric était-il devenu le nouveau Seigneur absolu quand *Coercri* fut en état d'être habité.

» En ce temps-là, tant les adeptes du *lillianrill* que ceux du *rhadhamaerl* étaient avides de nous initier à leurs traditions et de découvrir les nôtres, et je dois dire que l'ère du grand Loric

Mortauvil fut propice à l'épanouissement du *lillianrill*. Pour cette raison, les Géants étaient amenés à faire de fréquents séjours au Donjon.

» Or, nous n'avons jamais été de chauds partisans de la marche, et pas plus maintenant qu'avant. Afin de tirer parti des cours d'eau qui dévalent les monts du Couchant et traversent les plaines en direction de la mer, nos ancêtres construisirent une petite flotte adaptée à la navigation fluviale. Peut-être l'ignores-tu, mais la Faille sur laquelle se dressent les Hauts du Tonnerre interdit de faire tout le trajet en bateau, aussi les Géants installèrent-ils des bassins sur la Sérénité, en amont de Kiril Threndor, juste avant le goulet d'étranglement connu maintenant sous le nom de Coupe-Gosier. Ils firent de même au pied du Donjon, en aval du Prisme. Aux deux extrémités du tronçon navigable long de deux cents lieues, se trouvait ainsi une flottille de barques semblables à celle-ci.

» Loric et les adeptes du *lillianrill* nous furent d'un grand secours. Fruit de leur pouvoir extraordinaire, un bois d'une solidité à toute épreuve vit le jour et reçut le nom de *lor-liarill*. Dans ce matériau fabuleux, ils façonnèrent quilles et gouvernails. Les Seigneurs primordiaux nous firent la promesse que, si l'espoir venait à manquer, nous pourrions compter sur le *lor-liarill*. Et puis, en voilà assez ! Pour aller vite, sache que c'est moi qui fais avancer cette fichue barque. (Il lâcha le timon. Aussitôt, privé de propulsion, l'esquif se laissa dériver sur sa vitesse acquise. L'Ecumeur se hâta de reprendre la barre.) Pour être tout à fait précis, je réveille le pouvoir du *lor-liarill*. La puissance contenue dans la pierre, le bois, l'eau et la terre sommeille en attendant le savoir ou la foi capable de la déchaîner. (Sa voix se brisa.) Comprends-tu, à présent, pourquoi je suis si las ? Ma dernière nuit de repos remonte à la veille de notre rencontre. Depuis deux jours et deux nuits, bien que l'effort m'ait rompu les os, je n'ai pas accordé au *lor-liarill* un seul instant de répit. (Devant l'expression stupéfaite de Covenant, il ajouta :) Mais oui, tu as dormi tout ce temps ! L'*eau de roc* joue souvent ce tour-là aux hommes. Qu'importe, tu en avais besoin !

Covenant contemplait le fond du bateau avec une fureur concentrée, comme s'il cherchait le meilleur endroit où frapper. Redressant la tête, il adressa au Géant un sourire de défi.

— Bien ! Me voilà reposé. Cesse de jouer les héros et dis-moi comment je puis t'aider.

L'Ecumeur se garda de répondre sur-le-champ, mais derrière son masque impassible, on voyait bien qu'il tergiversait.

— Ciel et vent ! Sûr que tu pourrais m'aider, seulement le simple fait de poser la question montre que quelque chose t'en empêche. Ignorance ou mauvaise volonté, toi seul le sais.

Covenant ne comprenait que trop. Des ailes de ténèbres bruissaient contre ses tempes. Il voyait les elfes disparaître par milliers. La magie ! Pour qui le prenait-on ? C'était insupportable ! Le remède s'imposa spontanément. Sans s'embarrasser de transition, il demanda :

— Veux-tu mon anneau ?

— Si je le veux ? coassa le Géant, son visage frémissant sous l'effet d'un rire qu'il n'avait même plus la force de pousser à fond. Le mot est impropre. Vouloir, camarade, c'est normal, c'est naturel. Cela n'engage pas la conscience. *Convoiter* serait plus adéquat. Oui, je crève d'envie de posséder ton anneau d'or blanc qui n'est pas né du Territoire car il n'est pas de prodige qu'il ne puisse accomplir. Cela dit, il est inutile de me tenter. La magie n'aime pas les usurpateurs. Elle a tôt fait de se retourner contre eux. M'offrirais-tu cet anneau pour de bon que je le refuserais.

— Mais tu sais t'en servir ? fit Covenant dans un souffle, atterré à l'idée que la réponse pouvait être si proche.

Cette fois, l'Ecumeur donna libre cours à son hilarité. Son rire n'était qu'une pâle imitation des éclats tonitruants dont il avait assourdi les oreilles de Covenant, mais du moins résonnait-il joyeusement.

— Non, je ne sais pas. C'était donc un mirage que je convoitais ? Ma foi, si le pouvoir n'obéit pas à la simple volonté de son propriétaire, je suis perdu ! La connaissance, la pratique, l'usage de la magie ne sont pas familiers aux Géants. Depuis toujours, nous nous débrouillons par nos propres moyens, même si nous sommes reconnaissants d'avoir le *lor-liarill* à notre disposition. (Sa voix tomba. Son buste sembla s'affaisser sur le timon. Ses yeux se voilèrent.) Cette fois, mon courage m'abandonne. C'est le moment de tenir ta promesse, Thomas Covenant. J'attends ton histoire.

Mon histoire ? Je n'en ai plus. Je les ai brûlées.

Il avait brûlé son best-seller et brûlé le premier jet du second roman. Par fierté, afin de dissimuler l'affreuse sensation de solitude et d'impuissance qui l'avait envahi, il retourna s'asseoir à la proue, face au nord.

— J'en connais bien une, dit-il, mais je ne l'ai pas inventée. C'est une histoire vraie. (Il étreignit le plat-bord. Jusqu'au sentiment de sa propre détresse qui lui donnait le vertige.) Il y est question de déracinement culturel. Sais-tu ce que cela veut dire ? Peu importe ! C'est le coup de massue que reçoit un homme lorsqu'on l'arrache à son milieu, à ses habitudes, au monde qu'il a toujours connu pour le transplanter dans un milieu où la définition du bonheur est si éloignée de la sienne qu'il ne peut avoir de prise sur elle et qu'il se perd. S'il s'insurge, le voici dans une affreuse alternative : ou il ment ou il se laisse manipuler.

» Je vais te donner un exemple. Durant mon séjour à la léproserie, j'ai fait la connaissance d'un autre malade, un étranger. Mettons que cet homme soit demeuré dans son pays natal où la lèpre est très répandue. A peine aurait-on décelé sur lui les symptômes du mal que lui-même, son épouse, ses enfants, tous ses biens et sa maison, ses animaux domestiques et même ses proches parents auraient été déclarés impurs et mis en quarantaine. Très vite, on eût brûlé ses biens, sa maison et ses animaux. Quant à lui, son épouse, ses enfants et ses proches parents, on les eût expédiés dans un village pour lépreux où ils auraient vécu dans le plus abject dénuement le temps qu'il leur restait à vivre, sans recevoir le moindre soin, sans espoir. La gangrène les eût dévorés à petit feu, lui et les siens. Les bras, les jambes, le visage...

» Horrible, n'est-ce pas ? A présent, laisse-moi te raconter ce qu'il advint de cet homme dans le pays d'accueil où il se trouvait quand la lèpre se manifesta. Dès que le mal fut identifié, on l'envoya dans une léproserie, loin de sa famille, où les progrès de la maladie furent enrayés. Il fut soigné, soumis à un entraînement intensif, remis sur pied et renvoyé chez lui avec moultes recommandations. Formidable ! Le hic, ce fut que personne n'était disposé à le recevoir.

» Tout d'abord, ses voisins le prirent en grippe ; avant même de s'être rendu compte du processus, il se trouva exclu de la communauté. Une amputation en bonne et due forme. Ensuite, lorsqu'il cessa de suivre son traitement sous prétexte que la pharmacie de sa petite ville n'était pas équipée pour soigner les lépreux, l'engourdissement arriva au galop. Lui qui avait espéré un miracle comprit qu'il n'était pas guéri du tout. Enfin, le coup de grâce : l'homme découvrit que sa propre famille n'avait cessé de le tenir à l'écart depuis son retour et que, loin de partager ses tourments, ses proches ne songeaient qu'à se débarrasser de lui.

» Ce qui fut fait. On le renvoya dare-dare à la léproserie. Il n'y fut pas plus tôt arrivé qu'il s'enferma dans la salle de bains et s'ouvrit les veines. (A ce moment précis, saisi d'effroi, Covenant se tut. Ce noir récit, jailli spontanément de ses lèvres, confirmait qu'il n'avait de pire ennemi que lui-même. Il pouvait bien pleurer sur son sort jusqu'à la nausée, à ce compte-là, il n'y aurait bientôt plus de Thomas Covenant et seule la crainte d'y engloutir ses dernières forces lui donna le courage de refouler ses larmes.) Pendant une heure, le malheureux regarda sa vie s'écouler sur le carrelage, reprit-il avec obstination. Il comprit soudain qu'il était en train de faire ce qu'on attendait de lui, et cette révélation ranima brusquement son désir de vie. Il allait leur montrer ! Mais pour cela, il ne fallait pas mourir. Faible comme un petit enfant, il ne pouvait même plus atteindre la porte, moins encore la déverrouiller, puis tourner la poignée. On le trouva beaucoup plus tard, recroquevillé sur le sol, les doigts brisés comme s'il avait essayé de ramper sous la porte...

L'émotion l'étouffait. La gorge nouée, il se réfugia dans la contemplation silencieuse de l'horizon, écoutant le chuintement continu, plaintif de l'eau fendue. Une voix lui parvint, lointaine, vibrant d'une bienveillance naïve et sympathiquement incohérente.

— Est-ce la raison pour laquelle tu avais pris la décision de ne plus raconter d'histoires ?

Covenant fit volte-face et, les yeux dans les yeux intrigués du Géant, se répandit en violentes invectives.

— C'est vous qui avez juré ma perte ! Vous tous, qui me harcelez avec votre sacro-saint Territoire et vos légendes ! De l'or blanc ! Bérek ! Des Esprits ! Des monstres souterrains ! Combien de temps pensez-vous que je tiendrai ? Parfaitement, vous voulez m'acculer au suicide ! Enfer et damnation, comprendrez-vous à la fin que je suis lépreux ! LÉPREUX !

Mais le Territoire ignorait la lèpre. Comment le concept d'une maladie incurable pouvait-il être perçu dans un monde où beauté et santé étaient des vertus ? Covenant n'attendait pas de miracle ; pourtant, la réaction de l'Ecumeur lui prouva qu'il n'avait pas crié en vain son désespoir.

Des profondeurs de son pourpoint, le Géant sortit un paquet fait d'une bande de cuir enroulée qui révéla, une fois déployée, un grand carré de peau souple.

— C'est du *krampo*, expliqua-t-il. Quelque chose que les Géants ont introduit dans le Territoire voilà bien longtemps. (Il déchira un coin de la feuille et le tendit à Covenant. Collant sur ses deux faces, le triangle se laissait néanmoins manipuler sans engluer les doigts.) Cela tient, tu peux me croire ! Si tu en fais un étui pour ton anneau et que tu caches le tout sous tes vêtements, qui se doutera que tu portes un terrible talisman ?

Séduit par l'idée, Covenant la mit aussitôt à exécution. Il ôta son alliance, l'enroba de *krampo* et colla celui-ci sur sa poitrine, à même la peau. Tout d'abord, il ne ressentit aucune gêne, mais lorsqu'il eut reboutonné sa chemise, il eut l'impression que l'alliance pesait sur son cœur d'un poids insolite. Il résolut de ne pas y penser. L'Ecumeur avait déjà fait disparaître le paquet sous son pourpoint. Il observait Covenant à la dérobée. Faute de mieux, celui-ci lui adressait de temps à autre un sourire crispé. Pendant quelque temps, il ne fit que regarder le paysage en s'efforçant d'analyser les conséquences possibles de l'escamotage de l'anneau. Ensuite, il décida de se raser. Le couteau d'Atiaran fit merveille sur sa barbe de huit jours, mais sa main tremblait. En si peu de temps, il avait perdu l'habitude du risque inhérent au simple fait de se raser. Il avait peur du sang. Il lui parut soudain que, s'il ne retournait pas très vite dans son monde d'origine, il ne serait bientôt plus capable d'assumer sa condition de lépreux.

Au cours de l'après-midi, une pluie fine vint cribler la paisible surface de la rivière Blanche. Le ciel se mua en un chaos de nuages confus. Puis ce fut la nuit. Il pleuvait toujours. L'homme et le Géant avalèrent un repas rapide. L'humeur était à la morosité. Dans sa faiblesse, l'Ecumeur pouvait à peine porter la nourriture à sa bouche ; toutefois, Covenant l'aida comme il put à soulever la gourde d'*eau de roc*. La dernière bouchée avalée, chacun s'enferma dans son silence, le timonier rivé à son poste, le passager pelotonné contre le flanc du bateau car il répugnait à s'étendre sur le fond trempé.

Plus tard, la voix grêle du Géant le frôla dans sa somnolence :

Que serait la vie sans le roc et la mer,
Symboles inaltérables du monde...

La pluie cessa, et ce fut bien pis. Dans le ciel dégagé luisait maintenant un astre rouge qui déversait sur le paysage sa clarté impudente. Jusqu'à l'air qui s'imprégnait peu à peu de relents morbides. Et le chant altéré de l'Ecumeur semblait un rempart bien fragile contre cette infection.

L'aube se leva sur un ciel innocent, lavé de tout souvenir de la flétrissure nocturne. A l'ouest, une formidable chaîne de montagnes étirait contre l'horizon sa guirlande de sommets dont les plus élevés étaient encore couronnés de neige. En amont, le relief s'apaisait, comme si la cordillère prenait fin dans l'axe même de la rivière.

— Encore dix lieues, murmura l'Ecumeur. (Sa voix était devenue étrangement absente, désincarnée. Une voix d'outre-tombe, et, quand il se tourna vers lui, Covenant s'affola de constater à quel point le Géant s'était encore affaibli pendant la nuit.) Avec ce courant, ajouta-t-il dans un chuchotement enroué, il faut bien compter une demi-journée.

Covenant se hâta de le rejoindre et lui présenta la gourde, de plus en plus légère.

— Ciel et vent, haleta l'Ecumeur, il n'est pas facile de te rendre service, camarade ! Pour redescendre, tu choisiras un autre batelier. En ce qui me concerne, je n'ai plus l'âme assez trempée pour ce genre d'exercice.

— Tais-toi donc ! riposta Covenant. Ils inventeront des chansons pour célébrer ton courage. Tu l'auras bien mérité, je t'assure. D'ailleurs, tous ceux qui ont voulu m'aider jusqu'à présent y ont laissé leur santé et leur joie de vivre d'une manière ou d'une autre. Si j'étais poète, je composerais moi-même sur-le-champ une épopée en ton honneur.

Plus il regardait la silhouette dépérissante du timonier et son visage consumé d'épuisement, plus sa propre inutilité lui devenait insupportable. Tout ce qu'il pouvait faire pour aider l'être le plus généreux, le plus doué d'humour qu'il eût jamais rencontré, c'était d'enfourner des quartiers de mandarine entre ses lèvres craquelées. La mauvaise conscience le taraudait, mais plus encore, l'ampleur du sacrifice que les habitants du Territoire étaient prêts à consentir pour lui faciliter la tâche le plongeait dans l'effarement.

Lorsqu'il ne resta plus de mandarines et que le spectacle des souffrances de l'Ecumeur lui fut devenu intolérable, il s'en retourna à l'avant et feignit de s'intéresser au paysage. Celui-ci se modifiait à vue d'œil dans la perspective du bond prodigieux qu'il accomplirait bientôt. Les collines gagnaient en altitude et leur profil s'aiguisait. Covenant discernait maintenant l'abrupt ressaut qui cassait la montagne en amont. Un vaste plateau arrêtait la chute brutale à trois mille pieds au-dessus des collines sur lesquelles tombait l'austère à-pic d'une falaise. Jaillie du plateau, la trajectoire éblouissante d'une cascade rompait la rigoureuse géométrie du monumental escalier. L'incidence des rayons solaires habillait le grand arc liquide de superbes irisations. Ce doit être le Prisme, songea Covenant, troublé malgré lui par la grandeur et la beauté du site dont ils approchaient. Les collines encaissaient la Blanche dont le cours, par voie de conséquence, s'accélérait dangereusement. Mais l'Ecumeur avait atteint le point où l'épuisement des forces rejoint celui de la volonté. Covenant n'imaginait pas comment il pourrait les conduire à destination.

Il inspectait les rives, à l'affût d'un endroit convenable où accoster quand le grondement sourd d'une cavalcade se fit entendre. Peu après, comme une vague en suspens, vingt cavaliers faisaient halte sur la crête d'une colline. Dès qu'ils aperçurent la barque, l'un d'eux lança un grand cri, et la vague déferla jusqu'à la rivière.

Leur tenue, bottes, vêtements de cuir noir, plastron de métal jaune, épée au côté, arc et carquois en bandoulière, désignait des soldats. Il y avait autant de femmes que d'hommes et les deux races, Sylvestres et Pétragîtés, étaient également réparties. Ils saluèrent à l'unisson, puis le cavalier reconnaissable à la diagonale de cuir noir qui barrait son plastron prit la parole d'une voix martiale :

— Bienvenue, Frère du Roc ! Bienvenue à toi et à ton passager ! Je me nomme Quaan, Baron de la Troisième Equestre de l'Armée du Territoire. (N'obtenant pas de réponse, il poursuivit un ton au-dessous :) Le Seigneur Mhoram nous envoie pour vous servir d'escorte.

Covenant jeta un coup d'œil sur le Géant. Celui-ci n'avait plus conscience que d'une chose : il ne devait pas lâcher le timon. Le reste, le monde alentour, avait cessé d'exister.

— Aidez-nous ! cria Covenant. Il est en train de mourir !

Quaan se raidit visiblement sous l'impact du terme. Il jeta un ordre sitôt suivi d'effet. Lui-même entra dans l'eau ainsi que deux soldats qui traversèrent pour gagner la rive opposée tandis qu'il dirigeait son cheval vers le bateau. Au dernier moment, il se dressa debout sur sa selle et, d'un bond, sauta à côté de Covenant. Une parole de lui, et la monture fit docilement demi-tour.

L'espace d'un court instant, le Baron jaugea le passager du regard puis, sans perdre de temps, il s'approcha de l'Ecumeur et lui secoua violemment l'épaule en l'apostrophant dans une langue inconnue de Covenant.

Le Géant ne réagit pas aussitôt, mais, peu à peu, les mots vociférés firent impression. Les tendons de son cou frémirent. Sa tête se souleva lentement jusqu'au moment où ses yeux hagards se trouvèrent fixés sur ceux de Quaan. Avec un grondement qui sembla monter de ses entrailles, il libéra le timon et s'écroula.

Abandonné au courant, le bateau chassa de l'arrière et se mit à dériver. Les deux cavaliers avaient pris pied sur l'autre rive. Quaan se précipita à la proue pour recevoir l'extrémité de la corde que lui lançait l'un d'eux. Il en fit une boucle qu'il enroula autour d'un taquet et recommença avec la seconde corde. Elles tenaient d'autant mieux qu'elles n'étaient point de chanvre, mais de *krampo*. Elles se tendirent aussitôt. Sur un signe du Baron, les deux cavaliers donnèrent de l'éperon et les chevaux halèrent le bateau vers l'amont.

Covenant reporta toute son attention sur le Géant toujours effondré à l'arrière. Incapable de se résoudre à une attente passive, il fit la seule chose que commandait le bon sens : il lui versa sur la tête le reliquat d'*eau de roc*. L'Écumeur s'ébroua faiblement, se passa la langue sur les lèvres pour recueillir le ruissellement et s'endormit sur-le-champ.

Covenant soupira d'aise.

— En voilà une façon de mettre un point final à une épopée ! « Il se pourlécha les babines et se mit à ronfler... » Qu'est-ce qu'un héros qui n'a pas le courage de garder les yeux ouverts jusqu'aux applaudissements ? (En se retournant, Covenant rencontra le regard scrutateur de Quaan.) Cœur Salin l'Écumeur, c'est son nom, expliqua-t-il. Voilà trois jours et trois nuits qu'il pilote cette barque sans prendre de repos, depuis qu'il m'a ramassé dans les collines d'Andelain.

Le Baron considéra le Géant terrassé avec une expression de bienveillance amusée, et ce fut son seul commentaire.

Les deux chevaux triomphaient vaillamment du courant. A midi, Covenant perçut pour la première fois le rugissement du Prisme. La Pierre-qui-Rit ne devait plus être loin, mais comment savoir avec ces collines qui s'interposaient de tous côtés ? Plus tard, alors que le fracas de la cascade les assourdissait, ils passèrent sous un pont et, tout de suite après, les cavaliers suivirent un large méandre au terme duquel le bateau déboucha dans un lac circulaire au pied du Prisme.

Le bleu-violet des jacarandas en fleur cernait de près la chute, mais on ne voyait pas un arbre sur la rive orientale. Plusieurs embarcadères abritaient des bateaux de différentes tailles dont le plus important ressemblait à celui qui les avait amenés jusqu'ici, les autres ne méritant que le nom de yoles, sans parler de plusieurs radeaux. Obéissant aux instructions de Quaan, les haleurs conduisirent la grande barque le long d'une digue où deux cavaliers mirent pied à terre pour l'amarrer. Le Baron s'employa ensuite à réveiller l'Écumeur sans trop de brusquerie.

Longtemps, le Géant se laissa secouer sans réagir. Ses paupières frémirent, se soulevèrent et battirent follement. Ses yeux, quand il put les garder ouverts, apparurent calmes et attentifs à défaut d'être reposés. Ils avaient perdu leur expression hagarde. Il les promena alentour avec circonspection, puis les ramena sur le Baron.

— Toutes mes excuses, dit-il d'une voix de fausset. J'ai connu de meilleurs jours...

— Je sais, murmura Quaan. Ne t'inquiète de rien. Nous sommes presque arrivés.

L'Ecumeur fronça les sourcils sous l'empire d'une profonde perplexité. Son visage se détendit soudain et s'éclaira de l'esquisse d'un sourire. Puis l'angoisse revint.

— Dans ce cas, qu'attends-tu pour dépêcher des messagers à tous les Seigneurs ? Il faut réunir le Conseil. Vite, il n'y a pas un instant à perdre !

Quaan lui tapota l'épaule d'une main rassurante.

— Calme-toi, Frère du Roc ! Les temps ont changé. Notre plus jeune Seigneur, Mhoram, fils de Variol, est un prophète et un oracle de talent. Voilà dix jours que ses émissaires ont pris le chemin, qui de la Loge, qui de la demeure de Prothall, le Seigneur absolu. Ce soir, tous seront au Donjon. En ce qui te concerne, l'Ecumeur, tu as bien mérité du Territoire et je vais faire en sorte que nous précède au Donjon la nouvelle de ton exploit. Si tu le désires, ils enverront une litière pour t'éviter d'avoir à marcher jusque là-haut.

Le Géant secoua la tête avec indignation. Tandis que Quaan sautait sur la digue afin d'aller distribuer ses ordres, l'Ecumeur sourit à Covenant.

— N'ai-je pas tenu promesse, camarade ? N'avais-je pas juré de te conduire à destination en un temps record ?

Sa fierté naïve toucha Covenant comme une marque d'affection.

— Au risque d'y laisser la vie ? fit-il avec douceur. C'est de la folie ! Même si mon message ne souffre aucun retard, même si la situation est grave, *rien* ne mérite que l'on se hâte au point d'y laisser sa peau. Crois-moi, c'est le lépreux qui te parle. Qu'aurions-nous fait si ton zèle t'avait tué ?

L'Ecumeur garda le silence, puis sa main s'appesantit sur l'épaule de Covenant. Il entreprit la tâche périlleuse de se hisser sur ses pieds.

— Viens, dit-il quand il y fut parvenu. Allons voir la Pierre-qui-Rit.

Des mains se tendirent pour l'aider à débarquer. Si voûté qu'il fût, il trouvait quand même le moyen d'écraser tout le monde de sa hauteur, y compris les cavaliers. D'un geste qui, du même coup, le plaçait sous sa protection, il présenta Covenant à la ronde.

— Chevaliers de la Troisième Equestre, voici mon ami, Thomas Covenant, Incrédule et porteur d'un message de la plus haute importance pour le Conseil des Seigneurs. Au nom de notre amitié et de son étrange ressemblance avec le vénéré Bérek Mimain, réservez-lui bon accueil et veillez sur sa sécurité.

Covenant répondit aux saluts de bienvenue, mais la gêne et la prudence l'empêchaient de prendre la parole. Il déclina l'offre d'une cavalière de le prendre en croupe. Malgré les rudiments d'équitation que lui avait inculqués Joan, il n'avait jamais pu surmonter sa méfiance des chevaux. Il n'en était pas de même pour l'Ecumeur. Deux d'entre eux l'encadrèrent, de façon qu'il pût prendre appui sur leurs croupes comme sur des béquilles.

— En route ! commanda-t-il à Quaan. Mes yeux ont hâte de contempler l'œuvre de mes ancêtres.

Le Baron donna l'ordre d'avancer. La colonne s'ébranla au pas.

Ils contournèrent la base d'une colline pour rejoindre le pont sous lequel était passée la barque en aval du lac. A l'est, la route de traverse prenait à la perpendiculaire un escarpement si raide que l'Ecumeur trébucha plusieurs fois. Quand il atteignit la crête, ébloui, le visage radieux, il leva les bras au ciel.

— Regarde, camarade ! Regarde et dis-moi, à présent, que j'avais tort d'être impatient !

Le souffle coupé, Covenant dut convenir qu'il avait raison. Au loin, surplombant quelques modestes mamelons, se dressait la Pierre-qui-Rit. La beauté du site, l'audace architecturale de l'œuvre elle-même éclipsaient tout ce que le voyageur avait pu imaginer. Au pied du plateau prenait naissance un formidable éperon granitique qui s'élevait en s'amenuisant comme une corne prodigieuse dont la pointe culminait à près de deux mille pieds. Ce cône avait été évidé et transformé en tour de guet. On apercevait les cercles successifs des meurtrières au-dessus des arcs-boutants soutenant le sommet crénelé. A une distance considérable de la base de la tour commençait la falaise, surélevée et aménagée dans sa partie supérieure pour former un mur d'enceinte, de sorte que l'immense plate-forme devenait en fait la cour de cette magnifique citadelle. Les Géants s'étaient livrés sur la paroi de la falaise à un véritable travail d'orfèvre. Fenêtres en alvéoles, balcons, arcatures, parapets s'élançaient en arabesques, avec des élans et des retombées ininterrompus qui donnaient l'impression de composer sur le vif un vaste motif insaisissable à l'œil.

Mais le regard de Covenant était désormais assez pénétrant pour deviner le fourmillement communautaire de l'énorme cité qu'abritait la falaise. La vivante multitude resplendissait derrière la paroi comme si le granit, devenu translucide sous l'effet de ce rayonnement intérieur, acquérait les vertus magiques d'un clair-obscur. Covenant subissait la fascination de ce spectacle grandiose jusqu'à perdre toute résistance. Le chef-d'œuvre des Géants le laissait pantois.

— Ciel et vent ! murmura l'Ecumeur, saisi par l'émotion déférente d'un pèlerin parvenu en vue du site sacré. En construisant la Pierre-qui-Rit, les Errants ont vaincu leur destin !

Et, du fond de son âme, Covenant ne pouvait qu'acquiescer.

Pour tous deux, la dernière partie du trajet s'effectua dans un état d'exaltation muette. Sa fatigue momentanément oubliée, l'Ecumeur n'avait d'yeux que pour ce volume colossal dont l'immensité semblait contenir la moitié du ciel. Après avoir longé la falaise jusqu'à sa limite orientale, la route gravit la pente qui conduisait à la porte de la citadelle. Celle-ci, constituée de deux dalles géantes actionnées par des cordages et des poulies, était si vaste que, lorsqu'elle se trouvait ouverte comme maintenant, les vingt cavaliers d'une Equestre pouvaient la franchir de front.

Comme ils approchaient, Covenant remarqua au faîte de la tour deux oriflammes que le vent faisait claquer dans l'air. La plus grande était bleue, d'une nuance à peine plus claire que le ciel, et l'autre rouge, du même rouge sombre que la lune dénaturée ou que les yeux de Gloton.

— Ce sont des symboles, expliqua une Sylvestre, suivant la direction de son regard. L'azur représente le Serment de Paix prêté par les Seigneurs et la protection qu'ils accordent à tous les habitants du Territoire. Le rouge est l'emblème du danger qui nous menace. Il flottera sur la Pierre-qui-Rit aussi longtemps que ce péril n'aura pas été écarté.

Une fois dans l'enceinte de la place forte, l'attention de Covenant fut attirée par l'entrée du Donjon proprement dit, ni plus ni moins que la gueule béante d'une caverne donnant accès au cœur de la montagne, bien que, étrangement, la clarté du soleil persistât au-delà. Pour l'instant, ce petit mystère était éclipsé par les trois sentinelles qui gardaient l'ouverture. Si leur taille et leur carrure étaient celles de Pétragîtés, là s'arrêtait la ressemblance. Ils avaient des visages plats de Mongols, la peau très brune, et leurs cheveux noirs coiffés en boucles serrées formaient casque. Pour tout vêtement, ils portaient de courtes tuniques ocre ceinturées de bleu. Pas d'armes. Ils se tenaient là sans rien faire, figés dans une attitude de féline indolence qui masquait mal une concentration paranoïaque, capable, l'espace d'un battement de cils, de les transformer en machines de guerre.

Quaan arrêta ses Chevaliers à portée de voix des sentinelles.

— Holà ! cria-t-il. Salut à toi, Insigne Tuvor ! Depuis quand les Sangdragons sont-ils chargés de l'accueil des visiteurs ?

Celui des hommes en tunique qui se trouvait un peu en avant des deux autres répondit d'une voix nasale aux intonations chaotiques, comme si la langue du Territoire était très différente de celle dont il avait l'habitude.

— Nous respectons les consignes. Tout est prêt pour recevoir le Géant et l'étranger. Bannor et Korik sont à leur disposition.

Quaan leva le bras. La petite troupe s'engagea dans la gorge granitique du Donjon.

13

Vêpres

A l'instant de quitter la lumière du jour pour la pénombre de la cavité, Covenant étreignit le bâton de toutes ses forces. Il constata qu'il s'agissait pour ainsi dire d'une fausse entrée, seulement un tunnel conduisant à une cour intérieure, d'où l'effet de lumière tamisée qui l'avait si fort étonné avant d'entrer. Répercutés par les échos, les sabots des chevaux remplissaient l'espace mi-clos de rumeurs de bataille.

Puis l'Equestre déboucha dans la cour éclaboussée de soleil. La roche avait été évidée à cet endroit pour former une esplanade au niveau de l'entrée, et si vaste que fût cet espace découvert, les murailles qui l'enserraient étaient si hautes qu'on avait l'impression d'être au fond d'un puits. Au centre, s'étendait un large terrain où poussait un antique Vermeil au milieu d'une petite fontaine jaillissante. Partout s'ouvraient des portes semblables à celle qu'ils venaient de franchir. Covenant hissa son regard jusqu'au faîte du Donjon. Vue sous cet angle, la tour semblait de taille à soutenir le ciel. L'espace d'un instant, éperdu d'admiration, il souhaita ardemment pouvoir revendiquer lui aussi une part de l'héritage de la Pierre-qui-Rit.

Il enviait l'Ecumeur. Il eût tout donné pour se dissoudre dans la communauté qu'abritaient ces murs admirables. Puis, comme toujours, le désir reflua peureusement, se recroquevilla et se mua en suspicion. Une fois pour toutes, il n'était pas disposé à succomber au magnétisme du Territoire. Déjà, il avait dû rogner sur sa fragile autonomie. D'un geste impulsif, il glissa la main sous sa chemise et la posa sur l'alliance. Le fait qu'elle fût cachée aux yeux de tous lui procurait un profond sentiment de sécurité. Grâce à l'Ecumeur, il jouissait désormais d'une minuscule liberté morale. Sur le point d'interpeller le Géant, il se ravisa en voyant deux sentinelles déboucher dans la cour et venir à leur rencontre. Quaan et ses Chevaliers avaient déjà disparu. Tandis qu'approchaient les deux hommes, Covenant évalua tout à loisir leurs silhouettes hiératiques puis, quand ils furent assez près pour cela, sonda les larges visages impénétrables. Impossible de leur donner d'âge. C'était peut-être là leur secret. Peut-être fallait-il mettre sur le compte d'une étrange relation au temps l'impression d'immuabilité déconcertante qui se dégageait de ces êtres. Ils s'avançaient comme s'ils étaient une émanation du granit. L'un d'eux s'arrêta devant l'Ecumeur. L'autre se planta devant lui.

— Je me nomme Bannor des Sangdragons. Je suis ton guide. Suis-moi.

Covenant fut de nouveau frappé par cet empâtement du timbre dû à l'emploi d'une langue inhabituelle. D'où venaient ces gens qui ne parlaient pas le dialecte du Territoire ? Un malaise précis s'empara de lui. La méfiance. Non loin, l'Ecumeur et l'autre Sangdragon offraient le spectacle de cordiales retrouvailles.

— Ce cher vieux Korik ! s'exclamait le Géant. J'apporte aux Sangdragons l'amitié fidèle des Géants de Marepremere. En ces temps de trouble, nous sommes fiers de compter les Sangdragons au nombre de nos alliés.

Déjà ils s'éloignaient, et Covenant leur emboîta le pas. Bannor lui barra le chemin.

— Toi, tu viens avec moi.

Covenant se sentit alors très proche du jeune enfant que l'on arrache de force aux jupes de sa mère. D'une voix angoissée, il héla l'Ecumeur. Celui-ci ne se retourna même pas.

— Suis-le sans crainte, camarade ! lança-t-il par-dessus son épaule. Va en paix ! Nous nous reverrons demain.

A demi rassuré, il les regarda disparaître par une des portes du Donjon.

— La chambre qui t'a été assignée se situe dans le bâtiment principal.

— Mais pourquoi ? Pourquoi ne puis-je aller avec lui ?

Bannor haussa les épaules.

— Pose la question à qui de droit. Il te sera répondu. Pour l'instant, tu dois me suivre.

Le ton d'inflexible courtoisie ne laissait aucune place à la contradiction. Covenant examina le visage fermé du sbire et décela dans les traits impassibles une compétence absolue et le désir irréductible d'en venir à la force si besoin était. Subjugué, Covenant se laissa entraîner vers une porte fermée dont le mécanisme invisible se déclencha à leur approche. Les dalles de granit s'entrouvrirent pour leur livrer passage et se refermèrent aussi mystérieusement. Ils gravirent un escalier en spirale à l'échelle de l'édifice. Là-haut commençait un dédale de couloirs et d'escaliers qui, souvent, à ce qu'il sembla à Covenant, ne faisaient que déboucher les uns dans les autres, ou s'interrompaient sans raison, ou continuaient sans autre but apparent que celui d'égarer un peu plus celui qui pénétrait pour la première fois dans cet inextricable labyrinthe. Il savait déjà qu'il lui serait impossible de retrouver son chemin sans guide lorsque

Bannor fit halte au beau milieu d'un couloir absolument vide. Sa main décrivit un geste rapide. Une brèche s'ouvrit dans la cloison. Ils pénétrèrent dans une vaste chambre prolongée par un balcon.

— Te voici chez toi, annonça Bannor. Si tu as besoin de quelque chose, appelle. Je viendrai.

Il sortit. La porte se rabattit, et Covenant se trouva seul devant une paroi presque lisse où ses yeux s'affolaient sans trouver ni bouton, ni poignée, ni gonds.

— Bannor ! Bannor !

Avec la frénésie d'un claustrophobe qui sent venir la crise, il tambourina contre la pierre. Au second appel, un pan de mur coulissa. La sentinelle se tenait sur le seuil, stoïque, impassible, silencieuse.

— Pour qui me prend-on ? Pourquoi suis-je prisonnier ?

— Les messagers ne sont jamais sûrs, dit tranquillement Bannor. Comment savoir si tu n'es pas une créature du Contempteur ? C'est à nous, les Sangdragons, qu'il appartient de veiller sur la sécurité des Seigneurs. Avant de te laisser circuler librement, nous saurons à quoi nous en tenir à ton sujet.

D'un seul coup, la chambre, dans son dos, s'emplit d'un bruissement de ruche ; soudain libérées, les sombres pensées qu'il avait bannies de son esprit revenaient en force parcourir l'espace de leurs frissons rapides. Impossible de soutenir plus longtemps la scrutation flegmatique de Bannor. Il fit volte-face, paupières scellées.

— Dis-leur que je n'ai pas fait tout ce chemin pour être traité en suspect. Dis-leur bien.

Quand il entendit le discret déclic de fermeture de la porte, il ouvrit les yeux et, pour la première fois, regarda autour de lui. Un lit, une vasque pour la toilette, un miroir en pied, une table chargée de victuailles, quelques chaises. Un des murs s'ornait d'une grande tapisserie à dominantes de rouges agressifs et d'azur. Incompréhensibles au premier coup d'œil, les formes stylisées s'ordonnaient autour de la silhouette centrale d'un personnage que l'effort de béatification de l'artiste n'avait pas complètement dépouillé de sa prestance héroïque. Covenant reconnut Bérek. Rien ne manquait, ni la lune de miel du couple royal, ni la défaillance morale du souverain, ni le divorce d'avec la reine, ni le départ de Bérek à la tête des troupes loyalistes, ni l'amputation brutale de ses doigts, ni son désespoir sur les Hauts du Tonnerre, ni le triomphe ultime des Rugissantes.

En son for intérieur, Covenant pestait. Seigneur ! Etaient-ils obligés de lui imposer ce chromo édifiant ? Empoignant le pichet de vin, seul objet réconfortant de la pièce, il gagna le balcon.

Il n'alla pas plus loin que la baie. Le fragile rempart de la balustrade était impuissant à contenir l'instinctive horreur que lui inspirait une dénivellation de deux cents mètres sur les collines. Mais de là où il s'était arrêté, il se contraignit à parcourir des yeux le lointain paysage. La chambre était orientée à l'est. Au-delà des ombres démesurément allongées de la Pierre-qui-Rit, la plaine s'étendait, rayonnant de couleurs morcelées, estompées par la douceur du soir, celles des bois, celles des champs et l'ocre pâle des villages. Sur la droite, la rivière Blanche étincelait et sinuait vers Fieféal.

Sous l'influence du vaste panorama, sa mémoire s'élança sur les routes du Territoire. Il revit le chemin parcouru et, tout naturellement, il rencontra Atiaran. Pauvre Atiaran! Elle l'avait rendu responsable du massacre des Esprits puis, maîtrisant par devoir son désir de vengeance exacerbé, elle l'avait épargné. A cause de lui, elle avait souffert mille morts.

Que veulent-ils? Je ne suis pas Bérek!

Il recula. Il se sentait écœuré de tout. Quelque chose frôla sa tempe. Il tomba sur une chaise. Le pichet, qu'il n'avait pas lâché, heurta le sol sans se briser. Il mit sa tête entre ses genoux jusqu'à ce que disparaisse la grisaille devant ses yeux et que cessent ses bourdonnements d'oreilles. Quand il fut calmé, il but à longs traits et ingurgita la nourriture avec frénésie. Il goûta de tout, sans même distinguer la saveur des aliments. Il se lava, lava ses vêtements qu'il mit à sécher sur le dossier des chaises et passa la longue chasuble bleue que ses hôtes attentifs avaient pliée sur le lit. Il s'assura que l'anneau demeurait invisible. Il se rasa.

Je ne suis pas... Je ne serai jamais...

Des coups retentirent à la porte. Il sursauta, puis, furieux de s'être senti pris en faute, s'examina une dernière fois dans le miroir et cria d'entrer.

L'ouverture de la porte révéla une clarté éblouissante.

Ils étaient trois, deux de front dans l'encadrement, l'autre en retrait dans le couloir, indiscernable. Ce fut ce dernier qui parla, sur un ton plein d'aimable autorité.

— Pouvons-nous entrer? Je suis le Seigneur Mhoram.

Les deux autres étaient un vieillard et un tout jeune homme. Le premier tenait un bâton flamboyant; l'autre deux récipients où rutilaient des phosphorescentes.

— Et pourquoi n'entrerions-nous pas? s'exclama le vieillard d'une voix saccadée. Est-ce qu'il n'a pas besoin de lumière? L'obscurité racornit le cœur. Si au moins il était capable de se débrouiller tout seul, mais pensez-vous! D'ailleurs, il n'aura pas souvent l'occasion de nous voir. Avec les Vêpres et les directives exceptionnelles de l'Absolu, les occupations ne manquent pas. Ecoute bien, jeune homme, car nous ne pourrons guère revenir dans le seul but de pallier ton ignorance.

— Allons, Birinair, gourmanda la voix altière du Seigneur Mhoram, ne le bouscule pas! N'est-il pas notre invité?

Le vieil homme s'éclaircit la gorge.

— Soit! maugréa-t-il. Mais nous perdons du temps. Les Vêpres nous attendent. Il faut préparer le Conseil. Un invité... Soit! Bienvenue à toi, l'invité. Je suis Birinair, Grand Maître du *lillianrill*. Ce garnement ricaneur n'est autre que Tohrm, Grand Maître du *rhadhamaerl*. Nous sommes les Hospitaliers du Donjon. Nous t'apportons chaleur et lumière.

Dignement, il traversa la chambre. Derrière le lit, le mur supportait une torche éteinte. Elle s'enflamma au contact du bâton radieux. Pendant ce temps, le « garnement ricaneur » disposait ses pots de phosphorescentes, l'un sur la table, l'autre sur le large rebord en pierre de la vasque.

— Quand tu voudras dormir, couvre-les pour masquer leur éclat, dit-il.

Sur le chemin de la porte, Birinair passa tout près de Covenant, si près que celui-ci l'entendit murmurer distinctement dans sa barbe vénérable :

— L'obscurité racornit le cœur. Méfie-toi de l'obscurité, jeune homme !

Il sortit le premier, Tohrm sur ses talons. Sur le seuil, celui-ci s'arrêta et se retourna.

— Le vieux n'est pas aussi grincheux qu'il en a l'air. Je dirais même qu'il a un bon fond. Il faut le connaître.

Dès qu'ils furent partis, Mhoram pénétra dans la chambre dont il ferma la porte. Covenant affrontait son premier Seigneur.

Le visage émacié conservait encore quelques vestiges d'indulgence ironique pour le franc-parler du jeune Tohrm, mais son sourire parcimonieux n'alertait pas ses yeux. Gris, farouches, hautains, ils dévisageaient l'étranger sans rien dissimuler de leur feu intérieur : ce regard glacé transperçait, brûlait avec la sagacité froidement cruelle qui devait lui permettre de tout deviner puisqu'il avait le courage de tout envisager. L'arête mince et busquée du nez accentuait l'impression générale de noblesse ascétique. C'était le genre de physionomie qui pouvait passer de la courtoisie à la fureur sans bouger d'une ligne.

Covenant s'intéressa ensuite au bâton du Seigneur. Il était garni de métal comme le Bâton de la Loi entre les doigts spatulés de l'infâme Gloton, mais vierge de ciselures. Mhoram le tenait dans la main gauche tandis que, de l'autre, il offrait à Covenant le salut de bienvenue rituel. Cela fait, il croisa les bras sur sa poitrine, le bâton calé dans la flexion du coude. Son sourire s'effaça. Son visage adopta une expression de vigilance accrue.

— Bannor me dit que cette chambre te fait l'effet d'une prison, commença-t-il avec gravité. C'est la raison pour laquelle j'ai voulu te rencontrer dès ce soir. Pour te parler des Sangdragons. (Il se ménagea un silence. Covenant soutint sans flancher ce regard qui le jaugeait et le soupesait impitoyablement sous le masque de l'affabilité. Avait-il fait autre chose, depuis son arrivée dans le Territoire, que d'affronter une chaîne de regards méfiants ?) Thomas Covenant, reprit le Seigneur, je le déclare tout net, pour ma part je suis prêt à te faire bénéficier de la présomption d'innocence... jusqu'à preuve de ta fourberie. En qualité d'hôte, tu as droit à certains égards, et le Serment de Paix que nous avons tous prêté est le garant de notre bienveillance. Cela dit, de même que nous sommes à tes yeux de parfaits étrangers, de même tu nous apparais lointain, mystérieux. Sache que les Sangdragons ont fait le vœu solennel de nous servir aveuglément, nous, les Seigneurs, ainsi que la Pierre-qui-Rit, et de protéger ce lieu et ses habitants au défi du temps ou de la mort. Une abnégation aussi fervente ne va pas sans mortifier celui qu'elle oblige, mais passons. Tu dois prendre conscience de deux choses. Tout d'abord, les Sangdragons t'occiraient sur-le-champ si tu levais la main sur n'importe lequel des habitants du Territoire. Mais le Conseil seigneurial les a chargés de veiller sur toi. C'est pourquoi, plutôt que d'être indignes de notre confiance, Bannor et ses semblables feraient volontiers le sacrifice de leur vie pour sauver la tienne. (Mhoram enregistra l'expression de scepticisme de Covenant.) Tu doutes de mes paroles ? Interroge-le. Sa dureté te semblera plus amène quand tu connaîtras l'histoire exemplaire des Sangdragons. Ce sont des Haruchais. Ils demeurent sur les sommets des monts du Couchant. L'ère de Loric, fils de Kévin, commençait à peine lorsqu'ils vinrent s'installer dans le Territoire et prononcèrent le Vœu terrible qui leur impose le sacrifice de leur bonheur sans autre récompense que la fierté d'un dévouement sans bornes dont l'absolue pureté n'a pas d'équivalent sur tout le Territoire. C'était un peuple au sang chaud, fornicateur et prolifique. Voici les Sangdragons voués à une existence solitaire et chaste. Un tel désintéressement n'est jamais spontané. Entrevois-tu de quelles morsures atroces le doute peut tourmenter des esprits aussi brutalement fermés à tout ce qui n'est pas le sens du devoir et de la soumission ? (Mhoram laissa échapper un soupir d'impuissance.) Je suis trop jeune pour pouvoir raconter sans omissions l'histoire magnifique des Sangdragons. Interroge là-dessus Bannor.

Trop jeune ? s'étonna Covenant. Quel âge ont-ils donc ? Il se garda bien de demander des détails. La saga des Sangdragons n'avait sûrement rien à envier à celle des Géants. Encore une bonne occasion de provoquer l'ébahissement admiratif du naïf étranger ! Afin d'étouffer l'intérêt dangereux qu'il sentait naître en lui, Covenant prit l'initiative de ramener l'entretien sur un terrain plus officiel.

— Je dois rencontrer le Conseil, dit-il froidement. Le plus tôt sera le mieux.

Un éclair flamboya dans les yeux de Mhoram.

— Es-tu notre ennemi, Incrédule ?

Si Covenant ne tressaillit pas, il le dut à l'endurance acquise au cours de ces longs jours d'épreuve. Mais du fond de l'âme, il sentit vaciller sa résolution. Raison de plus pour riposter vertement.

— Tu es oracle, m'a-t-on dit. A toi de répondre.

Cette fois, le Seigneur le gratifia d'un sourire dénué d'arrière-pensée.

— Qui t'a dit cela ? C'est Quaan, n'est-ce pas ? Me croit-on prophète accompli parce qu'un clair de lune écarlate me donne des insomnies ? Ne peux-tu répondre simplement, Thomas Covenant ?

Le regard s'était de nouveau aiguisé. Covenant espéra que le sien ne livrait rien de son déchirement intérieur.

— Quelle qu'elle soit, mon attitude à votre égard est indépendante de ma volonté. Je n'ai rien désiré de ce qu'il m'arrive, et c'est contraint et forcé que je suis venu délivrer ce message.

— Veux-tu te décharger dès maintenant de ce fardeau ? demanda doucement Mhoram.

Covenant hésita. La voix de Férus tonna sous son crâne. « *Gloton a trouvé le Bâton de la Loi... Et je triompherai... je triompherai... je triompherai...* »

— J'attendrai d'être devant le Conseil. Ma langue se changera en pierre si je dois prononcer deux fois ces paroles funestes.

Mhoram acquiesça d'un signe de tête, puis, comme pris d'une inspiration soudaine :

— Ton message explique-t-il la profanation de la lune ?

Covenant se tourna d'instinct vers le balcon. Elle était là, énorme, basse encore, d'un rose écœurant tout gorgé de pâleur diurne, cauchemar d'apocalypse enfanté par un Territoire en état de choc.

— C'est de l'épate ! De l'esbroufe ! s'écria-t-il d'une voix frémissante. Il veut nous impressionner, voilà tout ! (Pour lui-même, il ajouta :) Belle victoire, Férus ! Les Esprits ont-ils opposé la moindre résistance ? Quel sera ton prochain exploit ? Violeras-tu des enfants ?

Mhoram s'était mis à faire les cent pas, les mains dans le dos solidement fermées autour du bâton seigneurial.

— Le péril se manifeste au pire moment, gronda-t-il, les yeux au sol. Le nombre de Chevaliers a chuté au-dessous de deux mille et celui des Sangdragons ne dépassera jamais les cinq cents. C'est moins qu'il n'en faudrait pour la seule défense du Donjon. Pour ce qui est des Seigneurs, nous ne sommes plus que cinq, dont deux vieillards parvenus aux limites de leurs forces, et aucun d'entre nous n'a maîtrisé plus qu'une infime partie des leçons comprises dans le Premier Tabernacle de Kévin. Jamais les Protecteurs du Territoire n'ont été plus démunis ! C'est à peine si nos efforts conjugués pourraient faire pousser des broussailles sur le sol glabre de Kurash Plénéthor.

— Dans ce cas, répliqua Covenant, conseille à tes amis de s'armer de courage car ce que j'ai à dire ne fera qu'aggraver leur désarroi.

Mhoram ne parut pas avoir entendu. Il s'immobilisa et ce fut presque souriant qu'il apostropha Covenant sur le ton de la camaraderie.

— Pour être franc, Thomas Covenant, ce n'est pas tout à fait sans raison que je discerne en toi un allié. Ne portes-tu pas un bâton *lillianrill* et un couteau *rhadhamaerl*? Et ce bâton a combattu un ennemi de grande envergure. J'ai interrogé l'Ecumeur à ton sujet. D'autres que moi ont dû te faire confiance, sinon tu ne serais jamais parvenu jusqu'ici.

— Détrompe-toi, rétorqua Covenant, les mots comme des flèches lancées contre l'image insupportable du Thomas Covenant que les propos de Mhoram tentaient d'accréditer. Ils m'ont forcé à venir, tous! Pour ma part, je n'y tenais pas. Depuis que cette histoire a commencé, mon destin ne m'appartient plus.

— Tu as perdu la foi, n'est-ce pas? Peut-être, après tout, mérites-tu ton sobriquet d'Incrédule. Mais voici venue l'heure des Vêpres. Désires-tu m'accompagner? Nous parlerons en chemin.

Covenant accepta aussitôt. En dépit de sa lassitude, il voulait continuer de bouger, de s'occuper l'esprit. Tout, plutôt que se morfondre dans la solitude d'une geôle dorée.

— Conduis-moi. Je te suis.

Bannor attendait dans le couloir. Quand ils furent sortis, il alla chercher la torche qu'avait allumée Birinair et prit place derrière Covenant. Celui-ci s'égara vite dans la complexité des tours et des détours que proposait le labyrinthe. Ils atteignirent une immense muraille aveugle que Mhoram effleura de son bâton. Un pan de granit pivota, révélant un pont suspendu au-dessus de la cour.

Covenant n'y jeta qu'un coup d'œil avant de battre précipitamment en retraite.

— Je ne peux pas! Le vide me fait peur. Allez là-bas sans moi.

Mhoram le dévisagea, surpris.

— Pas du tout! Nous allons contourner la cour. Viens, tu n'as rien à craindre.

Ils rebroussèrent chemin, puis empruntèrent un lacis de couloirs et d'escaliers qui débouchaient sur l'esplanade. Au-delà commençait le bâtiment principal dans lequel Covenant pénétra pour la première fois.

Un large couloir dont la rectitude était contrariée par de faibles aspérités, comme si ceux qui l'avaient creusé s'étaient soumis au grain de la pierre, les entraîna dans les tréfonds de la montagne. A intervalles capricieux s'embranchaient des couloirs et des galeries par lesquels un nombre toujours croissant d'hommes et de femmes rejoignaient le flux principal. Covenant supposa qu'ils se rendaient tous aux Vêpres. Certains arboraient le turban et le plastron des Chevaliers; d'autres, que l'on eût reconnus sans cela, portaient les couleurs des Sylvestres et des Pétragîtés. Parmi ceux-ci, il repéra spontanément les Initiés du *lillianrill* et du *rhadhamaerl*. Mais la plupart représentaient plus prosaïquement toute la gamme des petits métiers indispensables au fonctionnement d'une grande cité: cuisiniers, blanchisseurs, bouchers, maçons, artisans de toutes sortes... Ici et là, on remarquait un Sangdragon. Les gens s'écartaient sur le passage du Seigneur et le saluaient avec déférence. Il répondait toujours, offrant son sourire à la ronde, mettant parfois un nom sur un visage. Bannor suivait, sombre et silencieux comme une ombre, attentif comme un ange gardien, et si ses yeux demeuraient rivés sur la nuque de Mhoram, en vérité, rien ne leur échappait.

Le flot grossissait toujours. Mhoram obliqua sur la droite. Il s'arrêta devant une porte close.

— C'est ici que je vous quitte. Bannor, conduis notre invité dans l'enceinte sacrée et trouve-lui une bonne place. (Il regarda Covenant.) Demain, à l'heure qu'il jugera opportune, le Conseil t'entendra.

Sur un hochement de tête, il s'éclipsa.

Plus loin, le couloir s'évasait à angle droit pour devenir une galerie circulaire qui ceinturait une immense rotonde percée d'ouvertures voûtées assez hautes pour livrer passage à des Géants. La foule s'y engageait avec une hâte exempte de toute bousculade. Deux factionnaires flanquaient chaque porte, représentant l'un la tradition du bois, l'autre celle de la pierre.

— Si votre cœur est lourd, déposez son fardeau avant d'aller plus loin, psalmodiaient-ils à tour de rôle. A l'intérieur, il n'y a pas de place pour les affligés.

Bannor tendit sa torche à l'adepte du bois. Celui-ci chanta quatre notes et moucha simplement la flamme de son poing. Ils entrèrent.

Covenant se trouva sur un balcon qui courait à la circonférence de l'énorme cavité. Aucune source de lumière à l'intérieur, mais la clarté se répandait généreusement par les ouvertures. Au-dessus d'eux, six autres balcons, tous combles. En bas, l'immense salle était noire d'une foule ordonnée, paisible, plus dense au voisinage de la plate-forme. Celle-ci occupait un bon tiers de l'arène.

Appuyé de l'estomac à la balustrade, Covenant ressentit les premiers symptômes de la fièvre du vide. La Pierre-qui-Rit, décidément, regorgeait d'abîmes ! Mais le garde-fou qui clôturait ce balcon était de granit large et rassurant. Covenant l'étreignit des deux mains et se força à regarder. Le vertige reflua un peu. Il ne resta qu'un vague murmure intérieur, un flou léger au coin des yeux. Déjà, la lumière déclinait. On fermait les portes, l'une après l'autre. Dans la nuit retrouvée, les mille petits bruits que sécrète une foule silencieuse s'enflèrent comme le souffle affolé d'un immense esprit collectif. Seul Covenant demeurait étranger à la ferveur de l'attente. Les ténèbres qui racornissent le cœur l'avaient coupé de la foule des fidèles. Il était un esquif dérisoire dont on venait de trancher les amarres et qui dérivait à travers les espaces stériles de la nuit éternelle. La sensation poignante de sa solitude le poussa à rechercher le contact de l'épaule indifférente et stoïque du Sangdragon. Ainsi, il se sentit moins perdu.

Puis deux flammes jaillirent aux deux extrémités de la plate-forme : une torche *lillianrill* et un pot de phosphorescentes. Toutes faibles et lointaines qu'elles apparurent à Covenant, elles suffirent à révéler Birinair et Tohrm, leurs porteurs respectifs, ainsi que les cinq personnages qui avaient pris place sur l'estrade. Derrière Birinair se tenaient deux silhouettes drapées de bleu. L'une d'elles était Mhoram. Une femme chargée d'années s'appuyait sur son bras. Derrière Tohrm leur faisaient pendant une femme d'âge mûr et un vieillard, également vêtus de bleu. Covenant reconnut aussitôt l'homme qui dressait sa haute stature entre les deux groupes. C'est lui, devina-t-il. C'est Prothall, le Seigneur absolu.

Sa taille, sa carrure démentaient la barbe et les cheveux blancs. A trois reprises, l'embout de métal de son bâton claqua contre la pierre. Et lorsqu'il parla, ce fut comme si les années se précipitaient sur lui. Sa voix était celle d'un homme presque parvenu au bout de sa route.

— Nous sommes réunis en ce lieu pour assister aux Vêpres de la Pierre-qui-Rit, citadelle érigée par les Géants pour borner le monde qui nous est cher. Soyez les bienvenus, forts et faibles, vaillants et timorés, ombre et lumière, corps et âmes, pour le bien de tous ! Que la paix soit sur vous et autour de vous ! Les heures qui viennent sont dévolues au service de la Terre.

— Puisse le Territoire retrouver le salut et l'espoir ! entonnèrent ses compagnons. Puissent les serviteurs de la Terre s'épanouir librement ! Nous sommes les Seigneurs du Territoire, garants de votre sérénité. Soyez les bienvenus ! Quoi qu'il advienne, gardez la foi.

Les lueurs chétives des Hospitaliers ne vacillaient point. Claires et distinctes, elles étaient le point de mire de tous les regards. Le vrai courage, songeait Covenant, ressemble à ces flammes. Pur, inaltérable. A mesure que s'élevait l'hymne des Seigneurs, sensible aux symboles comme il l'était devenu, Covenant oublia son propre sort pour penser à tous ces hommes, à toutes ces femmes qui ne vivaient qu'au travers de leur amour pour le Territoire. Sans avoir mérité le moindre châtiment, ils devraient bientôt affronter les foudres d'un ennemi mortel.

Les Seigneurs chantaient.

Dans Sept Tabernacles tient notre tradition,
Gage de notre force, de l'avenir unique protection.
Mais le Seigneur absolu veille, la Loi au poing,
Pour que la joie demeure, dans l'ombre de la Terre.
Dans Sept Tabernacles tient la Désolation.
Qui l'a voulu ? Ce sont les félons.
Mais le Seigneur absolu veille, la Loi au poing,
Pour que meure la nuit, avant d'avoir été.

Leurs voix furent lentes à s'éteindre. Le silence revenu, Prothall récita l'Acte d'Obligation.

— « Nous sommes les nouveaux Protecteurs du Territoire. Nous avons juré de nous consacrer à la résurrection de la Tradition de Kévin. Nous avons juré de rendre le Territoire à sa beauté originelle. Mais nous avons aussi prêté le Serment de Paix, car la voie de la non-violence est la seule qui puisse assurer le vrai salut du Territoire. (Une clameur s'éleva des premiers rangs des fidèles.) Nous n'aurons point de repos tant que le Territoire portera la cicatrice de notre ancienne faute et tant que la lumière n'aura pas surgi des ténèbres. »

— Qui sert le Territoire ne connaît pas l'usure, répondirent les Seigneurs. Si notre courage ne flanche pas, nous en saurons toujours plus, et si notre vigilance ne s'essouffle pas, la connaissance toujours plus intime de la Tradition nous rendra nobles et joyeux. Nous vaincrons la nuit. Nous sommes les nouveaux sauveurs du Territoire.

> *Nous ne dormirons,*
> *Ni ne fléchirons,*
> *Ni ne perdrons la foi,*
> *Ni n'échouerons,*
> *Tant que les eaux de la Grise ne couleront pas bleues*
> *Et tant que Rill et Maerl n'auront pas la clarté*
> *Du Llurallin d'antan.*

Cette fois, la foule entière reprit leurs paroles, mot pour mot. Le chœur immense s'envolait vers la voûte, l'enveloppait sans trouver d'issue et s'affolait à ricocher contre l'énorme enceinte, chaque syllabe remplacée avant d'être complètement effacée. Covenant était cerné. Les résonances glacées de la prière glissaient le long de ses os. Le silence qui s'installa peu à peu avait quelque chose d'étouffant. Prothall l'accueillit tête baissée, dans une attitude de profonde humilité.

Il se redressa brusquement et jeta ses bras au plafond comme pour s'offrir à la vindicte des fidèles.

— Hélas, mes amis, pourquoi les Protecteurs de la Terre ont-ils échoué à pénétrer les mystères de Kévin ? Lequel d'entre nous peut-il se vanter d'avoir fait progresser le maigre savoir acquis par nos prédécesseurs ? Nous connaissons par cœur les mots compris dans le Premier Tabernacle, mais en dépit de nos efforts, leur sens nous demeure obscur. De quel péché nous rendons-nous coupables pour que le présent qui nous fut spontanément donné se dérobe ainsi à notre intelligence ?

Un nouveau silence accueillit cet aveu de défaite dans lequel chacun reconnaissait ses propres limites. Quand rien ne le laissait prévoir, une voix nouvelle se fit entendre. Avec chaleur et conviction, elle exprima l'espoir qu'aucun homme ordinaire n'eût osé formuler, même en son for intérieur. C'était la voix de Cœur Salin L'Ecumeur.

— Seigneurs, nous n'avons pas dit notre dernier mot ! C'est vrai, le bilan de notre action n'excède pas la consolidation des acquis de nos parents. Mais notre acharnement ouvre la voie aux générations futures. Nos enfants et les enfants de nos enfants réussiront là où nous avons échoué car nous leur léguons une ferveur intacte. Associé aux pouvoirs bienfaisants et redoutables que recèle le Territoire, cet héritage accomplira des miracles. Haut les cœurs, Frères du Roc ! Votre vaillance est inestimable.

Mais le temps... le temps ? grondait Covenant. Que peut la foi la plus ardente contre le temps ? Férus nous anéantira et vos enfants ne verront pas le jour. C'était donc ça, ces Seigneurs omnipotents dont Atiaran lui avait rebattu les oreilles ? On était bien loin des êtres supérieurs, superbes forgeurs de destinées qu'il avait imaginés ! Férus allait les balayer.

« A Prothall, fils de Dwillian, le Seigneur absolu, tu diras que l'intervalle qu'il leur reste à vivre sur le Territoire... »

Et c'était à lui, Thomas Covenant le lépreux, qu'était échue la corvée de prononcer l'arrêt de mort.

— Ramène-moi dans ma chambre, souffla-t-il d'une voix oppressée. Je n'y tiens plus !

Bannor ne posa aucune question. Il le prit par le bras et le fit sortir. Une fois dans la galerie, il ralluma sa torche à l'un des flambeaux qui s'intercalaient le long de la muraille circulaire.

Covenant se dégagea d'une secousse.

— Ne me touche pas ! Ne vois-tu pas que je suis malade ?

La physionomie pesante n'exprima ni compassion, ni mépris, ni agacement, rien qui eût pu mettre Covenant sur la voie des sentiments du Sangdragon à son égard. Elle n'exprima rien. Bannor le précéda sans un mot à travers la mystérieuse géométrie des couloirs, profonds, étroits comme des galeries de mine.

Covenant, cependant, songeait. Comment puis-je les aider quand je n'ai même pas la force de me tirer moi-même de ce pétrin ? Quand il se trouva seul dans la chambre qu'incendiaient la lueur des phosphorescentes du jeune Hospitalier et celle de la torche que Bannor avait scrupuleusement replacée au-dessus du lit, il commença à cerner davantage le dilemme effroyable où l'enfermait son rêve et à souffrir davantage. Le spectre de Bérek le talonnait. Saisi de l'espoir insensé d'y trouver un démenti à ses soudains fantasmes de responsabilité, il consulta la tapisserie. Bérek y trônait, tout entier maîtrise de soi et belle apparence. Covenant se jeta sur lui.

La trame serrée de l'ouvrage refusa de se laisser lacérer, mais il parvint à le détacher du mur. La tapisserie était si lourde qu'il dut la traîner sur le balcon. Les yeux fermés, il la fit basculer dans le vide. Il imagina la trajectoire verticale de sa chute, plus rapide que celle de n'importe quelle feuille morte.

Je ne suis pas... Je ne serai jamais...

Essoufflé par l'effort, il fit quand même coulisser les panneaux de bois qui fermaient la baie. La nuit resterait rouge, mais du moins ne la verrait-il pas. Il arracha sa tunique bleue comme si elle était empoisonnée. Il se coucha tout nu, et le contact des draps de soie ne lui fut d'aucune consolation.

14

Le Conseil des Seigneurs

A son réveil, l'esprit vaseux, le corps lent, il accomplit machinalement tous les gestes de la toilette et de l'habillage. Bannor apporta le plateau du petit déjeuner. Il mangea de tout avec autant de plaisir que s'il ingurgitait des gravillons. Glisser dans sa ceinture le couteau d'Atiaran. Empoigner le bâton de Baradakas. Fin prêt, il s'assit, la nuque raide, pour attendre la convocation.

Quand Bannor vint le chercher, il glissa la main sous sa chemise pour puiser du courage dans le toucher de l'anneau... *Le rêve doit continuer !*

Tout le long du trajet, il suivit le Sangdragon comme un enfant, dans la cour ensoleillée, puis à travers le labyrinthe tortueux de la Pierre-qui-Rit, jusqu'à de vastes salles nues en enfilade, toutes semblables, puissamment éclairées. Dans la dernière, deux grandes portes cintrées de bois sombre étaient gardées par quatre Sangdragons. Bannor n'eut qu'un geste à faire. On ouvrit l'une des portes. Tous deux pénétrèrent dans le saint des saints.

C'était une immense pièce ronde à plusieurs niveaux coiffée d'un plafond à voûte nervurée, inaccessible et profond comme celui d'une nef. Des sièges s'étageaient sur les gradins disposés en arc de cercle au creux duquel, au niveau intermédiaire, se logeait la boucle d'une table semi-circulaire. Au plan inférieur brasillait une ample coupe de phosphorescentes supportée par quatre énormes torches fichées debout dans la pierre. Pas de combustion, pas de fumée, mais des flammes claires au rayonnement constant. Bannor conduisit Covenant au niveau le plus bas, à gauche de la coupe où l'attendait une chaise vide. L'Ecumeur se trouvait déjà de l'autre côté, écroulé sur un siège à sa mesure, un sourire de bienvenue aux lèvres. Tout en descendant les marches, Covenant examinait les autres personnes présentes, fort peu nombreuses au demeurant et comme perdues dans cette immense cavité, si vide qu'elle prenait des allures de crypte. Les cinq Seigneurs étaient installés autour de la partie convexe de la table, face aux visiteurs. Prothall, Seigneur absolu, présidait au sommet du fer à cheval qui était aussi le centre géographique de la salle, flanqué de part et d'autre d'un homme et d'une femme d'âge canonique. Le même écart était respecté entre Mhoram et la vieille femme, ainsi qu'entre le vieillard et l'autre femme, celle-ci dans la force de l'âge et le visage énergique. Les bâtons étaient sur la table, devant leurs propriétaires. Derrière chaque Seigneur avaient pris position quatre Sangdragons au garde-à-vous. Tout en haut de l'amphithéâtre, dans l'axe de Prothall, se tenaient les deux Hospitaliers, Birinair et Tohrm. Derrière le premier, un Chevalier dont le plastron s'ornait de deux diagonales noires ; derrière le jeune garçon, l'Insigne Tuvor, Capitaine des Sangdragons.

Covenant s'installa le plus dignement possible. Outre qu'il n'est jamais agréable d'être placé en contrebas de ses interlocuteurs, il avait l'impression qu'une distance considérable le séparait des Seigneurs et qu'ils ne s'entendraient jamais. Sa surprise fut grande lorsque Prothall se leva et prononça d'une voix faible :

— Thomas Covenant, le Conseil des Seigneurs est heureux de t'accueillir.

Si parfaite était l'acoustique du lieu que les syllabes étouffées résonnaient aussi distinctement à son oreille que s'ils s'étaient trouvés à côté l'un de l'autre. Mais le plus grand sujet d'étonnement, c'était le Seigneur absolu lui-même. Malgré son regard las, malgré son visage raviné, l'homme était encore dru. Une volonté de fer habitait ce corps menacé de délabrement. Rien de tel chez ses voisins immédiats. Les deux têtes couronnées de fin duvet blanc dodelinaient vaguement et l'expression niaise des visages hésitait entre la méditation et l'assoupissement. La belle prestance de Mhoram le rendait par contraste plus dangereux et plus imprévisible que Covenant ne l'avait estimé jusqu'alors. Quant au cinquième Seigneur, il ne savait rien d'elle, mais son regard de défi obstinément fixé sur le sien lui inspirait les pires conjectures.

— Tout d'abord, les présentations, murmura Prothall. A ma droite se trouvent Variol Tamarantha-mi, fils de Pentil, jadis Seigneur absolu, et Osondréa, fille de Sondréa. A ma gauche, voici Tamarantha Variol-mie, fille d'Enesta, et Mhoram, fils de Variol. Tu connais déjà Cœur Salin l'Ecumeur de Marepremere, ainsi que les Hospitaliers. Derrière eux se trouvent l'Insigne Tuvor, Capitaine des Sangdragons, et Garth, qui commande la Milice du Donjon. Tous ceux qui sont ici en ont le droit. T'insurges-tu contre leur présence ?

M'insurger ? Etonné, inquiet, Covenant secoua la tête.

— Tant mieux ! (Prothall glissa les yeux sur le Géant. Sa voix gravit plusieurs octaves. C'était maintenant un organe aux intonations riches et maîtrisées chargé de véhiculer la sympathie et le plaisir que l'on avait d'accueillir cet autre visiteur.)

Sois le bienvenu, Cœur Salin, Géant de Marepremere, Frère du Roc et dépositaire de la Loyauté Territoriale. Les Errants sont une bénédiction pour le Territoire.

L'Ecumeur s'était levé. Son visage reposé, détendu rayonnait de reconnaissance et de respect.

— Seigneurs et Protecteurs, je vous salue. Je parais devant vous chargé d'un message de mon peuple. Que la vérité s'exprime par ma bouche et qu'à mes oreilles résonne l'approbation de la pierre ancestrale ! Voici venu le temps de mettre à l'épreuve les promesses de jadis. A travers la forêt Colossale, le plateau de Sarangrave, à travers Andelain, j'ai porté leur souvenir jusqu'à vous. Ce ne fut pas sans mal, mais mon ami Thomas Covenant a promis d'écrire une épopée pour célébrer ce voyage. (L'Ecumeur se rassit. Il souriait franchement.) Je suis un Géant. Faites en sorte que ce poème soit à ma taille.

Une lueur d'humour vint plisser les yeux de Mhoram, et Prothall ne dédaigna pas d'honorer d'un pâle sourire cette allusion à la légendaire loquacité des Géants. Ni Variol ni Tamarantha ne semblaient se soucier de ce qui les entourait. Quant à Osondréa, son visage ne bougea pas d'une ligne, sauf pour questionner avec une pointe d'impatience :

— Viens au fait, Géant. En quoi consiste ton ambassade ?

L'Ecumeur avait retrouvé sa gravité. Nul vestige d'ironie dans la sévère martialité de son expression. Covenant crut même déceler une certaine gêne.

— Les paroles que je vais prononcer ne sauraient tomber plus mal, commença-t-il d'une voix solennelle, et je vous supplie de garder en mémoire les épreuves que nous avons subies avant d'être jetés sur les rivages du Territoire et la solidité de notre amitié depuis lors. Errants, nous sommes des orphelins sans foyer, des créatures que la grâce a désertées, et tels nous resterons tant que nous n'aurons pas foulé le sol natal. C'est pourquoi nous n'avons jamais perdu l'espoir ; notre survie était à ce prix et pas un jour ne s'est écoulé depuis le temps lointain du grand Damelon sans que nous guettions les présages qu'il nous avait annoncés. (L'Ecumeur se tut, son regard pensif fixé sur Covenant, puis, comme à regret, comme s'il lui en coûtait, il reprit la parole.) Notre persévérance a peut-être enfin trouvé sa récompense. Avec l'arrivée du printemps, nos vaisseaux sont rentrés au port et, pour la première fois, les recherches n'avaient pas été vaines. A la périphérie du vaste domaine océan qui leur avait été attribué, une île leur était apparue, postée à la frontière des mers que nous avions jadis sillonnées en pure perte au plus fort de l'adversité. C'est bien peu, me direz-vous, mais notre prochaine expédition ira droit sur cette île et au-delà pour tenter de retrouver le chemin parcouru par nos ancêtres. (Brusquement, la voix du narrateur retrouva son enthousiasme naturel. On sentait qu'il approchait du point crucial de son récit.) Damelon, fils du Fondateur, nous avait livré un autre présage. Notre exil, affirmait-il, prendrait fin lorsque la semence de nos mâles retrouverait sa force et que s'inverserait le déclin de l'espèce. Or, la nuit même du retour de nos vaisseaux, une de nos femmes... Roc et vent! Ma langue frémit dans ma bouche! Que ne puis-je raconter la chose dans le style héroïque qu'exigerait une si grande nouvelle!... Pour aller vite, sachez qu'une de nos femmes a donné naissance à trois fils!

Le visage maussade d'Osondréa s'épanouit subitement. Covenant enregistra, stupéfait, ce changement d'expression. Ainsi, cette forte femme était capable d'émotion. Même Variol et Tamarantha manifestèrent le plaisir sincère que leur causait un événement de si bon augure; ils échangèrent un sourire.

— Roc et vent! s'exclama l'Ecumeur. A force de hâte, me voilà tout bouleversé. Je me présente devant le Conseil afin que soient respectés les engagements d'antan. Loric Mortauvil, Seigneur absolu en son temps, nous avait promis un don du Conseil à l'heure où s'accompliraient les présages. Un cadeau, pour abréger le trajet de retour vers le foyer de nos pères.

— Birinair, dit Osondréa sans élever la voix.

Là-haut, le vieil homme se leva.

— Présent! Ne craignez rien, je ne dors pas. Moins gâteux que j'en ai l'air. J'ai tout entendu.

— Dans ce cas, qu'attends-tu pour nous renseigner? Te souvient-il de la nature du présent que Loric avait promis aux Géants?

— Si je m'en souviens? Je le prouve sur-le-champ! Ma mémoire ne flanche pas encore, figurez-vous. Il s'agit du *lorliarill*, du Cœur de Vermeil, ce bois fabuleux avec lequel on fabriquait quilles et gouvernails. (Au jeune Tohrm qui le regardait avec un sourire en coin, il lança d'un ton rageur :) Ose dire le contraire, espèce de *rhadhamaerl*! Ma mémoire, comme le *lor-liarill*, a la solidité du roc.

— Eh bien, peux-tu le faire? s'enquit Osondréa.

— Faire quoi? demanda le vieil Hospitalier, benoîtement intrigué.

— Peux-tu fabriquer les quilles et les gouvernails de Cœur de Vermeil dont les Géants auront besoin? (Osondréa regarda l'Ecumeur.) Combien de vaisseaux?

— Sept. Cinq, mais c'est le minimum.

— Alors? questionna Osondréa sans regarder personne.

Birinair émit quelques grommellements très audibles. Tablette et stylet surgirent des plis de sa soutane. Il couvrit l'une de calculs frénétiques tandis que les grincements de l'autre emplissaient l'hémicycle.

— La tradition du *lillianrill* ne s'est pas perdue, laissa-t-il tomber, mais c'est juste. Nous ferons pour le mieux. J'aurai besoin de temps... et de tranquillité.

— Combien de temps?

— Si on nous fiche la paix, il faudra bien compter quarante ans. C'est ainsi, et ce n'est pas ma faute. (Sa voix s'affaiblit en un murmure consterné.) Je suis navré, l'Ecumeur.

— Quarante ans ? (Le rire du Géant battit comme un gros insecte contre les murs.) Ne crains rien, Birinair, ces années-là passeront vite ! Seigneurs, mes amis, je ne sais comment vous remercier. Ce présent n'est pas de ceux qu'une fidélité vieille de trois mille ans peut prétendre acquitter. Sept quilles et sept gouvernails en Cœur de Vermeil, cela n'a pas de prix !

Prothall secoua doucement la tête.

— La seule chose inestimable, c'est l'amitié de ton peuple, Géant de Marepremere. Même la pensée d'avoir adouci votre voyage de retour ne pourra combler le vide que vous laisserez dans nos cœurs. Encore notre aide se fera-t-elle attendre quarante ans. Espérons que de nouvelles lumières jaillies de l'étude du Tabernacle pourront abréger ce délai. Quoi qu'il en soit, nous allons nous mettre à l'œuvre aussitôt.

— Aussitôt, fit Birinair en écho.

Et de se rasseoir.

Quarante ans ? songea Covenant. Comme si vous disposiez de quarante ans !

— Tout est donc réglé ? demanda Osondréa. (Sollicités par son regard impérieux, l'Ecumeur et Prothall acquiescèrent tour à tour.) Je propose que nous en venions à ce Thomas Covenant, un étranger qui se fait appeler l'Incrédule. (Sans attendre, elle toisa l'intéressé.) Pourquoi as-tu jeté la tapisserie qui ornait ta chambre ?

— Parce que son motif m'offensait, dit-il, les yeux ailleurs.

Osondréa tressaillit.

— Comment oses-tu... ?

Sa voix frémissait de stupeur et d'indignation.

— Osondréa, cet homme est notre invité, la gourmanda gentiment Prothall.

Son regard aigu semblait vouloir cisailler le sacrilège, mais Osondréa se le tint pour dit et demeura coite. L'espace d'un instant, nul ne dit mot. Covenant eut l'impression désagréable que les Seigneurs se concertaient par la pensée pour convenir d'une attitude commune à son endroit. Puis Mhoram prit son bâton, se leva, contourna la table et pénétra dans la boucle du fer à cheval pour venir s'asseoir sur le bord, tournant le dos à sa propre place. Ses yeux se rivèrent sur ceux de Covenant.

— Si nous sommes méfiants, Thomas Covenant, c'est que la profanation de la lune, présage de mort s'il en est, nous a pris de court. Cependant, nous ne portons aucune accusation contre toi et jusqu'à preuve de ta culpabilité te tiendrons pour innocent. A présent, sans plus attendre, je suggère que tu délivres ton message.

Covenant ferma les yeux. Tout son corps se contracta. L'épreuve était arrivée. Il allait devoir prononcer les phrases mortelles. Inévitablement, il reverrait l'Observatoire, la jeune fille, le reste. Il résistait de toutes ses forces, mais le message du Contempteur pesait impérieusement sur sa conscience. Il était trop tard pour les répudier. Les mots s'échappèrent de lui-même comme si on les lui arrachait.

— « Au Conseil, à Prothall, fils de Dwillian, Seigneur absolu, tu diras que l'intervalle de temps qu'il leur reste à vivre sur le Territoire n'excède pas sept fois sept années à compter de maintenant. Comme preuve irréfutable de ce que j'avance, dis-leur que Gloton Larva, Lémure des Hauts du Tonnerre, a trouvé le Bâton de la Loi perdu par Kévin pendant le Rituel de Profanation, voilà dix fois un siècle. C'est à leur génération qu'échoit la tâche de le récupérer. Sans lui, ils ne pourront même pas me tenir tête pendant sept ans et je triompherai six fois sept ans avant la date annoncée.

» Si ta mission échoue, coquin, si le Conseil ne reçoit pas ce message, dix saisons ne seront pas écoulées que tous les êtres auront cessé de vivre à la surface du Territoire. Si je dis que Gloton Larva a fait main basse sur le Bâton, tu ne comprends pas ce que cela signifie, et c'est bien ainsi. Sache seulement que la nouvelle est assez terrifiante pour éveiller les pires angoisses. Déjà, répondant à son appel, les Lémures se mettent en marche. Les loups et les créatures du Malfrai réagissent eux aussi au pouvoir du Bâton. Mais il y a pis que la guerre. Gloton fouit toujours plus profondément dans les entrailles des Hauts du Tonnerre ; il atteindra bientôt Gravin Threndor et l'aiguille des Rugissantes. Là gisent des fléaux trop puissants, trop effroyables pour qu'aucun mortel ne puisse espérer les maîtriser. Leur déchaînement embraserait l'univers à jamais. Gloton, je le sais, est décidé à mettre au jour une de ces calamités. La Pierre de Malemort, voilà ce qu'il veut. Si elle tombe en sa possession, notre enfer à tous, grands et petits, ne prendra fin qu'avec la chute du temps lui-même.

» Encore un mot, coquin ! Un ultime avertissement. Garde-toi d'oublier qui est ton véritable maître. Je suis las de tuer et las de torturer, mais rien n'entravera l'exécution de mon plan. Je ne connaîtrai pas le repos avant d'avoir extirpé de la Terre jusqu'au dernier souffle d'espoir. Souviens-t'en et tremble ! »

Dans le silence retrouvé, la charge d'épouvante et d'horreur semblait une force compacte, capable de faire reculer les parois.

La tête basse, le Seigneur absolu étreignait son bâton comme s'il cherchait par ce geste à raffermir son courage. Ni Variol ni Tamarantha ne donnait l'impression d'avoir entendu un traître mot. Osondréa semblait en état de choc. Mhoram s'était redressé. Les yeux clos, il pesait de toutes ses forces sur son bâton. Au contact de la pierre, l'embout de métal jetait des étincelles — la fureur poussée à son extrême limite.

— Voici l'histoire que je n'aurais jamais pu inventer, murmura l'Ecumeur. Qu'attends-tu pour rire, Covenant ? Tu viens de nous annoncer la fin du monde. Aide-nous, à présent. Ris !

— C'est à vous de rire, répondit Covenant. « Les oreilles qui savent écouter trouveront la joie dont la bouche est privée », n'est-ce pas ? Ris donc, si tu le peux !

Ce que fit le Géant. Il jeta la tête en arrière et partit d'un hennissement rauque, étranglé, souffreteux, et, peu à peu, sous le bruit déplaisant prit naissance un fracas familier, désincarné mais bien réel, dans lequel l'assistance ébahie reconnut l'expression magnifique d'un humour sincère. Covenant en demeura bouche bée. Cet effort de volonté tenait du miracle.

Prothall leva lentement la tête.

— Les Géants sont une bénédiction, souffla-t-il.

Mhoram abandonna son attitude hiératique. Son corps se relâcha un peu. Les étincelles moururent à l'extrémité du bâton. Osondréa soupira et se passa la main dans les cheveux en un geste de coquetterie incongrue. Covenant ressentit de nouveau l'impact diffus d'une fusion mentale, comme si les cinq Seigneurs formaient une chaîne indissoluble. Jamais il ne s'était senti aussi seul, aussi pitoyable. Il était au banc des accusés. Ses juges délibéraient. S'il voulait survivre, c'était le moment de se retrancher derrière l'irréductible inviolabilité de sa conscience. Quand ils lui firent face, il fut frappé de voir combien était illusoire la résistance physique de Prothall. Dans ce visage raviné, seuls les yeux donnaient encore le change. Le message de Férus l'avait profondément affecté.

— Incrédule, parle-nous de toi. Nous devons savoir de quel instrument s'est servi l'Ennemi de la Terre pour nous signifier notre condamnation.

Incrédule, raconte-nous une histoire ! C'était toujours la même rengaine. Covenant s'exécuta sans se faire prier, jetant les mots comme s'ils ne lui appartenaient pas vraiment. Des mots devenus routiniers, sans importance. Ils étaient suspendus à ses lèvres.

— Je viens d'ailleurs. Je suis né dans un autre monde. Sans savoir comment, je me suis retrouvé sur l'Observatoire de Kévin. Avant cela, j'avais vu Gloton, puis Férus m'a... enlevé, je crois. Après m'avoir ordonné de porter son message à la Pierre-qui-Rit, il m'a laissé seul au sommet de l'Observatoire. Gloton et Férus avaient l'air de bien se connaître.

— Et le Bâton de la Loi ? questionna anxieusement Prothall.

— Gloton tenait un bâton, ciselé sur toute sa longueur, avec des embouts de métal comme les vôtres. Je n'en sais pas plus.

Il leur narra tout depuis le début, fuyant comme la peste toute allusion précise à ses rapports avec Léna, Atiaran ou Baradakas, évitant tout commentaire personnel. Quand il en arriva au Repenti assassiné, Osondréa émit un sifflement étouffé. Personne ne l'interrompit avant qu'il ne fît mention du bref séjour, à la Haute Sylve, de l'étranger malveillant que ses hôtes avaient pris pour un Ravageur. Alors :

— A-t-il donné son nom ? demanda aussitôt Mhoram.

— Il a prétendu s'appeler Jéhannum.

Comme personne ne réagissait, il poursuivit, sans mentionner les attaques souterraines dont il avait été l'objet. Quand il fallut évoquer le massacre des Esprits, sa voix s'altéra.

Qu'aurais-je pu faire, bon Dieu ? Suis-je Bérek pour affronter des monstres ?

— Des Ur-Vils par milliers attaquèrent la Célébration. Nous avons fui. Quelques Esprits en réchappèrent grâce à l'intervention d'un Affranchi. Puis la lune vira au rouge. Peu après, nous atteignîmes la rivière, et l'Ecumeur m'accueillit à son bord tandis qu'Atiaran décidait de rebrousser chemin et de rentrer chez elle. Quand ce cauchemar finira-t-il ? Si vous le savez, dites-le-moi.

A ce moment précis se produisit l'imprévisible. Tamarantha dressa brusquement la tête.

— Lesquels d'entre nous feront partie de l'expédition ? demanda-t-elle, les yeux au plafond.

— Nous n'avons pas encore pris la décision d'envoyer qui que ce soit où que ce soit, fit observer Prothall, le plus doucement qu'il put.

— Ridicule ! (Elle balaya l'objection d'un fort reniflement de mépris.) Laissons tomber le protocole, voulez-vous ? L'heure est trop grave. Moi, je fais confiance à l'étranger. N'est-il pas en possession d'un bâton d'Initié ? Quel Initié donnerait pareil présent à la légère ? Avez-vous remarqué le bout noirci ? Si je ne m'abuse, il s'est battu avec. A la Célébration, probablement. Pauvres Esprits ! (Ses yeux se fixèrent sur son époux.) Viens ! Allons nous préparer.

Ils quittèrent la salle bras dessus, bras dessous, silhouettes jumelles trop chétives pour être crédibles dans l'action. Des reliques, déjà.

Quand la minute de silence respectueux se fut écoulée, Osondréa posa la question qui lui brûlait les lèvres :

— A propos de ce bâton, justement, comment te l'es-tu procuré ?

— Baradakas, l'Initié de la Haute Sylve, m'en a fait cadeau.

— Pourquoi ?

Elle n'insinuait rien. Il était clair pour elle que l'étranger ne pouvait être qu'un imposteur.

— Il voulait, par ce geste, s'excuser d'avoir douté de moi, répliqua Covenant avec hargne.

— Par quel subterfuge l'as-tu amené à te faire confiance ?

Enfer et damnation !

— J'ai triomphé de sa maudite épreuve, voilà comment !

Silence. Mhoram prit la relève. Le ton était courtois, pour changer. Sur le fond, la méfiance crépitait en lui.

— Incrédule... pourquoi l'Initié de la Haute Sylve désirait-il te mettre à l'épreuve ?

Mentir ? Pas tout à fait. Pas encore. Edulcorer la vérité.

— A cause de Jéhannum. Son passage les avait bouleversés. Ils se méfiaient de tout le monde.

— Se méfiaient-ils d'Atiaran ?

— A votre avis ?

— A mon avis, intervint l'Ecumeur, la fidélité d'Atiaran

Trell-mie de Mithil Pétragîte est l'évidence même. Nul besoin d'épreuve pour étayer ce qui saute aux yeux.

A cela, nul ne trouva à répondre, et le silence revint. Nouvel échange télépathique au terme duquel le Seigneur absolu lui-même entra en lice.

— Thomas Covenant, dans l'intérêt du Territoire, je te somme de répondre à nos questions. (Prothall s'exprimait d'une voix au timbre assourdi, très froide.) Nous voulons savoir pourquoi l'Initié désirait mettre ta sincérité à l'épreuve. Pourquoi se méfiait-il de toi ?

— Je refuse de répondre.

— Seconde question : pourquoi Atiaran de Mithil Pétragîte a-t-elle décidé de rebrousser chemin au lieu de t'accompagner jusqu'ici ? Aucun être né du Territoire ne déclinerait de son plein gré la joie d'avoir vu la Pierre-qui-Rit au moins une fois dans sa vie. Réponds !

— Non !

Il les regarda bien en face, avec une flegmatique et hostile attention, tous autant qu'ils étaient, ces trois Seigneurs qui abaissaient vers lui des visages où se lisaient la colère, la peur, le malaise, l'indignation. Nul mépris, cependant. A leur décharge, il fallait reconnaître que l'écrasante commisération d'un Férus leur était parfaitement étrangère. Cela faisait une sacrée différence !

— Je vous supplie de ne pas insister. Ne voyez-vous pas que je m'évertue à contourner un mensonge d'une autre envergure ? Si vous me poussez à cette extrémité, nous souffrirons tous.

Prothall aiguisa son regard et, l'espace d'un instant, toute la scène se résuma à cet échange d'intentions, Covenant suppliant, et l'autre, le Seigneur absolu du Territoire, intrigué, patient, compréhensif. A la fin, Prothall soupira.

— Tu nous compliques la tâche, Incrédule ! A présent, retire-toi. Nous devons délibérer.

Covenant se leva aussitôt. L'immense salle s'emplit de la résonance de ses bottes. Il avait presque atteint la porte.

— Atiaran Trell-mie te blâmait pour le massacre des Esprits, dit l'Ecumeur.

Covenant se figea dans l'attente de ce qui allait venir. Rien ne vint. Le Géant n'en dit pas plus. Il franchit le seuil du Conseil et, levant les yeux, rencontra le visage de Bannor, moins impassible tout à coup, prêt à toutes les éventualités, y compris celle de la haine pure et simple. Bannor avait tout entendu et le jugeait. Aux yeux du Sangdragon, sa faiblesse, sa lâcheté vraisemblable constituaient le pire des crimes. La tentation de la colère passa aussi vite qu'elle était venue. Si tu veux t'en sortir, se répéta-t-il, mets ta fierté dans ta poche. C'est la règle du jeu.

— Bannor, le Seigneur Mhoram est d'avis que nous devrions faire plus ample connaissance. (La seule réaction du Sangdragon fut un haussement de sourcils peu compromettant. Covenant n'en avait cure. Il s'agissait de parler, de prendre le désespoir de vitesse.) Commençons par le commencement, veux-tu ? Ton peuple, les Haruchais, vit dans les montagnes. Vous êtes venus ici du temps de Kévin. Combien de siècles se sont écoulés depuis lors ?

— Cela fait presque deux mille ans.

— Voilà donc pourquoi vous n'êtes plus que cinq cents ! Depuis votre arrivée dans le Territoire, vous mourez plus vite que vous ne vous reproduisez.

— Les Sangdragons ont toujours été au nombre de cinq cents. Ainsi l'exige le Vœu. Quant à mon peuple, il n'a jamais quitté les montagnes. J'espère qu'il croît et prospère toujours.

— Tu parles des tiens comme si tu ne les avais pas vus depuis une éternité. (Bannor acquiesça d'un battement de paupières.) Dans ce cas... comment se fait-il que les Sangdragons soient toujours cinq cents ? Je n'ai remarqué aucune de vos femmes parmi la foule des habitants du Donjon.

— Rien de plus simple. Quand l'un de nous se fait massacrer, son corps est envoyé dans les montagnes. Un autre Haruchai vient prendre sa place ici.

— C'est donc uniquement les pieds devant que vous rentrez chez vous ? Mais votre famille ? Jamais de visite ? Toi-même, es-tu marié ?

— Ma femme est morte.

La voix, aussi calme en apparence, se chargea d'un imperceptible frémissement. On abordait un sujet délicat qui commandait la plus grande circonspection. La curiosité l'emporta.

— Quand est-elle morte ? demanda doucement Covenant.

— Il y a deux mille ans.

« *Voici les Sangdragons voués à une existence solitaire et chaste,* avait dit Mhoram. *Entrevois-tu de quelles morsures atroces le doute peut tourmenter des esprits aussi brutalement fermés à tout ce qui n'est pas le sens du devoir et de la soumission ?* »

Les paroles du Seigneur étaient bien en deçà de la vérité. Deux mille ans ! « *Quand l'un de nous se fait massacrer...* » La raison vacillait devant un esprit de sacrifice poussé à de si prodigieuses extrémités. L'effarement de Covenant était à son comble. Il se sentit gagné par une sorte d'admiration malsaine, une sympathie nauséeuse, comme s'il venait d'apprendre que le Sangdragon souffrait d'un cas de lèpre particulièrement sophistiqué.

— Pourquoi ? murmura-t-il.

Peut-être Bannor avait-il conscience de l'effet produit par ses réponses. Le cas échéant, cela ne modifiait en rien son attitude. Il avait vite surmonté la brève émotion ressentie à l'évocation de sa femme.

— A notre arrivée dans le Territoire, nous avons vu des merveilles, Géants, Ranyhyns, Pierre-qui-Rit, et des Seigneurs si puissants qu'ils refusèrent carrément de nous affronter de peur de nous anéantir. En réponse à nos proclamations belliqueuses, ils nous comblèrent de présents si magnifiques que le

Vœu nous apparut comme l'unique remerciement digne de leur générosité.

— Un remerciement qui dure depuis deux mille ans! Ne croyez-vous pas que vous en avez fait assez?

— Ne te fatigue pas, répliqua Bannor sans sourciller. Nous sommes incorruptibles.

S'il avait osé, Covenant eût hurlé de rire. Au lieu de ça, il se fâcha tout rouge.

— Pauvre fou! Penses-tu réellement que je cherche à te corrompre? En ce qui me concerne, tu peux bien continuer à servir les Seigneurs jusqu'à ne plus avoir un seul cheveu sur le caillou, je m'en moque! Je te parlais de la vie, Bannor. La vie! Tu es un être humain, après tout. A ce que je sache, tu n'as pas reçu le don d'immortalité.

— Pour nous, l'immortalité n'a pas de sens. Nous sommes les Sangdragons. Nous ne connaissons que la vie ou la mort. La fidélité au Vœu ou la Corruption.

Corruption. C'était ainsi que les Sangdragons désignaient Férus, Covenant n'avait pas oublié.

— Kévin a refusé de nous avoir à ses côtés lorsqu'il prononcerait les terribles paroles de la Profanation, reprit Bannor d'une voix brusquement tendue. Nous, les Sangdragons, responsables de sa sécurité et de celle du Territoire, il a voulu nous épargner. Nous avions juré de le protéger. Il a refusé de céder à nos supplications. Qui étions-nous pour lui désobéir?

— Si je comprends bien, depuis tout ce temps, vous n'êtes même pas certains de vivre en accord avec le Vœu prononcé naguère? Comment pouvez-vous supporter ce doute? Comment pouvez-vous supporter l'idée de tous ces siècles sacrifiés en vain? Dis-moi une dernière chose, Bannor. Si ta femme était encore de ce monde et que tu ailles lui rendre visite dans les montagnes, aurais-tu la force de revenir ici?

La porte s'ouvrit. D'un geste, une sentinelle les invita à réintégrer la Salle du Conseil.

Le Sangdragon soutint son regard sans frémir, mais quelque chose, une ombre fugitive passa sur son visage, et, l'espace d'une seconde, ce fut comme si le vide se faisait dans ses yeux.

— Non, souffla-t-il.

Covenant s'engouffra dans la salle et descendit les marches de l'amphithéâtre avec la précipitation d'un homme fuyant l'étreinte odieuse d'un fantôme.

Une fois assis, il constata que Mhoram avait regagné sa place. C'était d'ailleurs le seul changement avec la voix de Prothall, lasse au-delà de l'imaginable lorsqu'il lui adressa la parole.

— Thomas Covenant, si nous avons fait preuve d'indélicatesse à ton égard, nous solliciterons ton indulgence en temps utile. Pour l'heure, nous devons savoir qui tu es et qui tu sers. Bien que tu aies conservé par-devers toi maints renseignements de la plus haute importance, nous sommes tombés d'accord sur la manière dont s'est opéré ton transfert d'un monde à un autre.

Nul doute qu'à cet effet Férus incita Gloton à faire usage du Bâton. Seul le Bâton de la Loi peut accomplir un tel miracle. Or, jamais Gloton n'eût pu concevoir ou exécuter un projet de cette envergure sans l'aide d'un Maître de la Tradition. C'est donc sur l'ordre de Férus que tu te trouves parmi nous. Espérons, espérons qu'à son insu d'autres puissances, bénéfiques celles-ci, étaient à l'œuvre. Voici pour le comment. Reste le pourquoi. Pourquoi, s'il s'agissait seulement de faire porter son message, ne pas avoir choisi quelqu'un né du Territoire ? Pourquoi un étranger ? Pourquoi toi, Thomas Covenant ? En quoi peux-tu lui être utile ?

Covenant ne souffla mot. Simplement, il lui devint plus difficile de regarder Prothall en face.

— Autrement dit, poursuivit le Seigneur absolu avec effort, il y a du vrai dans le récit que tu nous as présenté. Bien peu d'êtres vivants savent que les Ravageurs se nommaient jadis Hérem, Shéol et Jéhannum. De même, l'existence d'un Affranchi fasciné par le mystère des Esprits d'Andelain ne nous était pas inconnue. Nous savons aussi que l'épreuve du *lomillialor* est infaillible... à condition que le pouvoir du candidat ne soit pas supérieur à celui de son juge.

— Et tout cela, trancha Osondréa, le Contempteur le sait aussi ! Il a pu t'inspirer cette histoire, Thomas Covenant, et dans ce cas les points demeurés obscurs sont précisément ceux qui te trahiraient. Pourquoi l'Initié de la Haute Sylve désirait-il te soumettre à l'épreuve du *lomillialor* ? Comment s'est déroulée cette épreuve ? Qui as-tu frappé de ce bâton ? Pourquoi Atiaran Trell-mie s'est-elle détournée de toi ? Tu as peur de répondre, Incrédule, car alors serait révélée au grand jour la machination de ton maître !

Nul ne vint au secours de Covenant. Prothall le considérait avec une sévérité mêlée de tristesse. Il haussa le ton.

— Nous exigeons un témoignage de ton innocence !

— Un témoignage ? balbutia Covenant.

— Sur-le-champ. Nous devons savoir. Tu ne peux servir le Territoire et le Contempteur. Choisis !

« *Covenant, aide-les !* »

— Je suis innocent ! (Sa propre voix lui était redevenue étrangère.) Ces crimes, cette tragédie, je n'y suis pour rien ! Ne voyez-vous pas qu'en me forçant la main vous faites le jeu du Contempteur ?

— Non, je ne vois rien de tel ! (La taille de Prothall semblait se redresser à mesure qu'il parlait.) Je ne discerne rien en toi, Thomas Covenant. Tu es insaisissable. D'où viens-tu pour exiger d'être cru sans fournir la preuve de ce que tu avances ? Moi, Prothall, fils de Dwillian, Seigneur absolu de par la volonté du Conseil, je te somme d'obéir !

Longtemps, la volonté de Covenant demeura en suspens. Ses yeux s'abîmèrent dans la contemplation des phosphorescentes. Il sentait sur lui le regard intense de l'Ecumeur. Le cœur déchiré, il se souvint des souffrances qu'avait endurées Atiaran pour qu'il puisse se trouver à temps à l'endroit précis où il était maintenant, sous la coupole de la Salle du Conseil, face aux Seigneurs. « *Deux mille ans,* chuchotait la voix bizarrement timbrée de Bannor. *Ma femme est morte. Ne te fatigue pas. Nous sommes incorruptibles.* » Mais le visage qui se profilait dans le rougeoiement des cailloux magiques était plus ancien, infiniment plus cher. Joan ! Suffit-il d'un corps malade pour balayer tout le reste ?

Déjà, ses doigts ouvraient sa chemise. Il arracha le rectangle de *krampo* toujours collé sur sa poitrine, enfila l'alliance sur son annulaire gauche, brandit le poing et, chez cet homme aux abois, le geste classique du défi revêtait la signification singulière d'une prière.

La stupeur les terrassa tous. Prothall secouait la tête comme s'il tentait de s'éveiller pour la première fois de sa vie. Mhoram s'était dressé d'un bond. Son visage s'éclaira sous l'effet d'une foudroyante inspiration. L'Ecumeur, debout lui aussi, souriait d'un air béat. Après l'éblouissement du premier instant, le scepticisme fit une embardée sur le visage d'Osondréa. Le tumulte de l'indécision s'y inscrivit si clairement que Covenant se sentit soudain très proche d'elle, la seule qui ne parût pas convaincue qu'il suffisait d'un anneau d'or blanc pour inverser le rapport de forces.

Va-t-il nous perdre ou nous sauver ? Nous perdre ou nous sauver ?

— Je ne sais pas m'en servir ! cria-t-il assez piteusement. Qui plus est, je n'ai pas envie d'apprendre. Cette bague est un souvenir personnel. Je ne suis pas le rédempteur que vous attendez. Je ne suis rien, personne, le fantôme de l'homme que j'ai été. Je suis un lépreux !

Si cette tirade désespérée ne fit aucune impression sur ceux qu'elle devait convaincre, l'urgence contenue dans la voix de Covenant tira Prothall de sa torpeur. Il retrouva assez d'empire sur lui-même pour s'adapter au bouleversement qui venait d'intervenir.

— Nous sommes enfin en mesure de te rendre les honneurs qui te sont dus, Seigneur Thomas Covenant, Incrédule paré d'or blanc. Ne nous tiens pas rigueur de notre ignorance. Ton talisman fut de tout temps un objet d'épouvante car il a l'écrasant pouvoir d'anéantir ou de restaurer la paix. A ce titre, nous respectons celui qui le porte. (Profitant d'une pause de l'orateur, on se rassit. Prothall émit un long, un douloureux soupir.) Tout s'éclaire, à présent. Pourquoi tu fus choisi, pourquoi Baradakas se méfiait de toi, pourquoi Gloton Larva a tenté de t'éliminer à l'occasion de la Célébration du Printemps. Ta ressemblance avec Bérek n'est pas fortuite. Hélas, pas plus que toi nous ne sommes initiés à la magie de l'or blanc ! Quand bien même le contenu des Sept Tabernacles nous aurait livré tous ses secrets, ce pouvoir-ci demeurerait inaccessible. Son existence fut portée à la connaissance des Seigneurs par d'antiques prophéties dont nul n'a pu interpréter les métaphores sibyllines. Par contre, elles ne font pas mystère de ton importance. C'est pourquoi, aussi longtemps que tu resteras parmi nous, tu porteras le titre de Seigneur. Nous devons avoir foi en toi.

Incapable de demeurer en place, Covenant marchait de long en large, et ce mouvement, au lieu de l'apaiser, ne faisait qu'accroître sa fébrilité.

— Vous parlez comme Baradakas! Aucun d'entre vous n'a jamais entendu parler de la lèpre et l'idée ne vous effleure pas de m'interroger à ce sujet! C'est justement la raison pour laquelle Férus a jeté son dévolu sur moi. Parce que je suis incapable... Par tous les diables! Pourquoi ne me questionnez-vous pas sur le monde où je suis né? Il a ses propres conventions, figurez-vous! Elles sont incompatibles avec les vôtres.

— Quelles conventions? murmura Prothall, inquiet.

— L'une d'elles stipule que votre monde est le produit d'un rêve.

Un rêve, entendez-vous? Rien de tout ceci n'est réel. Vous n'existez pas!

Sous son crâne, un vieux mendiant riait à perdre haleine.

La main d'Osondréa s'abattit sur la table. Ses yeux flamboyaient.

— Alors, tu es en train de dormir, n'est-ce pas? Mais comment donc! Voilà qui explique le massacre de la Célébration. Dis-moi, Incrédule, est-ce un cauchemar ou bien tes semblables sont-ils friands de ce genre de rêve?

— Assez! s'exclama Mhoram. Sœur Osondréa, ne vois-tu pas qu'il est déchiré?

Covenant balaya l'air de sa main amputée.

— C'est de moi que l'on se moque! Regardez cette main! Je sens battre le sang dans les doigts qu'il me reste. Mais c'est impossible, puisque je suis malade. Une maladie incurable, vous comprenez? Il y a de quoi devenir fou, et je le serai bientôt si je n'y prends garde. Je n'ai pas envie de perdre la raison sous prétexte que les personnages sympathiques d'un rêve exigent de moi quelque chose que je ne puis donner!

Prothall l'observait, les yeux débordant de sollicitude navrée.

— Il se peut, Incrédule, mais nous t'honorons malgré tout de notre confiance. Nous n'avons pas le choix. Jusqu'à ton amertume qui plaide en ta faveur. N'est-elle pas le signe de l'intérêt que tu nous portes en dépit de toi? Celui dont les prophéties annoncent la venue est en grand désarroi. Le jour approche, je le crains, où l'existence même du Territoire reposera sur tes épaules.

— Mais ne voyez-vous pas qu'en vous en remettant à mon soi-disant pouvoir vous faites le jeu de Férus?

— Je n'en suis pas si sûr. (Le regard de Prothall se durcit brusquement.) Incrédule, il me vient une autre question. As-tu résisté à la volonté de Férus? Je ne parle pas de la Célébration.

Lorsqu'il t'a enlevé de l'antre de Gloton pour te transporter sur l'Observatoire, t'es-tu insurgé d'une manière ou d'une autre ?

Découragé, Covenant se laissa tomber sur sa chaise.

— Je ne savais pas que c'était possible, fit-il dans un souffle. Je ne savais pas où j'étais, ni ce qu'il m'arrivait. Je ne savais plus rien.

— Tu es notre égal, à présent, Thomas Covenant, murmura Mhoram. Ta place est avec nous, autour de la table.

— Nous n'avons plus le temps de parler, dit Prothall. Il faut nous mettre au travail. Réfléchir, adopter une stratégie. Retrouvons-nous ce soir pour confronter nos propositions. Tuvor, Garth, préparez vos troupes ! Annoncez à tous que Thomas Covenant est désormais notre pair. Birinair, consacre-toi au *lorliarill*. De ton succès dépend le bonheur des Géants. Bannor, tu conduiras le Seigneur Covenant dans un logement digne de son rang.

Après un dernier regard circulaire, il gagna la sortie, suivi d'Osondréa et de Mhoram. Quand Bannor se dirigea vers l'escalier, Covenant l'imita docilement. Son secret le plus précieux, ce pouvoir de résistance à la volonté manipulatrice des autres, l'ultime garant de sa liberté, semblait brisé.

Bannor le laissa sur le seuil d'un appartement constitué de plusieurs pièces de dimensions colossales. De vastes baies livraient à la vue l'étendue monotone d'une plaine aride et l'amorce d'un plateau. Elles étaient orientées au nord. Pas de soleil.

Covenant avisa l'abondante nourriture, véritable buffet gargantuesque, étalée sur la table. Il prit la carafe de vin nouveau et traîna un fauteuil devant une des ouvertures. Des heures durant, les yeux sur le Territoire, il se demanda ce qu'il avait bien pu faire pour en arriver là.

15

Le Défi

Ce fut ainsi que le découvrit Bannor lorsque, à la nuit tombée, il vint le chercher pour l'escorter à la Salle du Conseil : assis, ou plutôt affalé dans le fauteuil, pas même ivre, les yeux cernés, les tempes creuses, le teint cireux, Covenant fut quelque temps avant de remarquer la présence du Sangdragon derrière lui.

— J'attends de voir paraître la lune, observa-t-il. Une lune rouge... un spectacle de choix. Tu te méfies toujours de moi, Bannor ?

— Nous sommes les Sangdragons. Nous n'avons que faire de l'or blanc.

— Vraiment ? (Covenant le gratifia d'un rictus de triste dérision.) Vous êtes au-dessus de ça, n'est-ce pas ? Et comment défendez-vous les Seigneurs ? A mains nues ?

— Nous... (Bannor sembla brusquement à court d'une expression adéquate)... nous sommes à la hauteur, dit-il sobrement.

D'un coup de reins, Covenant s'extirpa du fauteuil ; il se planta devant lui.

— Bravo !

Il marcha vers la porte. Au passage, il prit son bâton sur la table.

Cette fois, il fut très attentif à l'itinéraire parcouru, de façon à pouvoir retrouver son chemin sans l'aide de personne. Devant les grandes portes voûtées, ils trouvèrent l'Ecumeur et Korik conversant avec les sentinelles. Le Géant l'accueillit avec un large et chaleureux sourire.

— Roc et vent ! Seigneur Covenant, je suis rudement soulagé de ta décision, mais, entre nous, j'ai eu chaud ! J'ai bien cru m'être trompé à ton sujet, mais non, en fin de compte, l'intérêt du Territoire a prévalu. Entre tous les risques, tu as choisi le plus noble. Félicitations !

— De toi à moi, tu es la dernière personne à qui je confierais le soin de démêler les bons risques des moins bons, répondit

Covenant sans l'ombre d'un sourire. Depuis combien de temps tournez-vous en rond, déjà ? Vous autres Géants ne sauriez pas reconnaître le meilleur des risques si celui-ci vous mordait la queue.

L'Ecumeur fut pris d'un tel fou rire qu'il dut différer son entrée dans la salle. Covenant accepta le siège qu'on lui désignait à la table où les autres Seigneurs avaient déjà pris place, à l'exception de Variol et de Tamarantha, toujours invisibles. Par contre, il y avait foule sur les gradins : *rhadha-maerl*, *lillianrill*, Chevaliers, Sangdragons, Hospitaliers. Quand chacun fut installé, y compris l'Ecumeur, ce dernier sérieux comme un pape, le silence se fit. Sans attendre, Prothall se leva, s'aidant ostensiblement de son bâton.

— Il existe au sein du Conseil une loi instaurée voilà un siècle par Valiant, alors Seigneur absolu. Quand celui qui occupe cette haute fonction doute de pouvoir l'assumer plus longtemps, il peut présenter sa démission. Tout Seigneur qui se sent qualifié pour prendre la relève doit présenter sa candidature. En ce qui me concerne, mon temps est venu de rentrer dans le rang. L'épreuve qui s'annonce est trop rude pour moi. Si mes pairs veulent bien accepter ma démission, mon successeur est tout désigné. Thomas Covenant, je t'offre mon fauteuil et le bâton de Seigneur absolu.

Covenant hésitait entre la stupeur et la méfiance, mais c'était en vain qu'il scrutait le vieux visage à l'affût d'un signe de duplicité. L'offre était sincère.

— Je n'y tiens pas, vous le savez bien, murmura-t-il.

— J'insiste. Tu portes l'or blanc.

— Et alors ? Ce n'est pas si simple.

— Quand cesserez-vous de nous faire perdre du temps ? gronda Osondréa. Nous refusons votre démission.

Prothall baissa la tête. A cet instant précis, la charge semblait réellement écrasante pour un homme de son âge.

— Si telle est la décision du Conseil... (On le vit prendre une profonde inspiration. Sa taille se redressa.) La séance est ouverte, proclama-t-il. Mhoram, quel est le premier point inscrit à l'ordre du jour ?

Il se rassit.

— Frère du Roc, au plus fort de la tempête, l'amitié demeure l'unique planche de salut, déclara le Seigneur sur un ton résolu. Dans l'intérêt de ton peuple, tu dois retourner au plus vite à Marepremere afin d'avertir les tiens du danger. Mais ni les routes ni les rivières ne sont sûres désormais. Une escorte t'accompagnera.

— Ce ne sera pas nécessaire, répliqua l'Ecumeur avec courtoisie. « Celui qui reste assis sous l'épée suspendue au-dessus de sa tête ne fera pas de vieux os », affirme un proverbe Bhrathair. Autrement dit, j'ai beaucoup réfléchi et ma décision est prise. Le plus grand service que je puisse rendre à mon peuple, c'est d'accompagner les Seigneurs de la Pierre-qui-Rit et de les assister dans la mesure de mes forces. Accordez-moi cette faveur.

— Du fond de l'âme, j'espérais une telle décision ! s'exclama Prothall, tout ragaillardi. C'est un honneur pour nous d'accueillir une recrue telle que toi. Mais ton peuple ne peut être laissé dans l'ignorance de la guerre qui se prépare. Dès ce soir, des messagers partiront vers Marepremere. Osondréa ?

Sans se faire prier, celle-ci donna la parole au chef de la Milice. Garth s'était levé et se tenait dans un semblant de garde-à-vous.

— Seigneurs, j'ai obéi aux ordres. Le Feuardent brille au faîte du Donjon. Ceux qui le verront répandront la nouvelle de la mobilisation générale. Demain matin, à l'ouest de la Sérénité et au nord de la forêt de Grimmerdhore, tous seront sur le pied de guerre. Ils dépêcheront des messagers dans les plaines. Au-delà, ce sera plus lent.

» En ce moment même, mes éclaireurs font route vers Andelain et Grimmerdhore. Pourtant, six jours s'écouleront avant que ne nous parvienne la réponse de la forêt. D'autre part, sans avoir reçu de consignes à ce sujet, j'ai pris toutes dispositions en vue d'un siège éventuel. Treize cents Chevaliers se préparent activement. Vingt Equestres sont à pied d'œuvre.

— C'est bien, dit Osondréa. Envoie vite des émissaires à Marepremere. A cette fin, mobilise autant de Chevaliers que tu le jugeras nécessaire. Et maintenant... (elle joignit les mains, ferma les yeux et parut se concentrer)... et maintenant revenons-en au récit du voyage du Seigneur Covenant. La présence de l'or blanc n'explique pas tout, loin de là ! Un ouragan qui souffle du sud... le massacre des Esprits... le rougissement de la lune... (Ses yeux s'ouvrirent tout grands.) Pour moi, Gloton Larva est d'ores et déjà en possession de l'outil destructeur dont la puissance, ajoutée à celle du Bâton de la Loi, lui donne le pouvoir de pulvériser les saisons ! Ce peut être la Pierre de Malemort, ou quelque chose d'équivalent. (Les mots tombaient dans un silence d'une densité particulière. L'épouvante les accablait tous.) Le Bâton de la Loi n'est pas neutre, reprit Osondréa. Né de l'Arbre, il est au service de la Terre. Pour le pervertir, pour le dévier de sa vocation originelle, il faut une volonté hors du commun. Les Lémures sont des créatures de second ordre, faibles, capricieuses. Aucune n'est assez puissante pour accomplir les forfaits que nous connaissons si elle ne dispose pas, en plus du Bâton, d'un instrument de mort. A moins que le Contempteur lui-même n'ait fait main basse sur le Bâton. Si cela est, qu'attend-il pour nous anéantir ? Non, je ne crois pas me tromper en affirmant que Férus est tout autant que nous à la merci de la mégalomanie d'un Lémure. Sinon, la Pierre-qui-Rit aurait déjà essuyé une attaque.

— En admettant que Sœur Osondréa soit dans le vrai, alors Férus espère que nous mettrons tout en œuvre pour récupérer le Bâton, enchaîna Mhoram. Ainsi, nous nous perdrions peut-être, et, du même coup, il serait sauvé. En feignant d'être son allié, il se met provisoirement à l'abri de la vindicte de Gloton. Il le laisse jouer avec le Bâton. Il lui enseigne des tours, afin d'endormir sa méfiance et de satisfaire son goût effréné du pouvoir. Tout cela en prenant soin de ne pas nous menacer directement. Ces harcèlements n'ont qu'un but : nous contraindre à prendre des risques, à sortir à découvert afin d'arracher le Bâton des mains immondes de l'usurpateur. Férus est malin. Il attend son heure.

— Conclusion, s'écria Osondréa d'une voix tonnante, nous ne devons rien tenter, sous aucun prétexte ! Férus se sert du Bâton comme d'un appât. Ne tombons pas dans le piège !

Tous les yeux convergèrent sur Prothall. La réponse tant attendue tarda à venir. Quand elle arriva, ce fut sous la forme d'une citation.

— « Au Conseil, à Prothall, fils de Dwillian, tu diras que Gloton Larva, Lémure des Hauts du Tonnerre, a trouvé le Bâton et que c'est à leur génération qu'échoit la tâche de le récupérer. Sans lui, ils ne pourront même pas me tenir tête pendant sept ans et je triompherai six fois sept ans avant la date annoncée. » Voilà, conclut le Seigneur absolu. Nous savons ce qu'il nous reste à faire.

— Mais puisque nous sommes prévenus ! s'entêta Osondréa. Nous les attendrons de pied ferme. Gloton a l'esprit dérangé. Quel plan d'attaque infaillible germerait dans le cerveau d'un fou ? Les Géants nous aideront, ainsi que les Ranyhyns. Prothall... (sa voix se fit suppliante)... Prothall, la quête du Bâton est une chimère, une illusion forgée par nos ennemis. Si nous abandonnons la Pierre-qui-Rit, le nuage obscur nous enveloppera et ce sera la fin du Territoire.

— Tandis que si nous reprenons le Bâton, objecta Mhoram avec enthousiasme, tous les espoirs nous sont permis.

— Comment pourrions-nous réussir quand Gloton s'est rendu maître du Bâton de la Loi et de la Pierre de Malemort ?

— Erreur ! S'il est en leur possession, il ne maîtrise ni l'un ni l'autre.

— Il en sait bien assez ! Interroge là-dessus les Esprits survivants. Interroge la lune !

— Interrogez-moi, dit Covenant. (En dépit de l'horreur que lui inspirait le souvenir des yeux flamboyants du Lémure, il restait certain d'une chose : le Bâton l'avait amené ici ; seul le Bâton pourrait le renvoyer chez lui. Debout, la contenance farouche, il était l'image même de l'égoïste grondant sa futile et hargneuse colère. Il le savait. Il s'en moquait. Qu'ils entendent !) Vous prétendez que Férus m'a choisi. Vous vous trompez. Là-haut, sur l'Observatoire, il a prétendu que quelqu'un d'autre m'avait désigné. Il en parlait comme de son « Ennemi ». De qui parlait-il ?

— Je l'ignore, grommela Prothall, songeur. Nous espérions tantôt que des intérêts contraires à ceux du Contempteur étaient intervenus dans le choix de ta personne. Tes paroles tendraient à le confirmer, mais si nos plus anciennes légendes font allusion au « Créateur de la Terre », jamais ne nous fut donnée la preuve de son existence. Par contre, nous savons que les Seigneurs de la Pierre-qui-Rit ne sont pas les homologues du Contempteur. Nous sommes mortels, tandis que son pouvoir transcende toute vie ici-bas.

— Va pour le Créateur ! marmonna Covenant. Mais le problème reste entier. Pourquoi m'aurait-il choisi ?

— Qui peut le dire ? soupira Prothall. Sans doute pour les mêmes raisons que le Contempteur...

Un instant, Covenant dut supporter le regard perçant de ses yeux attentifs. Clairement, le Seigneur absolu avait déjà pris sa décision. Clairement, elle était irrévocable. Les arguments échangés entre Osondréa et Mhoram ne l'avaient été que pour lui laisser une dernière chance de trouver l'alternative miraculeuse. Il n'y en avait pas. C'était la guerre ou rien. Covenant s'affaissa sur sa chaise. Comment fait-il ? Comment font-ils tous ? Où trouvent-ils le courage ? Et s'il ne reste qu'un poltron, serais-je donc celui-là ?

Prothall rassembla autour de lui les plis bleus de sa robe et, pour la dernière fois, se leva.

— Vous tous qui m'écoutez, voici : moi, Prothall, fils de Dwillian, Seigneur absolu de la Pierre-qui-Rit, j'engage l'avenir de la Terre. Que ma volonté s'accomplisse et puisse le Territoire m'absoudre si, à cette minute, je me fourvoie !

» A toi, Osondréa, aux Seigneurs Variol et Tamarantha, je confie la Sauvegarde de notre citadelle. N'oubliez jamais. Tant que la Pierre-qui-Rit tiendra, il y aura lieu d'espérer. Si elle tombe, toute l'œuvre accomplie par les Seigneurs depuis Bérek le Rédempteur jusqu'à notre génération sera réduite à néant et le Territoire entrera dans l'ombre.

» Mhoram et moi-même, nous allons partir en quête du Bâton de la Loi dérobé par Gloton Larva. Cœur Salin l'Ecumeur et le Seigneur Covenant nous accompagneront. Tous les Sang-dragons dont l'Insigne Tuvor jugera bon de priver la défense du Donjon soutiendront nos efforts, ainsi qu'une Equestre au complet. Comme vous voyez, le gros de nos forces restera affecté à la protection de ce lieu sacré.

» Vous tous qui venez d'entendre, tenez-vous prêts. La Quête commence à l'aube.

Garth sauta sur ses pieds.

— Seigneur ! N'attendrez-vous pas les premiers messages de nos éclaireurs ? Nous saurons alors quelles forces seront nécessaires à la traversée de la forêt de Grimmerdhore.

Depuis quelque temps, la tête dans ses mains, Mhoram contemplait les phosphorescentes.

— Il nous faut une centaine de Sangdragons et tous les Chevaliers dont pourra se passer la Pierre-qui-Rit. J'ai vu

Grimmerdhore. Les Ur-Vils grouillent et les loups chassent par milliers. Ils parcourent mes songes.

Sa voix lente, avertie, prophétique et profonde évoquait des hardes innombrables dont rien ne pourrait conjurer l'avidité. Ce fut comme un vent de défaite qui émoussa toutes les résolutions.

— Raison de plus pour ne pas attendre, dit Prothall. Nous éviterons la forêt de Grimmerdhore, trop dangereuse. C'était à prévoir. Même un Lémure atteint de démence peut se rendre compte que c'est le plus court chemin pour atteindre les Hauts du Tonnerre. Nous irons vers le sud, autour d'Andelain, puis à l'est, à travers Morinmoss, pour gagner les plaines du Ra. Seule consolation de ce long détour, il nous permettra peut-être de gagner à notre cause le peuple Ra. Ainsi, tous les ennemis du Contempteur se trouveront ligués contre lui. Notre Quête est juste et noble. Puisse-t-elle aboutir ! *Melenkurion abatha ! Minas mill Khabaal !*

Prothall s'inclina. A l'exception de Covenant, tous projetèrent leurs bras en avant dans un geste qui tenait de la conjuration, de la prière et du serment.

La foule s'écoula lentement par les deux portes tandis que les Seigneurs empruntaient d'autres sorties conduisant à leurs appartements respectifs. Il ne resta plus dans la salle que Covenant et l'Ecumeur flanqués de leurs guides. Tous quatre gravirent les marches sans échanger un mot. Au moment de se séparer, le Géant sembla parvenir à une décision. Il effleura l'épaule de Covenant.

— Camarade, accepterais-tu de répondre encore à une question ?

— Non ! Si je vous laissais faire, vous me voleriez mon âme.

— Mais tu refuses avant même d'avoir entendu la question !

— A quoi bon ? N'allais-tu pas me demander ce que j'avais bien pu faire pour m'attirer la haine d'Atiaran ?

L'Ecumeur sourit.

— Je voulais seulement savoir ce que tu avais rêvé, cette nuit-là, sur le bateau.

— Des hommes et des femmes de mon peuple, des êtres de chair et d'os, s'étaient rassemblés pour me jeter des injures à la figure. Et sais-tu ce que l'un d'eux a dit ? Que j'étais déjà mort ! Es-tu satisfait ?

Il partit droit devant lui, aussi vite qu'il put afin de ne pas entendre l'éclat de rire de l'Ecumeur, mais pour une fois, celui-ci tardait à venir. Sans l'aide de Bannor, sans doute eût-il erré des heures avant de trouver la bonne porte. A peine franchie, il la claqua au nez du Sangdragon. Quelqu'un avait tiré les rideaux : les rayons malfaisants de la lune ne devaient pas entrer.

Longtemps, il arpenta l'espace compris entre la table et la fenêtre. Ses pensées s'emballaient dans toutes les directions. Il n'arrivait à rien. La fatigue le jeta tout vêtu sur le lit.

Aux premières lueurs, Bannor lui secouait l'épaule. Il résista. A la perspective effrayante d'une seconde randonnée, aussi longue, plus dangereuse que la première, il avait envie de dormir cent ans. Bannor s'impatientait.

— Hâte-toi, sinon nous manquerons l'appel des Ranyhyns.

— Va au diable ! Vous ne dormez donc jamais ?

— Jamais. Aucun Sangdragon n'a fermé l'œil depuis que les Haruchais ont prononcé le Vœu.

Covenant se leva en maugréant.

— Tu as réponse à tout, n'est-ce pas ? Enfin, il est inutile de t'envoyer au diable. Tu es déjà en enfer.

Se laver, grignoter quelques fruits, ce fut l'affaire d'un instant. Ne pas oublier le couteau. Ne pas oublier le bâton de Baradakas.

Bannor le conduisit dans la cour où l'antique Vermeil déployait sa puissante et fine membrure. Là, non loin de l'immense porte, s'étaient rassemblés ceux qui participaient à la Quête. Les Chevaliers de la Troisième Equestre formaient un arc de cercle derrière le Baron Quaan. A côté d'eux, prolongeant la courbe, s'étaient rangés neuf Sangdragons commandés par l'Insigne Tuvor. Au centre de ce déploiement attendaient Prothall, Mhoram et Cœur Salin l'Ecumeur, ce dernier chargé d'un énorme sac à dos et le cou ceint d'une longue écharpe pervenche toute friselante dans la brise matinale. Un gourdin de la taille d'un homme lui pendait au côté. C'était la première fois que Covenant le voyait armé. Il y avait aussi trois chevaux harnachés et sellés de *krampo*, tenus par trois écuyers. Pas de chevaux de bât, mais à toutes les selles étaient suspendus des sacs de vivres et d'outils bourrés jusqu'à la gueule. Seule face à cet aréopage martial, porte-parole de ceux qui restaient, Osondréa se tenait droite, visiblement pressée d'en finir. La façade de la Pierre-qui-Rit était noire de monde. Pas une fenêtre, pas un balcon qui n'accueillît son attroupement silencieux. Puis le soleil parut au-dessus de l'horizon et darda ses premiers rayons sur le faîte du Donjon, estompant soudain l'éclat bleu du Feuardent. Covenant remarqua, sous le pavillon pourpre du péril, un petit drapeau de couleur blanche.

— C'est pour toi, lui susurra Bannor à l'oreille. L'emblème de l'or blanc.

A la seconde où la lumière atteignit la cour, Osondréa prit la parole. Jamais son port n'avait été plus altier. Cette expédition décidée contre sa volonté l'emplissait de sombres pressentiments. L'espoir que suscitait la Quête lui paraissait aussi illusoire, aussi vain que celui du gibier en fuite. Au cours de la nuit, sa mélancolie s'était transformée en authentique et noire mauvaise humeur.

— Je déteste les cérémonies d'adieux, annonça-t-elle. Cette folle entreprise ne m'inspire qu'un enthousiasme fort limité, vous le savez, mais tant que je vivrai, la Pierre-qui-Rit tiendra.

A présent, appelez les Ranyhyns et partez. Partez sans inquiétude. Partez vite !

Prothall la considéra sans sourire, les yeux approfondis par l'horrible soupçon que, peut-être, il voyait cette femme pour la dernière fois. Tuvor attendait son signal. Il hocha la tête, imperceptiblement.

Aussitôt, les dix Sangdragons se postèrent dans l'ouverture de la porte et l'un après l'autre émirent un long sifflement mélodieux, déchirant comme un appel du fond de l'âme. Tout d'abord, et pendant de longues minutes, il ne se passa rien. Puis elle naquit, la rumeur lointaine, s'enfla jusqu'à faire trembler le sol et, du bout de l'horizon, dans la lumière rasante du soleil, accoururent les fabuleux destriers. Des mustangs, ils tenaient la musculature farouche, mais dans la grâce profonde des mouvements, dans l'élégance des silhouettes se devinaient d'authentiques pur-sang. Subjugué, fasciné par la superbe rangée de poitrails qui s'avançaient vers eux, Covenant comprit que quelque chose se passait qui était lourd de certitude joyeuse. Quelque chose qui était comme une promesse de victoire. Les Ranyhyns avaient répondu à l'appel. Lui, naguère l'époux d'une dompteuse de chevaux sauvages, il n'avait jamais vu de bêtes plus magnifiques.

Les robes, de nuances singulières, retrouvaient leur uniformité dans l'étoile blanche inscrite sur chaque front. Tout à coup, ils furent là, simplement là, irisés de lumière, comme si toute la beauté, toute la puissance du Territoire s'était concentrée en eux. Chacun fit halte devant un Sangdragon, inclinant sa longue tête en guise de salut, et bien qu'il n'y eût ni selles ni rênes d'aucune sorte, chaque cavalier sauta sur sa monture, et celles-ci, fièrement, formèrent le carré.

Covenant s'approcha d'Osondréa.

— C'est stupéfiant ! D'où viennent-ils ?

— Ces étrangers, avec leurs questions ! Quoi qu'il en soit, personne ne sait pourquoi les Ranyhyns répondent toujours à l'appel de leurs cavaliers. Sans doute pressentent-ils qu'on aura besoin d'eux et se mettent-ils en route de leur propre chef dès qu'ils ressentent la conviction intime que l'appel ne saurait tarder. Leur domaine se trouve dans les plaines du Ra. Le peuple Ra prend soin d'eux, mais nul ne les monte hormis le cavalier ou la cavalière de leur choix. C'est un immense privilège et un avantage considérable que de pouvoir chevaucher un Ranyhyn, et, ma foi, des cinq Seigneurs vivants, seule Tamarantha peut se vanter d'avoir reçu cette distinction. Pour ce qui est de la connivence unissant les Ranyhyns aux Sangdragons depuis l'ère de Kévin, cela reste un mystère presque entier.

Tandis qu'elle parlait, Prothall et Mhoram avaient enfourché leurs propres montures. Surmontant sa vive appréhension, Covenant louvoya jusqu'au cheval qui lui était destiné. Il se mit en selle sans trop d'hésitation ou de maladresse, mais sa répugnance manifeste lui valut un coup d'œil intrigué d'Osondréa. Par chance, l'arrivée de trois cavaliers que l'on n'attendait pas accapara l'attention générale. Il s'agissait des trois anciens : Variol, Birinair, le vieil Hospitalier rouspéteur, et Tamarantha, cette dernière juchée sur le vaste dos d'une splendide jument Ranyhyn. Leurs visages exprimaient tant de bonheur et de calme résolution que Covenant, redoutant pour eux l'issue du dilemme de Prothall, considéra celui-ci avec inquiétude. Tamarantha, les yeux tout plissés de malice, prit les devants.

— Accorde-nous cette joie, Prothall ! Nous sommes vieux, il est vrai, tellement vieux... et la route sera longue, nous le savons. Mais cette Quête est le seul grand défi lancé depuis bien longtemps par les Protecteurs de la Terre. La Pierre-qui-Rit n'a pas besoin de nous. Osondréa est jeune et vaillante. Elle suffira amplement à la tâche. Si nous ne sommes pas du voyage, à quoi aurons-nous servi ?

— La Pierre-qui-Rit sait que nous avons échoué à pénétrer la sagesse de Kévin, renchérit Variol. Quel bien aurons-nous fait si la Quête s'accomplit sans nous ?

— Et toi Birinair ? gronda le Seigneur absolu. Le Conseil ne t'avait-il pas confié un travail urgent ?

L'air faussement contrit, l'Hospitalier feignit de prendre le ciel à témoin de sa détresse.

— Je ne le nie pas, Seigneur, mais voyez-vous, j'ai distribué mes ordres et fait la leçon à mes assistants, et le pire — quelle honte pour moi de devoir l'admettre —, le pire, c'est qu'ils sont parfaitement capables d'accomplir ce petit miracle en mon absence. Autrement dit, je ne sers à rien. Quel malheur !

Désemparé, Prothall espéra trouver un allié en la personne de Mhoram et l'interrogea du regard. Mal lui en prit. Le jeune Seigneur détourna les yeux et, s'adressant à la cantonade, lança d'une voix mélancolique :

— La vie fait bien les choses. Hommes et femmes s'affaiblissent sous le poids des ans et se retiennent de mourir dans le seul but d'enseigner à leurs cadets les fruits d'une longue expérience. Longue vie au troisième âge ! Nous cherchons. Bien souvent, ils savent. Pourquoi se priver de conseils gratuits ?

Les uns souriaient. Les autres, imperturbables, attendaient le verdict de Prothall. Il n'hésita qu'un instant.

— Soit ! Venez et faites-nous tous profiter de vos lumières. (Il se dressa sur ses étriers.) A présent, mes amis, nous devons partir. Le temps nous est compté. Aussi serai-je bref. Un long discours ferait injure à votre courage. Deux choses, cependant. Soyez fidèles jusqu'à la limite de vos forces, et même au-delà. Et souvenez-vous du Serment de Paix. Pour ceux qui l'auraient oublié, voici le Code :

Ne frappez point quand tenir suffit,
Ne blessez point quand frapper suffit,
Ne mutilez point quand blesser suffit,

Ne tuez point quand mutiler suffit.
Le plus grand guerrier n'a pas de mort sur la conscience.

(Il pivota face à la forteresse et, brandissant son bâton, le fit tournoyer trois fois au-dessus de sa tête.) Longue vie à la Pierre-qui-Rit !

A quoi répondit l'immense clameur :

— Longue vie aux Protecteurs de la Terre !

Le Seigneur absolu fit tourner son cheval dans l'axe du soleil et partit au petit galop, sa modeste armée derrière lui.

Ainsi commença la Quête du Bâton de la Loi.

16

Sous le signe du sang

Pour Covenant, les trois premiers jours furent un supplice. Ils mettaient pied à terre à la nuit tombée, mangeaient sur le pouce, dormaient peu, remontaient en selle, et ainsi de suite. Laissant derrière eux les vallons cultivés qui formaient une couronne fertile autour de la Pierre-qui-Rit, ils avaient abordé un paysage d'austères rocailles. C'était tout juste si Covenant avait enregistré cette évolution. Il avait les reins noués, les fesses en feu, le cœur bouleversé. A travers la mince épaisseur du *krampo*, l'épine dorsale de Dura, la fringante jument qu'on lui avait attribuée, menaçait de le tailler en deux. Une fois de plus se vérifiait l'extrême perversité du rêve qui lui infligeait les épreuves les plus désagréables. Lui qui se méfiait des chevaux comme d'animaux nuisibles et considérait l'équitation comme un vice, il se retrouvait vissé sur une selle. Il enviait l'Ecumeur. Celui-là avançait au moins sur ses propres jambes puisqu'il n'existait pas de monture à sa taille.

A son insu, pourtant, grâce aux effets de l'*eau de roc* et de la prospérité contagieuse du Territoire, son corps s'adaptait aux rigueurs d'une longue chevauchée. Il était même en passe de devenir un cavalier convenable. Le moral, toujours à la traîne, exigea plus de temps. Le jour arriva enfin où il fut capable de répondre sans hurler aux questions pleines de sollicitude de l'Ecumeur. Le Géant n'en crut pas ses oreilles et se lança dans une tonitruante apologie de l'*eau de roc*, grande pacificatrice dont les vertus avaient, paraît-il, en des temps reculés, ramené la paix entre deux partis prêts à s'étriper. Tout le monde s'esclaffa. Covenant surprit même une amorce de sourire sur le visage soucieux de Prothall. D'une manière générale, Seigneurs et Sangdragons gardaient un silence équivoque, chargé d'effluves studieux ou passionnels. Les Chevaliers, par contre, se laissaient volontiers aller à de bruyantes manifestations d'enthousiasme militaire. Des plaisanteries fusaient, et des chants, vite repris en chœur. Les années d'entraînement leur pesaient. C'était en somme leur première vraie sortie. Ils avaient hâte d'en découdre.

Ils chevauchaient côte à côte ce jour-là lorsque, sans préambule, Mhoram lui posa la question qu'il avait si longtemps espéré entendre.

— Seigneur Covenant, voudrais-tu me parler du monde d'où tu viens ? Tu sembles surpris ? Il y a plusieurs raisons à cette curiosité tardive. Tout d'abord, plus long j'en saurai à ton sujet, plus il me sera facile de prévoir ce que nous pourrons attendre de toi à l'heure du péril. Ensuite, quelques renseignements sur ton milieu d'origine nous permettront d'éviter certaines maladresses à ton égard. Enfin, mettons cela sur le compte de l'amitié pure et simple.

Covenant hésitait. Ce soudain intérêt arrivait trop tard. Il n'avait plus envie de déclencher l'escalade des questions. Et puis, une réponse objective évoquerait fatalement une multitude de visages angoissés ou cruels, une rumeur de conflits ininterrompus mourant au cœur de cités tentaculaires sous un soleil las. Comment trouver les mots justes pour parler d'un tel monde ? Peut-être aurait-il suffi d'une liste, la navrante mélopée des afflictions humaines : cancer, crises cardiaques, tuberculose, lèpre, folie, alcoolisme, maladies vénériennes, toxicomanie, viols, bombes atomiques, génocides...

Il se souleva sur ses étriers. Sa main balaya lentement toute l'étendue de la plaine.

— Ce paysage n'est certes pas le plus flatteur du Territoire ; pourtant, le printemps est là. D'où je viens, la plupart des gens n'ont plus aucun moyen d'observer le cycle annuel des saisons. D'où je viens, la nature épuisée, dévastée, exsangue, n'est plus qu'un vaste champ d'expérimentation livré aux caprices de l'homme. En certains endroits privilégiés, la beauté originelle a été préservée, ou restaurée. (L'image précise et douloureuse du Refuge s'inscrivit dans son esprit.) Ces paysages intacts, nous les désignons à l'attention du voyageur sous le terme de « panorama ». Cela veut dire... (les paroles qu'il prononçait ressemblaient à une sentence de mort, et ce furent des images de mort qui s'imposèrent à lui, froides, énormes, inamovibles) ... cela veut dire que la beauté est un luxe dont nous pouvons nous passer.

Une singulière lueur s'alluma dans les yeux de Mhoram. L'Écumeur, qui avait tout entendu, poussa une exclamation étouffée.

— Se passer de la beauté ? Hélas, camarade, comment faites-vous pour ne pas succomber au désespoir ?

— Nous n'y parvenons pas, murmura Covenant, mais certains d'entre nous sont plus obstinés que d'autres.

Dès lors, il s'enveloppa de son silence comme d'un manteau pour se garantir de toute ingérence, et personne ne songea à le questionner plus avant. D'ailleurs, à mesure que déclinait la lumière, sa morosité semblait contaminer jusqu'aux Chevaliers.

Covenant fut lent à s'en apercevoir. Il devina la raison de l'accablement général. Cette nuit, se lèverait la pleine lune. Si Gloton pouvait maintenir son emprise sur l'astre dans toute la puissance de son épanouissement, alors, il faudrait admettre que son pouvoir n'avait pas de limites discernables.

Seuls Variol et Tamarantha restaient d'humeur égale. Les yeux mi-clos, la vieille femme s'abandonnait entièrement à sa monture, et si son époux tenait ses rênes d'une main ferme, sa petite figure toute chiffonnée exprimait une désolante sénilité. Etaient-ils inconscients ? Avaient-ils l'âme mieux trempée ? L'un comme l'autre semblaient immunisés contre la peur.

En fin d'après-midi, la troupe fit halte sur le flanc septentrional d'une colline pelée. On posta des sentinelles. Les Ranyhyns s'éloignèrent au galop pour se livrer, loin des regards étrangers, aux rites ou aux jeux propres à leur espèce. On se rassembla autour d'un grand feu que Birinair avait allumé à l'aide d'un bâton de *lillianrill*. On mangea peu. Frileusement recroquevillés sous leurs couvertures, Chevaliers et Seigneurs attendaient l'apparition de la lune. Les Sangdragons qui ne faisaient pas le guet regardaient droit devant eux.

Puis les derniers lambeaux de clarté s'évanouirent. Assis au milieu de ses compagnons de route, Covenant gardait les yeux obstinément fixés sur le feu. Il en venait à regretter la franche camaraderie, la volubilité tapageuse qui l'avaient si souvent agacé pendant le jour. Mais c'était au Seigneur absolu qu'il appartenait d'arracher le bâillon du découragement. Doucement, comme il eût fait d'un psaume, Prothall entonna le premier couplet de l'Hymne de la Pierre-qui-Rit :

> *Dans Sept Tabernacles tient notre tradition,*
> *Garante de la force, de l'avenir unique protection.*
> *Mais le Seigneur absolu veille, la Loi au poing,*
> *Pour que la joie demeure dans l'ombre de la Terre.*

Tamarantha fut la première à se joindre à lui, puis Variol l'imita, puis Birinair, puis Mhoram et tous les autres, formant un chœur assourdi et passionné. Covenant se cantonnait farouchement à la périphérie de leurs voix. Bientôt, il le savait, la lune répandrait sa lueur ensanglantée à la surface du Territoire. Et lorsqu'il entendit Mhoram jurer entre ses dents : « *Melenkurion ! Melenkurion !* » son angoisse se mua en certitude. Aussitôt après se fit entendre la plainte vague et lointaine d'un animal. La tentation devint trop forte. Covenant s'arracha à la fascination des flammes. Levant les yeux, il contempla le désastre. Un filtre rouge recouvrait toute chose, et quand il regarda ses mains, stupéfait, il vit que son alliance avait viré au pourpre, comme s'il l'avait trempée dans un bain de sang dont elle se serait imbibée.

L'espace d'une seconde, saisi d'horreur, il s'accabla de muets reproches pour ne pas s'être préparé au pire. Quelle étourderie ! Quelle insouciance ! Sous l'œil interloqué de ses voisins, il se leva aussi soudainement que pour aller se battre et demeura planté là, bras ballants, poings crispés, si belliqueux de visage que Bannor se méprit et voulut le rassurer.

— Ce n'est rien, Seigneur Covenant! Si les loups préparaient une attaque, les Ranyhyns nous auraient déjà prévenus.

Covenant dévisagea avec colère le large visage rougeoyant. Il voulut riposter. Il n'en eut pas le temps. Avec la brusquerie d'une crise d'épilepsie, une douleur fulgurante lui traversa les pieds. Tout son corps fut parcouru de spasmes aigus. Il s'était jeté à plat ventre, et comme Bannor allait lui porter secours, Covenant se recroquevilla, les genoux sous le menton, le souffle court, le visage furieux, l'air d'un fou.

— Ne m'approchez pas! Ne me touchez pas! Personne!

Les autres, tous les autres s'étaient levés. Ils l'observaient, consternés, sans dissimuler la pitié circonspecte que leur inspirait l'étranger.

C'était insupportable. Il tendit le bras et, l'index frémissant, indiqua l'endroit précis où il s'était tenu.

— Là... quelque chose... Je l'ai senti!

Comme sur un signal, les Seigneurs se précipitèrent. Mhoram courut réveiller le vieux Birinair. En deux enjambées, Prothall rejoignit l'emplacement désigné. Il l'explora du bout des doigts avec les gestes patients, attentifs du médecin palpant le périmètre d'une plaie. Arraché à ses couvertures, Birinair avait compris d'emblée toute l'importance de l'événement. Sans façon, il poussa le Seigneur absolu et, s'accroupissant, planta son bâton de *lillianrill* au centre de la zone suspecte. Il le fit tourner entre ses mains. Le regard fervent, il se mit à l'écoute du précieux instrument.

— Ce fut si fugitif... murmura Prothall. Presque rien, un souvenir de sensation plutôt qu'une sensation proprement dite... mais je l'ai senti, moi aussi. Le peu que cela dura, ce fut atroce!

— Atroce! répéta Birinair en écho.

Les autres gardaient les yeux fixés sur les longs doigts noueux du vieillard qui s'agitaient, frémissaient, frissonnaient sous l'effet de l'âge, de l'émotion, de la douleur, nul ne savait.

— Atroce! s'écria-t-il encore. C'est la main du Sombre Fléau, je le sens! Comment ose-t-il? (Birinair se redressa d'un bond si soudain qu'il eût trébuché sans le soutien empressé de Mhoram. Il montra Covenant.) Demandez-lui! Etranger, tu portes la marque du Sombre Fléau! (Puis, comme si la gravité de l'accusation l'avait vidé de ses forces, il chancela et dut s'appuyer sur son bâton. D'un ton d'excuse, il ajouta :) Ceux qui pensent que ma place est au coin du feu à réchauffer ma vieille carcasse n'ont pas forcément tort. Ah, la jeunesse! Tout serait différent si j'avais quelques années de moins...

— Seigneur Covenant, voudrais-tu revenir à l'endroit précis où tu te trouvais quand le mal s'est manifesté?

Sous l'apparente courtoisie de la prière, Prothall ne lui

laissait guère le choix. Il s'agissait bien d'un ordre. Covenant s'était relevé tandis que le vieil Hospitalier retenait l'attention. La main enfoncée dans sa poche afin de dissimuler la souillure de son alliance, il s'approcha du point névralgique, grimaçant en prévision de l'attaque. Il ne ressentit rien. Ainsi qu'il en avait fait l'expérience dans les collines d'Andelain, les attaques ne se reproduisaient jamais deux fois de suite au même endroit.

Il secoua la tête.

— Cela t'était déjà arrivé, n'est-ce pas ? demanda Mhoram avec sévérité. Pourquoi n'avoir rien dit ?

Covenant se sentit aussi embarrassé que si l'alliance demeurait visible aux yeux de tous à travers la poche de son pantalon.

— Au début, je me suis tu afin de vous cacher l'importance que Férus et Gloton attachent à ma personne. Ensuite... ensuite j'avais l'espoir que cela ne se reproduirait jamais plus. Il devenait donc inutile d'en parler. Je ne sais rien de la nature de ce phénomène, mais ce n'est qu'à travers mes bottes que je ressens les ondes de douleur. Mes pieds nus ou mes mains ne transmettent rien.

Mhoram et Prothall échangèrent un regard confondu.

— Voilà qui est extraordinaire ! marmonna le Seigneur absolu. Pourquoi tes bottes seraient-elles plus sensibles que ta peau ? Quoi qu'il en soit, et pour parer à toute éventualité, Mhoram ou moi-même marcherons sans cesse à tes côtés. Insigne Tuvor ! cria-t-il. Capitaine Quaan ! Ne le perdez jamais de vue !

Quaan se mit au garde-à-vous.

— Seigneur absolu, nous veillerons sur lui comme sur notre bien le plus précieux.

La voix de Tuvor leur parvint des limites du camp où il montait la garde.

— Bien compris ! Mais nous devons nous attendre à une attaque prochaine.

— Qu'ils viennent ! rétorqua Mhoram avec l'ardeur farouche du soldat. Loups, Ur-Vils, Lémures, qu'ils viennent ! Nous sommes prêts !

— L'heure n'a pas sonné, dit Prothall. Allez plutôt dormir.

On doubla les sentinelles. Les autres rejoignirent leur barda.

Prothall et l'Ecumeur demeurèrent assis devant le feu. L'amitié qui unissait ces deux êtres dans leur passion commune pour le Territoire excluait tout bavardage superflu, mais aussi longtemps qu'il chercha le sommeil, Covenant entendit le Géant fredonner à bouche fermée.

L'aube grise les trouva prêts au départ. Covenant se mit en selle aussi péniblement que s'il avait une pierre au cou. Avec le coucher de la lune, son alliance avait retrouvé son éclat naturel, mais l'odieuse souillure semblait avoir marqué son esprit de manière indélébile. Qu'était devenu son instinct de survie ? Avait-il donc épuisé ses réserves de colère ? Brisé par les épreuves qui s'acharnaient sur lui, avait-il intériorisé son rôle de victime au point d'être incapable de tout mouvement de révolte ? Il était difficile de répondre. La seule évidence, ce fut la frousse lancinante qui s'empara de lui à mesure qu'approchait la pause de la mi-journée. Quand Prothall donna l'ordre de halte, il ne put se résoudre à mettre pied à terre. Il appréhendait furieusement d'entrer en contact avec le sol. Au fond, il se trouvait privé de l'assurance fondamentale sans laquelle plus rien n'est possible. Il ne croyait plus que la terre était ferme. Néanmoins, il fit basculer sa jambe par-dessus l'encolure de Dura et sauta. La virulence de l'attaque lui arracha un hurlement. Le cheval fit un écart. Covenant s'écroula, mais, déjà, la sensation s'était dissipée. Cette fois, Prothall, Mhoram et Birinair ne purent en capter la moindre réminiscence.

Dès lors, il ne connut aucun répit. Cela recommença au petit matin, juste avant qu'il ne se mît en selle, de nouveau pendant la halte du déjeuner et le soir, avec tant de violence qu'il fut longtemps avant de pouvoir recommencer à marcher. Il se déplaçait par petits sauts, avec précaution comme s'il contournait un périmètre de sables mouvants. L'Ecumeur lui demanda d'une voix bouleversée pourquoi diable il n'enlevait pas carrément ses bottes. Epuisé, désespéré, Covenant avait abandonné toute velléité. Il dut réfléchir un instant avant de retrouver l'enjeu du combat qu'il persistait à mener.

— Ces bottes, assura-t-il, sont partie intégrante de Thomas Covenant et de son mode de vie. Il lui reste si peu de choses... et puis, si je les ôte et que cessent ces agressions, comment ferez-vous pour en découvrir l'origine ?

— Nous ne t'en demandons pas tant, répliqua Mhoram. De quel droit le ferions-nous ?

Toute idée de nourriture lui soulevait le cœur. Il grignota une poignée d'*aliantha* cueillies sur un buisson voisin du camp et revint s'asseoir devant le feu. Quand les autres furent allés dormir, Mhoram se rapprocha de lui.

— Comment pourrions-nous t'aider ? Si tu le désires, nous fabriquerons une litière afin de t'épargner le moindre pas. Je te conjure de nous dire ce qui pourrait soulager ta peine. Laisseras-tu l'Ecumeur te conter une histoire qui te permettra d'oublier pendant quelques heures ? (Le jeune Seigneur scrutait son visage avec des yeux brûlant de sollicitude.) Thomas Covenant, fit-il d'une voix intense, tu n'es plus insaisissable. Je suis sensible à ta souffrance.

Covenant détourna la tête. Sa main gauche, condamnée à demeurer au fond de sa poche depuis l'apparition de la lune, se ferma brusquement.

— Parle-moi du Créateur, commanda-t-il.

Mhoram poussa un soupir.

— Nous ignorons tout d'un éventuel Créateur. Son existence apparaît en filigrane d'obscures légendes, mais si le Contempteur est une réalité, le Créateur, lui, ne s'est jamais manifesté. Comment pourrions-nous affirmer qu'il existe ?

Un petit événement se produisit qui éveilla brusquement l'intérêt de Covenant.

— Bien sûr qu'il existe ! affirma avec force la vieille Tamarantha que tout le monde croyait assoupie non loin de là. (Elle se tenait derrière eux, courbée sur son bâton, le duvet de ses cheveux comme une frêle couronne autour de sa tête minuscule.) Vous n'avez donc rien appris, vous, les représentants de la nouvelle génération ? Mhoram, mon fils, tu es bien loin d'être prophète ! Cela se mérite, vois-tu, et tôt ou tard tu devras trouver le courage nécessaire. On dit qu'oracle et prophétie sont incompatibles. Selon la tradition, seul Bérek, notre Père Fondateur, a pu concilier ces deux grâces. Les âmes moins fortes ne peuvent affronter le paradoxe. Ainsi Kévin le Dévastateur. Etant oracle, il épargna les Sangdragons, les Ranyhyns et les Géants lorsque, en son âme et conscience, il décida de lancer le Rituel de Profanation. S'il avait été prophète, il eût compris que le Contempteur s'en sortirait lui aussi. Hélas, il n'avait pas l'envergure de Bérek. Bien sûr qu'il existe un Créateur ! Comment pourrait-il en être autrement ? Les contraires sont indispensables l'un à l'autre. Seul l'équilibre entre bien et mal nous préserve du chaos. Le Contempteur ne peut exister sans la figure antagoniste du Créateur. Toute la question est de savoir comment le Créateur a pu l'oublier lorsqu'il a façonné la Terre. Mais peut-être ne l'a-t-il pas oublié. Peut-être, sans le savoir, portait-il en lui la contradiction suprême ? (Les fentes brillantes de ses yeux étaient fixées sur Covenant. L'homme écoutait, suspendu à cette voix de fausset dont les tremblements lui donnaient le vertige. Etait-elle si vieille qu'elle ne pouvait les dominer ?) Nous voici au seuil de la grande épreuve, chuchota-t-elle. Il suffirait d'un mot pour éteindre notre monde. Ne vous leurrez pas. Si nous ne pouvons gagner l'Incrédule à notre cause, tout est perdu.

La lune se lèverait bientôt. Covenant se réfugia sous l'asile des couvertures et là, il fut averti de l'apparition de l'astre par le rougeoiement de son alliance, chaque jour plus intense. Le sommeil ne lui fit aucun bien. Par contre, aucune onde de douleur ne le traversa tandis qu'il rejoignait sa monture le lendemain. Ce jour-là, Prothall laissa passer sans réagir l'heure de la pause. Covenant cessa de se demander pourquoi lorsqu'ils arrivèrent en vue de la Sérénité. Ils firent halte sur le rivage opposé. Là encore, tout se passa bien, mais peu après s'être remis en route, la petite troupe arriva devant son premier Repaire.

Les Seigneurs n'avaient pas oublié le récit de Covenant. Ils redoutaient une défection des Repentis ; aussi, quand les deux Sangdragons envoyés en éclaireurs rapportèrent que le Repaire était dans un état de saleté repoussant, accueillirent-ils la nouvelle sans surprise. Par contre, des protestations indignées se firent entendre dans les rangs des Chevaliers et l'Ecumeur fut tout près de se mettre en colère. Covenant s'avisa pour la première fois du caractère intransigeant de sa fidélité au Territoire. Excluant toute faiblesse, elle pouvait se révéler dangereuse.

La journée s'acheva donc dans un climat de maussaderie et d'amertume. Le lendemain, peu après le lever du soleil, ils arrivaient aux abords d'Andelain. Le paysage magnifique se déployait devant eux comme le vestige grandiose de ce qu'avait été le Territoire tout entier avant la Profanation. Chacun avait sous les yeux l'enjeu ultime de la Quête. Dans tous les cœurs, à l'abattement succéda un grand enthousiasme.

Pour Covenant, la trêve devait être de courte durée. La halte suivante fut l'occasion d'une attaque d'une férocité accrue, comme si la force malveillante, frustrée par le répit de la veille, se vengeait en redoublant d'ardeur. Le soir, alors qu'il dépouillait de ses baies un buisson d'*aliantha*, ce fut encore pis. La violence de l'onde de choc lui fit perdre connaissance. Quand il revint à lui, il se trouvait dans les bras de l'Écumeur. Séquelles des convulsions qui l'avaient secoué, des tremblements incontrôlables le parcouraient de la tête aux pieds.

— Déchausse-toi, murmura l'Écumeur. Cela ne peut pas continuer. Retire tes bottes.

— Pourquoi ? s'entendit marmonner Covenant.

Il dodelinait de la tête. Il avait le souffle râpeux, la gorge sèche.

— Pourquoi ? Roc et vent, camarade, tu devrais le savoir mieux que moi ! Qu'espères-tu gagner en te ruinant la santé comme tu le fais ?

Moi-même ! Covenant humecta ses lèvres. *Moi-même*, voilà ce qu'il eût voulu dire. *Moi-même !* Son plus grand désir, pour l'instant, c'était de demeurer blotti dans les bras du Géant et de se laisser dériver, tout doucement, vers le sommeil. Il regarda l'immense visage penché au-dessus du sien. Les contours semblèrent vaciller, les traits s'estomper. La masse oscilla d'avant en arrière. Dormir, dormir... Quelque chose pesait sur ses paupières. On voulait l'empêcher de garder les yeux ouverts.

Il décida malgré tout de les ouvrir. Il se mit à gigoter pour qu'on lui rende sa liberté. Un grand garçon comme lui ! Il pouvait tenir sur ses jambes, tout de même ! Mais l'Écumeur ne l'entendait pas de cette oreille. L'Écumeur ne voulait surtout pas contribuer à lui ruiner la santé. Il tenait bon.

— Laisse-le descendre, dit Mhoram. J'ai décidé que nous ne bougerions pas d'ici avant d'avoir élucidé le mystère de ces attaques. Nous n'avons que trop tardé. (Et comme l'Écumeur ne faisait pas mine d'obtempérer, une flamme apparut dans les yeux du Seigneur, une toute petite flamme qui ne demandait qu'à se transformer en quelque chose de beaucoup plus dangereux.) Pose-le à terre, fit-il doucement.

Le Géant consulta Prothall du regard ; alors seulement il obéit à l'injonction. D'une main, Covenant se cramponnait encore à lui. Quand il put se redresser complètement, il le lâcha et s'enhardit à faire quelques pas, raides et douloureux.

— Seigneur Covenant, je vais te prier de me donner la main, commanda Mhoram. Ainsi, quand le mal se fera de nouveau sentir, me sera-t-il transmis à travers toi.

Covenant n'avait rien de mieux à proposer. En désespoir de cause, il étreignit la main tendue. Leurs pouces se soudèrent. Mhoram serrait ses deux autres doigts dans une poigne de fer ; on eût dit deux lutteurs prêts à se mesurer.

Cela vint presque aussitôt. Covenant hurla. Son corps parut se désarticuler sous l'effet d'une énorme décharge. Mhoram se plaqua contre lui et l'embrassa à l'étouffer. L'impact de la souffrance fut terrible. Une seconde, le Seigneur parut sur le point de lâcher prise. Pourtant, ils tinrent bon. L'espace d'un moment, pétrifiés, ils ressemblèrent à un groupe sculpté.

Les impulsions refluèrent aussi soudainement qu'elles s'étaient produites. Covenant s'effondra dans les bras de Mhoram. Une étrange similitude d'expression se peignait sur leurs visages. Puis Covenant retrouva la force de se tenir, et leurs corps se séparèrent. La mystérieuse ressemblance s'effaça.

— J'aurais dû m'en douter depuis le début, expliqua Mhoram. Ces attaques sont le fait de Gloton Larva. Des profondeurs où il niche, il se sert du Bâton pour sonder la surface de la Terre. C'est toi qu'il cherche, Incrédule. Où que tu ailles, il te trouvera aussi longtemps que tu porteras ces bottes. Elles ne sont pas nées du Territoire, voilà comment il te repère, et nous tous, par la même occasion.

» A mon avis, s'il ne s'est rien passé le jour où nous avons traversé la Sérénité, c'est que Gloton s'attendait à nous voir descendre la rivière jusqu'aux Hauts du Tonnerre. Il nous aura vainement cherchés sur la rivière, mais quelques heures lui auront suffi pour corriger son erreur et nous retrouver. (Mhoram marqua un temps d'arrêt pour permettre à Covenant de tirer ses propres conclusions. Devant son silence, il poursuivit :) Voilà pourquoi tu dois te déchausser. Il y va de la survie du Territoire. En notre nom à tous, je te prie de bien vouloir abandonner ce vestige de ta vie passée. Gloton en sait déjà beaucoup plus qu'il ne faudrait sur nos déplacements. Ses fidèles affluent de toutes parts. La mort rôde. Aide-nous, Covenant !

Il ne dit mot. La brutalité des deux dernières attaques l'avait ébranlé. Et maintenant, cette exigence exorbitante... « Si je vous laissais faire, vous me voleriez mon âme », avait-il dit à l'Ecumeur. Prenez mes bottes, prenez tout ce qu'il vous plaira. Laissez-moi en paix. Un voile rouge lui tomba devant les yeux. Il s'évanouit.

Il ne sut jamais avec quelle délicatesse on le déshabilla. Bottes et vêtements soigneusement pliés furent serrés dans ses sacoches de selle. On le nettoya. On lui enfila une longue robe de brocart blanc et ses pieds furent chaussés de sandales de cuir souple. On lui retira son alliance et celle-ci, enveloppée de *krampo*, fut de nouveau placée sur sa poitrine. Ce jour-là, endormi comme il l'était, il voyagea à dos de Géant. Dans l'obscurité où il avait sombré, il entendait le grignotement d'innombrables dents. La lèpre le dévorait de partout. Pourtant, il souriait dans son sommeil. Il avait l'air d'un homme qui sent la fin venir et l'accepte avec soulagement.

Le lendemain, septième jour de la Quête, il s'éveilla reposé, mais lugubre, glacé au-dedans comme si le détachement de soi le rendait incapable d'émotion, *a fortiori* de manifestations extérieures. Malgré tout il mangea d'excellent appétit le petit déjeuner préparé par la Sylvestre qui semblait s'être assigné pour tâche de veiller à son confort. Il ne fit aucun commentaire sur son accoutrement. En son for intérieur, il remarqua combien la soutane avantageait sa haute silhouette dégingandée. Il n'eut même pas à faire l'effort de se traîner sur la courte distance qui le séparait de sa monture — son nouveau chaperon guida la jument jusqu'à lui.

Les autres l'observaient avec angoisse, comme s'ils craignaient de le voir s'effriter. Une fois en selle, sa propre faiblesse lui donna quelque inquiétude. Le simple fait de conserver l'équilibre exigeait une concentration intense. Le *krampo* l'aida beaucoup. Quand il devint évident qu'il se tirerait d'affaire, ses compagnons, rassurés, reportèrent leur attention sur Andelain dont la majesté vivante resplendissait à portée de regard comme une promesse de bonheur ou comme un mirage.

17

L'Incendie

Cette nuit-là, ils campèrent dans une vallée encaissée, à un jet de pierre d'Andelain. Pendant la veillée, les Chevaliers exprimèrent leur regain d'enthousiasme par toutes sortes de chants et de récits que Seigneurs et Sangdragons écoutèrent les uns avec indulgence, les autres avec une attention jalouse qui n'excluait ni les interjections ni même de moqueuses interventions.

Covenant était si loin de vibrer à l'unisson de cette euphorie qu'il alla se coucher avant la fin du dernier chant. Il lui sembla qu'il venait de s'endormir quand on lui secoua l'épaule. C'était l'Ecumeur.

— Debout, vite! Les Ranyhyns viennent de nous avertir. Les loups approchent. Les Ur-Vils les suivront de près. La lune va bientôt disparaître. Il faut partir.

Covenant cligna des yeux, l'air idiot.

— A quoi bon? Ils se lanceront à nos trousses. Laisse-moi dormir!

— Tu as dix secondes pour te réveiller et te vêtir, Seigneur Covenant. Terrel, Korik ainsi qu'une dizaine de Chevaliers resteront ici en embuscade. Ils disperseront la harde. Ciel et vent, camarade! Ma patience a des limites!

Covenant lui lança un regard noir et rejeta les couvertures. Il boucla sa ceinture dans laquelle il glissa le couteau, enfila ses sandales, empoigna son bâton. La Sylvestre roula la literie et courut chercher Dura.

Les autres, déjà en selle, s'étaient rassemblés au centre du campement. Birinair étouffa les dernières braises. Quand l'Hospitalier fut à cheval, la troupe s'ébranla au galop le long de l'étroit repli du terrain dont le sol caillouteux ressemblait sous la lune à du sang fraîchement coagulé.

Le coucher de l'astre fut un réel soulagement, même si l'obscurité augmentait les risques d'accident. Encadrée par les Ranyhyns, leur fuite obscure se prolongea le temps nécessaire pour s'assurer qu'il n'y avait pas de poursuite. Ils avaient déjà couvert plusieurs lieues. Les chevaux fumaient. Ils continuèrent au pas. L'Ecumeur dressa sa formidable silhouette à côté de Covenant.

— Une fois qu'ils auront dispersé les loups, dit-il, un peu haletant, Korik et Terrel s'enfonceront à l'intérieur des collines d'Andelain afin d'entraîner les plus obstinés dans la direction opposée à celle que nous prenons. Quand ils auront semé les poursuivants, ils feront un grand détour pour nous rejoindre.

— Qu'aurons-nous gagné? souffla Covenant. Un petit sursis, voilà tout.

Mhoram avait surpris sa réponse.

— Seigneur Covenant, avant de porter un jugement aussi sévère sur notre tactique, imagine le raisonnement du Lémure. De son point de vue, notre Quête est une extravagance. Puisqu'il détient le Bâton, il serait suicidaire de notre part d'aller le débusquer dans son repaire. Si néanmoins nous persistons dans notre désir d'affrontement, il serait aberrant de contourner les plaines car chaque jour qui passe accroît son pouvoir et notre fatigue. Il s'attend certainement à ce que nous prenions à l'est pour le rejoindre au plus vite, à moins que nous ne poursuivions tout bonnement vers le sud jusqu'à la Morne Retraite, dernière borne avant la fuite. La tâche de Korik, de Terrel et des autres consiste à convaincre ses sbires que nous sommes décidés à passer à l'attaque au plus vite. S'il perd notre trace, il tentera de deviner nos véritables intentions. Tout en fouillant Andelain dans l'espoir de nous retrouver, il consolidera les défenses des Hauts du Tonnerre. Dans la stupeur où le plongera notre audace, il ne doutera pas un instant que nous ne fussions parvenus à maîtriser le pouvoir de l'or blanc.

— Et Férus? demanda Covenant sans prendre la peine de réfléchir. Croyez-vous qu'il restera les bras croisés?

— Ça, c'est la grande inconnue! soupira Mhoram. De son attitude dépend l'issue de notre Quête. Quand je le vois dans mes rêves, il rit.

Quatre jours d'une chevauchée éreintante les amenèrent sur la rive de la Mithil, la frontière méridionale d'Andelain. Ils avaient parcouru soixante lieues, et toujours aucun signe de Korik et de ses sept compagnons. L'incertitude qui pesait sur la vie des absents projetait une ombre funèbre sur le projet même de la Quête. Tout espoir de les revoir en vie était presque éteint quand, au terme du quatrième jour, la troupe atteignit le cours d'eau.

Une colline abrupte flanquait la Mithil au nord : c'était la frontière d'Andelain. Pour piquer vers l'est, la petite armée de Prothall était contrainte de longer la rive escarpée. Entreprise périlleuse, mais le courant, coupé de rapides à cet endroit, était encore plus menaçant. Prothall choisit de suivre la base de la falaise. Précédé du seul Tuvor, il s'engagea sur l'étroit passage. Les cavaliers suivirent en file indienne, et si l'ennemi avait su les trouver à ce moment-là, nul doute qu'il n'eût profité de leur extrême vulnérabilité pour lancer une attaque foudroyante.

Ils étaient encore à l'œuvre quand quelqu'un les héla du haut de la colline. C'était Terrel. Son apparition fut saluée par une explosion de joie. Peu après, la troupe débouchait dans une large vallée verdoyante où paissaient deux Ranyhyns et cinq mustangs, ceux-ci tellement fourbus qu'ils avaient à peine la force de brouter.

Cinq, songea Covenant. Il reçut un coup au cœur. Inutile de recompter. Ils étaient cinq.

Korik descendait à pied le versant de la colline. Cinq Chevaliers l'accompagnaient. Quaan sauta à bas de son cheval. Il courut à la rencontre du Sangdragon.

— Où est Irin ? hurla-t-il. Par les Sept Tabernacles, qu'est-elle devenue ?

Korik l'écarta en secouant la tête. Il voulait voir Prothall. Il ne parlerait que devant lui. Dans son poing gauche, il tenait un sac volumineux qui traînait par terre. Il s'inclina devant le Seigneur absolu.

— Vous êtes saufs. Je suis content. Vous a-t-on poursuivis ?

— Aucun signe de poursuite, répliqua Prothall. Il semble que notre manœuvre ait réussi. Beau travail !

Le Sangdragon demeura quelque temps sans mot dire. Terrel les avait rejoints. Puis, les yeux au sol, Korik présenta son rapport. Nulle satisfaction sur son visage soucieux où s'inscrivait la sombre réalité de ses pensées. Hommes et femmes formaient le cercle autour d'eux.

— Quand les loups arrivèrent, nous fîmes l'impossible pour les disperser. C'étaient des bêtes rusées, disciplinées. Elles refusèrent de rompre les rangs. Alors, nous filâmes en direction du Levant, mais les loups ne purent se résoudre à franchir la frontière d'Andelain. De loin, nous les vîmes rebrousser chemin vers le nord. Après un jour et une nuit, nous avons mis le cap au sud. Plus loin, des maraudeurs nous barrèrent la route. Une bande ignoble, Ur-Vils et Lémures mélangés. Un *griffon* les conduisait. (Du milieu de l'assistance s'éleva un murmure de rage et de peur.) Le sort désigna Irin, reprit Korik, les yeux dans les yeux de Quaan. Tandis qu'elle occupait les plus enragés, nous avons fui, entraînant les autres. Pour les semer, nous fîmes un long détour. Il y a peu de temps que nous sommes là. (Il souleva le sac et l'ouvrit. Son visage impavide se crispa de dégoût.) Voici ce que nous avons abattu ce matin. Il décrivait des cercles au-dessus de nous.

Sa main plongea dans le sac. Elle en ramena par le cou un faucon à l'œil unique. Un rayonnement si cruel, si malsain irradiait encore de la prunelle voilée que Covenant sentit son cœur se révulser.

— Cet outrage à la nature doit être l'œuvre de la Pierre de Malemort, décréta sombrement Prothall. Le Bâton de la Loi n'a pas été conçu pour enfanter des monstres. C'est une bénédiction pour le Territoire que d'ôter la vie à semblable créature. Brûlez-le !

Le Seigneur absolu se détourna aussitôt.

Quaan et Birinair se chargèrent de réduire en cendres le cadavre de l'immonde rapace. Peu à peu, sans avoir été sollicités, les Chevaliers qui avaient fait partie du détachement conduit par Korik et Terrel donnèrent un compte rendu détaillé des quatre jours écoulés. Sur leurs lèvres errait le souvenir d'Irin, première victime de la Troisième Equestre.

Les heures s'égrenaient, et nul ne songeait à dormir. L'Ecumeur et Quaan encadraient le campement de leurs foulées symétriques. Ils marchaient fiévreusement de long en large, ruminant leur haine ou réfléchissant. Prothall et Mhoram montaient la garde côte à côte, debout sous le vent sombre et violent comme s'ils espéraient pénétrer les intentions de l'ennemi en déchiffrant le contact des rafales sur leur peau. Covenant était devant le feu, la tête ployée sous la charge des souvenirs. Assis en face de lui, Variol et Tamarantha somnolaient en regardant les flammes. Ces deux-là ne semblaient pas ressentir le deuil secret dont tous étaient frappés. Autour du campement, les Sangdragons veillaient. Le vent n'avait pas plus de prise sur eux que sur des sentinelles de pierre.

— Il se passe quelque chose, dit Mhoram. Quelque chose d'affreux. Ce vent... il charrie la mort !

Cela, tous le sentaient, mais nul ne pouvait en dire davantage. Les nuages couraient sous la lune empourprée. Le sommeil eut raison des plus las. La pénombre lourde qui tint lieu de crépuscule trouva les corps affaissés sur eux-mêmes, engourdis dans une somnolence frileuse. Le vent faiblit et tourna brusquement vers l'ouest. Ce n'était plus qu'une brise où s'épaississaient d'indéfinissables relents funèbres. Au milieu du repas que l'on expédiait en toute hâte, le vieux Birinair se leva d'un bond et cracha la bouchée de pain qu'il remuait sans pouvoir l'avaler. Le regard aigu, les narines frémissantes, il fouilla l'est du regard.

— Cette odeur... c'est le feu ! Attendez ! C'est un arbre qui brûle ! (Il étouffa un gémissement.) Un arbre ! Les infâmes ! Comment osent-ils brûler un arbre !

Il se fit un silence total. Tous les regards étaient braqués sur l'Hospitalier.

— La Haute Sylve est en flammes ! hurla Mhoram.

Dans la confusion du matériel remballé, du feu que l'on piétinait, des chevaux que l'on sellait, Covenant se trouva ralenti par un tourbillon de désirs contradictoires. Il était avec eux, terriblement concerné par le drame qui se jouait là-bas. Il était un étranger dont la présence conservait son caractère arbitraire. Il fut le dernier à se mettre en selle.

Incapables de soutenir le train d'enfer des Ranyhyns, les mustangs ne tardèrent pas à donner des signes d'épuisement. Ceux qui avaient chevauché à travers Andelain n'avaient pas eu le temps de récupérer, et le terrain se prêtait mal à la galopade. Ayant dépêché deux Sangdragons en éclaireurs, Prothall fut forcé de modérer l'allure de ses troupes.

A midi, ils atteignaient la Mithil. On s'arrêta pour faire boire les chevaux, puis l'on franchit la rivière à gué. Peu après, il fallut de nouveau ralentir. La puanteur était devenue effroyable. On n'avançait plus qu'au pas. Comme les éclaireurs tardaient à réapparaître, la mort dans l'âme, Prothall envoya en reconnaissance deux autres Sangdragons. Ils revinrent presque aussitôt, clamant l'affreuse nouvelle : la Haute Sylve était en cendres. Dans un rayon d'une demi-lieue à la ronde, il n'y avait plus âme qui vive. Des empreintes donnaient à penser que la précédente patrouille avait filé vers le sud.

Le visage de Prothall se décomposa. Ses voisins pouvaient l'entendre vociférer tout bas : « *Melenkurion ! Melenkurion !* » Il lança son cheval à bride abattue.

La clairière sinistrée offrait un spectacle de fin du monde. En son centre, au lieu de l'arbre titanesque, il n'y avait plus qu'un squelette de tronc noir et fendu que dévorait une combustion étouffée. Alentour, le sol était jonché de corps calcinés. D'autres cadavres de Sylvestres, intacts, ceux-ci, s'échelonnaient le long d'un parcours qui traversait la clairière en direction du sud. A côté, quelques Lémures dont les têtes hideuses, figées dans une grimace de souffrance, attestaient de la mort violente. Par contre, à proximité du tronc, un seul corps n'avait rien d'humain : celui d'un Ur-Vil. Non loin de lui se trouvait un énorme bouclier de fer de trois mètres de diamètre.

Les Seigneurs semblaient foudroyés. C'était donc là tout ce qu'il restait d'une communauté placée sous leur protection ! Covenant ferma les yeux. Le souvenir précis de deux enfants en train de gambader dans les branches de l'Arbopolis le frôla comme des ailes d'anges éblouissants. Il serra le bâton à le briser. C'était tout ce qu'il restait de Baradakas. D'une voix morte, l'Insigne Tuvor reconstitua la tragédie.

La veille au soir, une meute de Lémures et d'Ur-Vils avaient pris la clairière en tenaille, prenant soin de rester hors de portée des flèches des Sylvestres. Ecartant la solution d'une attaque massive qui risquait de faire trop de victimes dans leurs rangs, les assaillants décidèrent qu'une poignée d'Ur-Vils protégés par le bouclier iraient mettre le feu au tronc. La stupeur, l'affolement des Sylvestres leur permirent de se replier sous le couvert des arbres, tous, sauf celui-ci. Dès lors, pour prévenir toute tentative d'extinction de l'incendie, une pluie de flèches s'abattit sur la Sylve. Très vite, les flammes et la fumée contraignirent les Sylvestres à tenter une sortie. D'où ce chapelet de cadavres que le feu n'avait pas endommagés. Ecrasés par le nombre et la barbarie des assaillants, les fuyards n'atteignirent même pas les arbres. Voyant cela, les Sylvestres se livrèrent sans résistance à leur destin. Afin que le cœur de l'Arbopolis ne fût pas épargné, les Ur-Vils ouvrirent le tronc de haut en bas. Ils avaient ce pouvoir. L'ébranlement fit tomber les corps des morts et des survivants. Blessés ou non, ces derniers furent massacrés.

Il n'y eut pas de questions. Il semblait qu'il n'y eût plus rien à ajouter. Seul l'Ecumeur n'était pas de cet avis.

— Il en a fallu, de la malignité, pour concevoir un plan aussi machiavélique! gronda-t-il. Détourner le vent, amonceler les nuages afin de masquer les signes de l'incendie à l'intention d'éventuels renforts qui auraient pu porter secours aux Sylvestres... et cet énorme bouclier de fer qu'ils ont dû traîner sur je ne sais quelle distance! Dans toute cette affaire, je vois de bout en bout la main du Contempteur. Aucun Lémure n'eût obtenu le même résultat en si peu de temps et avec si peu de pertes. Par tous les vents!...

Sa voix se brisa. Il leur tourna le dos et se mit à chanter.

— Mais pourquoi s'en prendre aux Sylvestres? s'exclama Quaan. Ils étaient l'âme de cette forêt. Pourquoi cet acharnement à l'encontre d'une paisible communauté?

Prothall écouta, inquiet, le ton d'extrême nervosité et décela l'égarement du jeune Baron. Le courage, jamais, n'a remplacé l'expérience. Il s'agissait de leur rendre confiance à tous.

— Baron Quaan, nous avons beaucoup à faire, déclara-t-il avec sévérité. Tous ces morts réclament une sépulture. Tandis que les montures prendront un repos mérité, tu mettras tes Chevaliers à la tâche. Vous creuserez les tombes au sud de la clairière. Les Seigneurs transporteront les corps.

— Non! tonna l'Ecumeur. Nul autre qu'un Géant de Mare-premere ne descendra les Sylvestres dans leurs tombes. J'ai le droit de leur rendre ce dernier hommage.

— Soit! Les Seigneurs se chargeront du repas et délibéreront entre eux du devenir de la Quête. Insigne Tuvor, il faut désigner des guetteurs. Que les Ranyhyns parcourent les collines environnantes et signalent tout mouvement suspect. Exécution!

Tuvor hésita. Puis:

— Et les éclaireurs manquants? Devons-nous partir à leur recherche?

Prothall s'efforça de dissimuler son accablement.

— Non, dit-il froidement. Nous attendrons.

Tuvor s'éloigna pour aller communiquer les ordres des Seigneurs aux Ranyhyns. Les coursiers se dispersèrent au galop.

Covenant se trouva donc seul de toute la compagnie à ne pas avoir de tâche assignée. Un moment, il regarda l'Ecumeur déployer des prouesses d'équilibriste pour ne pas piétiner les corps. Enfin, le Géant atteignit le bouclier. Malgré son poids considérable, il le souleva sur son dos et le transporta à la périphérie du charnier. Après l'avoir chargé d'une dizaine de cadavres, il s'en servit comme d'un traîneau pour les véhiculer jusqu'au lieu de l'ensevelissement. Démunis d'outils, les Chevaliers en étaient réduits à creuser la terre à mains nues. Covenant ressentit un vif soulagement à l'idée qu'il allait pouvoir contribuer si peu que ce fût à l'inhumation des Sylvestres. Il se hâta de rassembler un fagot de branches assez solides pour résister quand il les éprouvait en travers de son genou et les affûta à l'aide de son couteau. Cet effort brutal effrita quelque peu le tranchant de la lame et souilla la robe de brocart, mais les Chevaliers jugèrent ces pieux si pratiques qu'au lieu de tombes individuelles ils décidèrent de creuser des tranchées.

Plus tard, Mhoram donna l'ordre de rassemblement autour de la marmite. Personne ne se sentait en état d'avaler la moindre nourriture. Les Seigneurs insistèrent. Réticent comme les autres, Covenant dut convenir après quelques bouchées que l'excellent ragoût, différent de tout ce qu'il avait mangé depuis son arrivée sur le Territoire, avait d'étonnantes vertus revigorantes. Il dévora comme un ogre. Tout le monde ripaillait encore quand les deux Sangdragons partis depuis l'aube firent irruption dans la clairière. Ils ramenaient une femme et un jeune enfant, tous deux Sylvestres, tous deux dans un état pitoyable. Le rapport fut bref.

A leur arrivée, voyant la Haute Sylve abandonnée par l'ennemi, ils avaient en vain cherché des survivants. Par contre, en explorant la forêt au sud, ils avaient découvert les indices d'une fuite. Résolus à rattraper les fugitifs, ils s'étaient lancés sur leurs traces en prenant soin d'effacer tout vestige de leur propre passage. En début d'après-midi, ils avaient rejoint la femme et l'enfant alors qu'ils couraient droit devant eux, poussés par une panique aveugle. Le petit garçon semblait frappé d'inertie. La femme traversait de longues périodes d'incohérence. Profitant d'un intervalle de lucidité, ils l'avaient convaincue de leurs bonnes intentions sans pouvoir en tirer le moindre renseignement ; elle ne maîtrisait plus son élocution.

A présent, les deux survivants de la Haute Sylve se tenaient devant les Seigneurs. L'enfant, de quatre ans tout au plus, avait les yeux d'un noir d'encre. Il ne regardait rien ni personne, et quand la femme lâcha sa main, celle-ci retomba mollement, comme une main de chiffon. Covenant le dévisageait avec l'impression trouble d'être en présence du petit garçon qu'allait bientôt devenir le fils que Joan lui avait enlevé.

Les enfants aussi, Férus ? Les petits enfants ?

— Il se nomme Pietten, fils de Soranal, déclara soudain la femme, comme en écho à ses pensées. Il a la passion des chevaux.

Covenant glissa son regard sur elle. Une sueur d'angoisse fondit sur lui. Il scrutait cette physionomie éperdue, essayant de discerner le vrai visage à travers la saleté, les ecchymoses et les entailles.

— Llaura ? murmura-t-il.

— Moi aussi, je te connais, fit-elle d'une voix étouffée. Tu es Thomas Covenant, Incrédule paré d'or blanc. Jéhannum avait raison. La mort s'est abattue sur nous ! (Elle articulait soigneusement, comme si elle inventait ses mots un par un.) Je suis Llaura, en effet, membre de la Sommité de la Haute Sylve. Ils ont dû massacrer nos guetteurs. La surprise a été totale. Vous-mêmes, soyez... soyez...

D'un seul coup, les mots lui manquaient. Sa gorge s'efforçait encore d'émettre des sons, mais la volonté faisait défaut. Les prunelles assombries par l'effort, la tête agitée de mouvements désordonnés, elle entra dans un terrible égarement.

— C'est ainsi que nous l'avons trouvée, commenta le Sang-dragon. Tantôt elle s'exprime normalement, tantôt on ne peut lui tirer un seul mot.

Llaura l'avait sans doute entendu, car elle secoua la tête avec véhémence et, dans une convulsion de tout le corps, trouva la force de vociférer d'une traite :

— Je suis Llaura. Vous êtes les Seigneurs de la Pierre-qui-Rit. Vous devez m'entendre. Ah ! Prenez garde...

Ses jambes fléchirent sous elle. Prothall n'eut que le temps de la saisir aux aisselles, sans cela elle s'effondrait. L'enfant la regardait sans marquer d'étonnement.

— Calme-toi, Llaura de la Haute Sylve ! Je vais t'interroger. Pour répondre, contente-toi de secouer ou d'incliner la tête.

Une petite lueur d'espoir s'alluma dans les yeux de la jeune femme. Sa main chercha celle de l'enfant et l'emprisonna très fort.

— Voyons. Tu n'es pas folle. Tu as toute ta raison, mais les Ur-Vils vous ont jeté un sort, à toi et à cet enfant.

Elle acquiesça, frissonnante.

— Ils vous ont capturés alors que vous tentiez de fuir ?

— Oui.

— Ensuite, les Ur-Vils vous ont envoûtés. Etes-vous victimes du même maléfice ?

— Non.

— En ce qui te concerne, le traitement qu'ils t'ont fait subir est-il à l'origine de tes difficultés d'élocution ?

— Oui.

— Si je comprends bien, il y a certains mots précis que tu ne peux prononcer ? Quelque chose que l'ennemi veut t'empêcher de divulguer ? Mais alors, pourquoi vous avoir épargnés ?

Llaura secoua violemment la tête. Sa détresse était horrible à voir.

— Qu'on lui donne de quoi écrire ! s'écria Covenant.

Llaura tendit la main. Celle-ci tremblait comme une feuille.

— Seigneur, dit Birinair, je crois pouvoir sauver la situation. Avant notre départ, le jeune Tohrm m'a donné un cadeau d'adieu. Cet écervelé n'espère sans doute pas me revoir vivant. Une réserve de baume.

— Du baume ? Et tu l'as ici ? Ecervelé toi-même ! Va, cours le chercher !

Birinair prit l'air offusqué mais fila doux. Il revint presque aussitôt et présenta sans commentaire au Seigneur absolu un petit récipient de grès plein à ras bord de l'épaisse substance luisante.

Au premier contact du baume sur son front, le visage de Llaura se tordit comme si elle éprouvait d'indicibles souffrances. Sa bouche s'ouvrit pour crier, puis elle se ravisa, et la crise se résolut dans un spasme brutal. La jeune femme se laissa glisser à genoux et sanglota de soulagement comme si on venait d'arracher le poignard qui lui rompait la tête. Prothall s'agenouilla auprès d'elle et l'enlaça sans songer à la presser de reprendre ses esprits. Elle se dressa brusquement.

— Fuyez ! Fuyez vite ! C'est un piège ! Ils sont là, tout autour de nous !

Mais l'avertissement arriva trop tard. Au même instant, Tuvor accourait.

— Branle-bas de combat ! Nous sommes cernés. Ils ont isolé les Ranyhyns pour les empêcher de donner l'alarme. L'affrontement est inévitable. Nous n'avons que le temps de nous préparer.

Les mots glissèrent sans s'imprimer sur le cerveau de Covenant. Prothall hurlait des ordres tous azimuts. En un clin d'œil, l'espace de la clairière où s'était installé le bivouac se vida. Chevaliers et Sangdragons se carapatèrent dans les tranchées qui n'avaient pas encore reçu leur moisson de cadavres. Prothall et Mhoram s'embusquèrent dans la fosse la plus méridionale. L'Ecumeur traversa comme une flèche le champ de vision de Covenant, Llaura et le petit garçon sous le bras. Il les fourra dans un trou qu'il recouvrit du bouclier. D'un œil distrait, Covenant regarda Birinair réduire le feu à l'état de braises, puis courir se poster derrière un arbre à demi calciné. Pour sa part, il demeurait planté sans savoir sur quel pied danser, toutes ses pensées tournées vers Llaura et l'enfant. L'idée de leurs martyres le plongeait dans un immobilisme suicidaire. Il avait deviné ce qui étouffait la Sylvestre au point de l'empêcher de parler. C'était le rire de Férus coincé en travers de sa gorge. Le rire de Férus...

Une poigne s'abattit sur son épaule. Il ne sursauta même pas.

— Seigneur Covenant, il ne faut pas rester là. (Bannor s'exprimait sur le ton détaché qu'il aurait eu pour parler du temps.) Il faut te cacher, Seigneur Covenant. Allons !

Covenant opina sans conviction. Comme il pivotait, il remarqua soudain Variol et Tamarantha couchés de tout leur long devant les braises mourantes. Deux Sangdragons avaient été affectés à leur protection.

— Mais que font-ils ? s'exclama Covenant, soudain tout à fait réveillé. Pourquoi ne bougent-ils pas ? Veulent-ils se faire tuer ?

Il se sentit soulevé de terre. Bannor le saisit à bras-le-corps et le fit basculer dans la fosse la plus proche. L'Ecumeur s'y trouvait déjà, recroquevillé pour maintenir le sommet de son crâne au niveau du sol. Il restait bien peu de place ; pourtant, le Sangdragon trouva moyen de se faufiler entre eux et passa un bras autoritaire autour des épaules de Covenant. Le silence se fit, un de ces silences tendus qui semblent prêts à éclater dans un bruit de foudre. Le camp retenait son souffle, accablé par un sentiment de danger imminent.

A ce moment seulement, Covenant prit toute la mesure de ce qui allait arriver, et son être s'épouvanta pour de bon.

Un hurlement vorace lui glaça le sang. Aussitôt après, le sol s'ébranla sous un énorme piétinement. Les yeux au ras du sol, Covenant vit l'étreinte d'une foule noire aux yeux rouges se resserrer autour de la clairière. A la verticale du détachement le plus avancé de cette multitude prodigieuse évoluait une créature aussi sombre que le reste dont les ailes battaient follement. Le martèlement devint assourdissant. Ur-Vils et Lémures avançaient comme s'ils voulaient, sous leurs pas, broyer la terre elle-même. Une rumeur ignoble prit naissance, une confusion assourdie de grognements, de sifflements, de gargouillis, de déglutitions avides et de soupirs repus, comme les exhalaisons d'un monstrueux festin.

Les chevaux se déchaînèrent en hennissements hystériques. Les assaillants se trouvaient maintenant à moins de trente mètres des fosses et des tranchées.

Tout à coup, une horrible clameur.

— Comment ! Ils ne sont que quatre ?

— Et tous ces chevaux ?

— Trahison ! On les a prévenus !

Aveuglés par la déception de n'avoir que quatre victimes dont deux vieillards prostrés à se mettre sous la dent, certains Lémures chargèrent en désordre avec une rage impétueuse.

C'était le moment ou jamais.

Birinair lança un cri perçant et projeta son bâton contre le tronc noirci derrière lequel il s'abritait. L'arbre s'embrasa comme une torche. Une projection de fragments enflammés freina quelque peu le déferlement ennemi.

— *MELENKURION !*

Prothall et Mhoram s'élancèrent, brandissant leurs bâtons seigneuriaux tout étincelants d'une clarté guerrière. Chevaliers et Sangdragons surgirent des tranchées et se ruèrent à la rencontre de l'armée noire, écrasés par la silhouette colossale de l'Ecumeur qui accourait dans leur sillage. Sa voix tonitruante vociférait des imprécations terribles. Le choc fut effroyable, si fort était de part et d'autre le désir de destruction. Fous de peur, les chevaux attachés se cabraient, retombaient les uns sur les autres. Le rapport de forces était de dix contre un en faveur de l'ennemi.

Quand le combat commença, Covenant fut saisi entièrement par l'exaltation. Il ne savait où porter son regard. Les Sangdragons s'étaient aussi déployés, trois pour chaque Seigneur, un pour soutenir Birinair et Bannor, devant la tranchée où lui-même demeurait tapi. L'Equestre avait éclaté en groupes de cinq. Mhoram prenait la mêlée à revers : il cherchait la tête pensante de l'ennemi. Immobile au centre de la bataille,

Prothall servait de point de ralliement. Rien ne lui échappait. Il jetait des ordres et des avertissements.

L'Ecumeur affrontait l'ennemi sans l'aide de personne. Tout d'abord, il sembla de taille à tenir tête à l'armée noire tout entière. Des grappes de Lémures sautaient sur lui et tentaient de s'accrocher. Il s'en débarrassait d'une chiquenaude, comme il eût fait de petits singes, mais nul doute que, la fatigue aidant, il finirait par succomber sous le nombre.

Variol et Tamarantha semblaient s'être endormis. Leurs deux Sangdragons étaient soumis à rude épreuve. Ils arrêtaient les flèches d'un revers de main ; ils faisaient même dévier les lances, mais quand l'ennemi sortit les épées des fourreaux, il leur fallut déployer une audace et une adresse vraiment extraordinaires pour esquiver les coups tout en conservant l'offensive. Malgré leur virtuosité semi-divine, pas plus que l'Ecumeur ils ne pourraient résister à un assaut concerté.

Covenant chercha Mhoram des yeux. Il le trouva aux prises avec une trentaine d'Ur-Vils déployés en formation de combat derrière leur chef spirituel, un être de proportions formidables, de façon à pouvoir lui transmettre leur force sans intervenir directement. Le monstre était armé d'un cimeterre auquel le bâton du Seigneur arrachait de flamboyantes étincelles.

Puis les fluctuations de la bataille amenèrent le gros de la mêlée à faire mouvement vers la tranchée de Covenant. Des silhouettes bondissantes voltigeaient au-dessus de sa tête. Bannor semblait avoir autant de mains qu'il arrêtait ou déviait de projectiles. Il reçut bientôt l'appoint d'un Chevalier : c'était la Sylvestre qui avait déjà manifesté le désir de prendre Covenant sous son aile. Voilà qu'elle le protégeait au péril de sa vie.

Les jeux de jambes foudroyants des combattants lui livraient une vision fragmentée du champ de bataille. Beaucoup de cadavres noirs, mais, sur le nombre, ces pertes étaient négligeables. Prothall devait tenir tête aux assauts conjugués du *griffon* et de son cavalier, un Ur-Vil de première force à en juger par sa taille et l'insolente perfidie de ses yeux de braise. Partout, les champions de la Quête semblaient acculés à vendre chèrement leur vie. D'ici peu, ce serait le repli général. Covenant était au supplice. Sa bouche était sèche comme s'il avait mangé du sable.

Puis son attention se cristallisa sur Variol et Tamarantha. Déjà, deux Chevaliers arrivés en renfort des Sangdragons étaient tombés, ensanglantés, au milieu des cadavres de Lémures.

Tandis qu'il regardait, trois Lémures armés de lances se jetèrent ensemble contre le Sangdragon qui répondait du salut de Tamarantha. Il brisa la première lance du tranchant de sa main. D'une détente magnifique, il se propulsa par-dessus la seconde afin de se recevoir à pieds joints sur la poitrine de l'adversaire. Hélas, s'il fut prompt, le troisième le fut davantage ! Il lui bloqua la cheville en plein élan. Le Sangdragon se trouva sur le dos, cloué au sol par deux des créatures. Avec une jubilation abjecte, celle dont il avait brisé la lance lui passa son épée au travers du corps. Un triple rugissement de triomphe s'éleva comme une salve. Tamarantha, Seigneur de la Pierre-qui-Rit, était à leur merci.

Tamarantha !

Covenant oublia qu'il se croyait infirme. Il oublia sa peur, son statut d'étranger, sa dignité outragée par le rêve, sa vulnérabilité. Il oublia qu'il était lépreux. Elle était si vieille, si délicate... D'un bond, il jaillit hors de la tranchée.

Sa soudaine décision fut fatale à la Sylvestre. Dans le mouvement qu'elle fit pour le retenir, elle découvrit son flanc et l'adversaire y plongea son glaive. Mais cela, Covenant ne le savait pas encore. Il avait réagi trop tard, bien sûr. S'il n'avait tenu qu'à lui, le coup fatal eût été porté, mais au dernier moment, un Chevalier se jeta sur Tamarantha et reçut entre les épaules la lance qui lui était destinée.

Covenant courait de toutes ses forces. La rage lui donnait des ailes. Il désirait tuer autant qu'il désirait mourir. Du pied, il repoussa le Chevalier et, sans demander la permission de Tamarantha toujours sans connaissance apparente, il arracha le bâton de ses mains inertes et l'assena comme une hache sur le crâne du Lémure. L'impact produisit une petite déflagration. Le Lémure tomba raide mort.

Covenant fut quelques secondes avant de voir l'alliance scintiller à son doigt. Il fut stupéfait. Il ne gardait aucun souvenir de l'avoir glissée là. Un autre Lémure se présentait. Covenant frappa, avec le même résultat. Dès lors, il en eut plein le ventre et fut prêt à tout. Il plongea au cœur de la confusion. Le nom de Férus jaillissait de ses lèvres comme un cri de guerre.

Son bâton semait une mort incandescente dans les rangs de l'ennemi, mais il ne regardait pas où il mettait les pieds. Il avait terrassé trois autres Lémures quand il dégringola tête baissée dans une tranchée. Le contact avec le sol fut si brutal qu'il perdit un peu le sens des violences terrestres dont il était en train de jouir.

Quand il s'éveilla, il vit que le rapport de forces s'était inversé. L'Ecumeur avait pris la place de Prothall face au *griffon*, et le Seigneur absolu s'était porté à la rescousse de Mhoram qui tenait superbement tête à son adversaire multiple sans parvenir à porter le coup décisif. Aux premiers heurts simultanés des deux bâtons seigneuriaux, le cimeterre vola en éclats et l'Ur-Vil foudroyé par le contrecoup s'effondra dans un hurlement de détresse. Son armée concentra aussitôt l'énergie commune sur la doublure, mais le plus valeureux venait de tomber et le pressentiment de la défaite émoussait leur ardeur.

De son côté, le Géant avait désarçonné l'Ur-Vil sans trop de mal. La créature avait traversé la moitié du champ de bataille en vol plané. Ainsi débarrassé du cavalier, l'Ecumeur s'attaqua à la monture, mais le *griffon* était un adversaire plus coriace, et d'abord insaisissable. Cependant, tout à sa tactique de harcèlement, il commit l'erreur de descendre trop. L'Ecumeur le saisit à bras-le-corps et, soudés, ils roulèrent au sol. Ce fut une lutte acharnée, interminable et sanglante. Quand le Géant se releva, il avait le front ouvert, le dos et le ventre lacérés.

Mais le coup de grâce, ce fut l'irruption impétueuse des Ranyhyns. A leur vue, les Ur-Vils se débandèrent à toute vitesse. Les Lémures se croyaient plus forts parce qu'ils étaient plus nombreux. En outre, ils étaient plus disciplinés. Plusieurs dizaines d'entre eux trouvèrent une mort atroce sous les sabots des terribles coursiers du Ra. Quand retentit l'ordre de dispersion, ce fut une ruée éperdue et cahotique vers les bois. Malheureusement pour eux, l'Ecumeur n'avait pas eu son content de meurtres. Il disparut à leur suite.

— Devons-nous les poursuivre ? questionna l'Insigne Tuvor. Prothall secoua la tête.

— En voilà assez. Souvenons-nous du Serment de Paix.

Le temps était venu du repos et des larmes. L'espace de longues minutes, nul ne bougea, nul ne dit mot. Aux oreilles de Covenant, ce silence troublé par les halètements des combattants qui reprenaient leur souffle, les grognements des Lémures en fuite et les râles des blessés avaient la densité d'une prière. Mine de rien, chacun comptait les morts.

L'ennemi avait laissé sur le terrain une hécatombe de Lémures et dix Ur-Vils. Dans les rangs de la Quête, cinq Chevaliers ne galoperaient jamais plus et, parmi les survivants de l'Equestre, pas un qui ne fût blessé. Enfin, un Sangdragon était tombé.

— Nous avons eu de la chance, murmura Prothall.

De la chance ? Covenant n'en croyait pas ses oreilles ! De la communauté sylvestre, il ne restait que deux êtres pitoyables à la raison fortement ébranlée. Cinq Chevaliers avaient péri, dont la femme qui s'était occupée de lui, un Sangdragon, des Lémures par dizaines, et ces Ur-Vils, morts, morts, morts... Cette femme morte pour lui... il ne savait même pas son nom.

— L'Ecumeur a raison ! s'écria-t-il. Tous, nous n'avons fait qu'exécuter le plan de Férus !

Personne ne parut l'avoir entendu. Les Sangdragons hissèrent leur camarade à califourchon sur sa monture et l'assujettirent à l'aide de courroies de *krampo*. Une minute de silence, puis le Ranyhyn s'élança ventre à terre dans la direction lointaine des monts du Couchant. Le Sangdragon rentrait chez lui.

Tandis que les autres Sangdragons, fourbus mais indemnes, pansaient les Ranyhyns, les Chevaliers parcouraient le camp, triant les morts des blessés. Tout ce qui pouvait tenir sur pied fut chassé dans la forêt. Des cadavres, on fit, au nord, une grande pyramide à laquelle on mit le feu.

Aidé de deux Chevaliers, Prothall repoussa le bouclier qui obstruait l'abri de Llaura et de l'enfant. La jeune femme parut, vidée de ses forces, au bord de l'évanouissement, mais Pietten, enchanté, frotta de ses mains l'herbe rouge de sang et se lécha les doigts. Mhoram s'était agenouillé auprès de Variol et de Tamarantha. Il leur toucha les joues. Seul Prothall semblait prêter une oreille anxieuse aux cris intermittents qui leur parvenaient des bois.

Covenant errait comme une âme en peine. Il se planta devant Mhoram toujours penché au-dessus de ses parents. Le visage que releva le Seigneur exprimait une souffrance aiguë, mais Covenant était trop refermé sur ses propres déchirements pour y prendre garde.

— Vous ne comprenez donc pas que Férus a tout manigancé ? cria-t-il avec un sauvage emportement. L'idée de ce guet-apens, c'est lui qui l'a soufflée à Gloton afin de distraire son esprit débile de la protection des Hauts du Tonnerre. Il veut que nous allions là-bas et que nous terrassions l'usurpateur, quitte à verser dans l'opération jusqu'à notre dernière goutte de sang. Il veut nous acculer au désespoir. Il veut que nous n'ayons d'autre ressource que celle d'une violence aveugle. Il sait tout. Il comprend tout. Il dicte chacun de nos gestes. M'entendrez-vous, à la fin ?

Mhoram se dressa et le toisa avec un regard de haine. Il était si pâle que ses yeux semblaient deux trous noirs dans son visage de craie. Il parut sur le point de frapper Covenant de son bâton. Puis toute la tension de ses traits se résolut dans les larmes. Pendant un instant, il pleura sans retenue.

— Ils sont morts, dit-il d'une voix brisée. Mon père et ma mère. Mon âme. La chair de ma chair. Ils sont morts !

— C'est impossible ! s'exclama un Chevalier. Aucune arme ne les a même effleurés !

Bouche bée, Covenant considéra les yeux ternes dans les petits visages couleur de cire. Qu'était-il auprès de Mhoram ? Toute sa vanité pathétique était un résidu aux pieds du Seigneur. A cet instant, Mhoram était seul. D'une solitude perdue. Covenant avait pitié de lui et horreur de lui-même. Les hommes abandonnèrent leurs tâches et vinrent se serrer autour du père, de la mère et du fils. Celui-ci souleva ses parents sans effort et les tint plaqués contre sa poitrine, les épaules fermes, des larmes plein les joues. Prothall et Birinair se tenaient à l'écart, profondément accablés. Un cheval poussa un hennissement lugubre. La grande jument Ranyhyn battit le sol de ses sabots comme pour s'insurger contre l'inévitable. Sa cavalière n'était plus. Elle volta et s'éloigna vers les plaines.

Du milieu des hommes s'éleva un murmure :

Tais-toi, mon cœur !
Tiens ta douleur muette.
Si tu la libérais,
Elle pourrait bien obscurcir le ciel.

Mhoram s'avança vers les ruines de l'Arbopolis. Un Chevalier suivait, portant le bâton qu'il lui avait abandonné. Dans l'espace compris entre les deux moitiés du tronc foudroyé, il disposa les corps face à face.

— Plus une seule larme ne doit être versée, déclara-t-il. Les vies de Variol et de Tamarantha approchaient de leur terme. Leurs morts étaient inscrites dans les cendres de la Haute Sylve. Ils me l'ont dit. Aussi ont-ils offert leur dernier souffle afin d'épargner une effusion de sang dans nos rangs. C'étaient leurs vies presque achevées contre des vies précieuses pour l'avenir de la Quête. Telle était leur volonté. Ainsi fut-il. Aucune larme ne doit plus être versée.

Chevaliers, Seigneurs et Sangdragons s'étaient mis au garde-à-vous, bras déployés dans le geste de l'adieu. Covenant était atterré. Echappés de son cerveau balbutiant, des mots terribles se précipitèrent hors de sa bouche.

— Mais alors... si j'ai tué, si d'autres sont morts, c'était pour défendre deux cadavres ?

Une crispation de mépris passa sur le visage de Prothall. Quaan s'approcha de Covenant et lui saisit le bras.

— Si tu ajoutes une parole, une seule, je le brise !

Ne me touchez pas ! Ne me touchez pas !

Subjugué, Covenant n'osa même pas se dégager.

Mhoram, lui, n'avait rien entendu. Sans se retourner, il prit son bâton que lui tendait le Chevalier. A l'instant où l'embout de métal effleura l'écorce calcinée, le tronc s'enflamma dans un grondement de tonnerre. Les corps fluets disparurent à leur vue.

Quand le feu fut presque consumé dans l'odeur atroce de chair brûlée dont la clairière était saturée, les hommes se dispersèrent. Prothall avait pieusement ramassé les bâtons des Seigneurs défunts.

— Voici le bâton de Variol, fit-il à Mhoram. Qu'il soit transmis du père au fils !

Mhoram l'accepta sans mot dire. La ligne mince de sa bouche impliquait une résolution inflexible. Prothall hésita. Il regarda Covenant.

— Tu t'es servi du bâton de Tamarantha. Sers-t'en de nouveau. Il soutiendra ton anneau plus vaillamment que celui de l'Initié.

Covenant secoua la tête d'un air gêné, hostile. A cinq reprises, le bâton de la vieille femme avait donné la mort.

— Brûlez-le, repartit-il.

Les poings de Mhoram se crispèrent, et ce fut tout. Prothall haussa les épaules et posa le bâton sur le tas malodorant où les cendres de l'Arbopolis se mêlaient à celles des Seigneurs. Ceux qui se trouvaient là en spectateurs n'eurent que le temps de se mettre à l'abri ; on eût dit que Prothall venait de porter le feu à une poudrière. L'explosion fut aussi brève que spectaculaire. Quand l'incandescence s'étouffa, du bâton de Tamarantha ne subsistait qu'une mince fumée qui s'élevait en tournant.

— L'œuvre de l'Incrédule ! proféra Birinair dans sa barbe.

Ne me touchez pas ! Même en pensée, ne me touchez pas !

— Ne me touchez...

Mais la voix de Covenant était brisée comme si elle venait de toucher des cendres brûlantes. Réduit au silence, il s'assit à l'écart, ravalant les aspects les plus sombres de sa pensée.

Le retour de l'Ecumeur, loqueteux, ensanglanté, sa blessure béante comme un troisième œil au milieu du front, provoqua une émotion considérable. Dans le silence stupéfait fusèrent les ricanements narquois du petit Pietten. Llaura l'entraîna aussitôt vers le lit que les Chevaliers leur avaient préparé.

Prothall et Mhoram s'approchèrent du Géant avec sollicitude, mais lui, sans rien voir, traversa la clairière jusqu'au feu de camp devant lequel il tomba à genoux, son grondement douloureux comme un craquement dans une muraille.

— Quelles sont nos pertes ? demanda-t-il sobrement.

— Légères, soupira Prothall. Grâce à toi, en grande partie. Tu as fait le travail d'un bataillon entier.

— Qui est mort ? insista le Géant.

Prothall énuméra les victimes.

— Par tous les vents !

Dans un sursaut de tout le buste, l'Ecumeur plongea ses mains dans le feu.

Il y eut des exclamations étouffées. Trois syllabes coururent sur les lèvres effarées des spectateurs :

— *Caamora... Caamora...*

— La *Caamora*, c'est le feu qui réconforte, murmura Prothall. C'est ainsi que les Géants soignent la souffrance par la souffrance. Personne n'a le droit d'intervenir.

Le visage de l'Ecumeur se tordait. Le sang et la sueur ruisselaient sur ses yeux clos. L'assistance suffoquée retenait son souffle. Covenant fit trois pas rapides. Il arrivait tout juste aux épaules du Géant agenouillé.

— Si tu pouvais te voir comme je te vois, chuchota-t-il, réellement, c'est à mourir de rire !

Il s'écoula bien une minute. L'Ecumeur ne bronchait pas. Soudain, ses épaules s'affaissèrent. Il retira ses mains du feu. Elles étaient intactes, mais curieusement vidées de leur sang, livides comme des mains de marbre. Doucement, il fléchit les doigts.

— Entre nous, l'Incrédule, susurra-t-il, la bouche amère, les yeux vagues, ton cœur est-il vraiment paralysé ? Ne peux-tu rien ressentir ? Rien de rien ?

— Moi ? grogna Covenant. Je suis lépreux.

— Pas même de la pitié pour le petit Pietten ? Un enfant ?

Covenant fut si bouleversé qu'il eût voulu jeter ses bras autour du torse colossal. Cette marque de sympathie profonde le touchait comme une réponse possible à son dilemme. La droiture, les bons sentiments, c'était sans doute une façon de rester lui-même envers et contre tout. Mais c'eût été trop simple. Encore une tentation !

— Nous aussi, nous avons du sang sur les mains, dit-il. Nous avons tué autant que nous pouvions. Sommes-nous différents de nos ennemis ?

La honte l'étouffait. Il fit volte-face et retourna à sa solitude. Les enfants ! Les petits enfants. Combien de cadavres de petits enfants avait-il sur la conscience ? Incrédule paré d'or blanc, il était l'épine dans le pied de Férus, l'ennemi qu'il fallait neutraliser. A cause de son alliance de métal magique, le Contempteur avait déclaré la guerre au Territoire.

Je ne tuerai plus ! Personne ne m'y obligera.

18

Les plaines du Ra

En dépit du site funèbre et des miasmes répugnants, en dépit de la proximité des charniers à ciel ouvert, Thomas Covenant passa une nuit paisible. A son réveil, il trouva la clairière nettoyée, les fosses comblées de terre et même plantées de jeunes arbustes. Les hommes éreintés gisaient, épars. Prothall et Mhoram s'activaient devant le feu.

Son premier sentiment fut de confusion pour n'avoir pas assumé sa part de travail.

D'un autre côté, ces quelques heures de sommeil avaient précipité sa décision. Il ne pouvait plus s'en remettre au rêve. La frêle carapace d'habitudes et de principes qui sauvegardait à ses yeux un semblant d'identité avait volé en éclats. Il avait tué. Il avait provoqué la ruine de la Haute Sylve. Obnubilé par son désir d'échapper à la folie, il découvrait trop tard vers quels terribles égarements l'entraînait sa fuite en avant.

Il devait continuer ; c'était la leçon des événements. Mais où se trouvait la porte étroite qui lui permettrait d'esquiver l'atroce dilemme — s'engager aux côtés des Seigneurs dans le conflit qui déchirait le Territoire, et perdre la raison ; rester neutre, et perdre la raison ?

A son insu, ses pas l'avaient conduit devant la tache claire et revigorante du feu de camp. Levant les yeux de la marmite dont il remuait le contenu, Mhoram s'avisa de l'expression désemparée de son visage.

— Mon ami, puis-je savoir ce qui te tourmente ?

Quelque chose, dans le cœur de Covenant, se rétracta aussitôt. Il n'était l'ami de personne. Tout son être se rebellait et regimbait devant l'offre qui lui était faite. De même qu'il résolut de ne pas riposter malgré l'envie qu'il en avait, il fit un effort tenace pour ne pas demander pourquoi le bâton de Tamarantha était devenu si dévastateur entre ses mains. Il voulait savoir et il ne voulait pas. Ecœuré, il tourna le dos au Seigneur et s'en fut à la recherche de l'Ecumeur.

Assis le dos contre un arbre, un bras passé autour de la gourde d'*eau de roc*, le Géant surveillait avec un intérêt passionné quelque chose qui se trouvait à l'opposé de la clairière. Covenant suivit son regard. Là-bas, Llaura débarbouillait le petit Pietten.

— Sais-tu ce qui leur a été fait? demanda le Géant avant même que Covenant ne fût assis. J'ai tourné et retourné la question dans ma tête, sans résultat. Je serais heureux d'entendre ton avis, camarade.

Covenant décida de répondre, bien qu'il fût agacé d'avoir à parler de ces choses.

— Ils ont été frappés du même mal que nous. Les Lémures n'ont pas été épargnés non plus. Tous autant que nous sommes, nous allons nous ingénier à détruire ce que nous souhaitons préserver le plus au monde. Voici, en substance, la stratégie de Férus. Pietten est un cadeau, le vivant exemple de ce que nos agissements infligeront au Territoire alors même que nous tentons de le sauver. Faut-il que le Contempteur soit sûr de lui! (Il jeta sur l'Ecumeur un regard rapide, vit les yeux las dans le visage ravagé et souhaita changer de sujet.) Pourquoi ne pas avoir mis de baume sur ton front? C'est une blessure affreuse.

— Il n'y en avait plus, voilà pourquoi. Certains blessés seraient morts, d'autres auraient perdu un bras ou une jambe. Le vieux Birinair m'en avait bien mis de côté, mais... (Sa voix s'altéra soudain.) Il y avait ce Lémure, condamné à mourir lentement dans d'horribles souffrances. Ce fut plus fort que moi! s'écria-t-il avec une violence brusque et fervente. J'aurais pu garder le reliquat de baume pour Pietten ou pour n'importe lequel d'entre nous. Mais non! Je l'ai donné au Lémure. Il le fallait! Il le fallait...

Il s'adjugea une longue gorgée d'*eau de roc*. D'un revers de manche, il essuya le sang sur son visage.

De nouveau, l'impulsion absurde de le serrer dans ses bras. Covenant posa la première question qui lui vint à l'esprit :

— Comment vont tes mains?

— Mes mains? répéta l'Ecumeur, perdu. Ah, la *Caamora*! Camarade, aussi longtemps qu'un feu reste innocent, il ne peut rien contre les Géants. Mais la douleur... la douleur nous console de bien des choses. Ne t'inquiète pas pour moi. Je suis de granit!

— Dans certaines parties du monde d'où je viens, répliqua Covenant sans comprendre lui-même pourquoi il se livrait à cette métaphore douteuse, on croise d'étranges vieilles femmes le long des routes. Elles sont armées de petits marteaux et, du matin au soir, elles s'acharnent sur des blocs de granit. Cela demande du temps, mais il arrive toujours un moment où le bloc est en miettes.

L'Ecumeur réfléchit un instant.

— Dois-je l'entendre comme une prophétie, Seigneur Covenant?

— Comment le saurais-je ? Je ne serais même pas capable de reconnaître une prophétie si elle me tombait sur la tête !

L'Ecumeur lui fit l'aumône d'un pâle sourire.

— Nous en sommes donc au même point, camarade !

L'heure du petit déjeuner arrivait. Tout le monde était affamé, Covenant comme les autres, mais la vue et l'odeur de l'excellent ragoût mijoté par Prothall et Mhoram produisit une réaction de rejet inattendue. En outre, comme il tendait le bras pour s'emparer du pain, il vit sur sa manche de brocart la croûte qu'avaient formée le sang et la cendre mélangés. Ses doigts laissèrent échapper le pain juste saisi. Comment le pourrais-je ? pensa-t-il. Manger lui apparut soudain comme la forme la plus triviale du consentement. Il avait tué, cinq fois. Manger, c'était acquiescer à la barbarie du Territoire. Manger, c'était tout accepter.

Comprendre, avant de manger. Son estomac criait famine. Il lui octroya un verre de vin nouveau, à seule fin de s'éclaircir la gorge. Sous le regard interloqué des autres convives, il se leva et s'en fut déambuler entre les tombes.

Il devait se mettre à l'épreuve, inventer sa propre *Caamora*. Il décida sur-le-champ de ne plus rien avaler avant d'avoir trouvé le moyen de survivre sans rien perdre de son intégrité.

Le ragoût terminé, on racla les parois de la marmite. Puis on remballa le matériel, et quand on se trouva à court de prétextes pour différer le départ, la Quête recommença.

La troupe qui, ce matin-là, se mit en route vers le nord et la Mithil ressemblait davantage au résidu d'une armée en déroute qu'au bras armé de la légitimité seigneuriale. Mhoram avait pris Llaura en croupe, et l'enfant dormait dans les bras de l'Ecumeur. En plus des blessures mal refermées et de la saleté, tous portaient les traces de la fatigue et de l'accablement. Tous, sauf les Sangdragons. Ceux-là, physiquement aussi mal en point que les autres, chevauchaient gaillardement, sans manifester le moindre fléchissement moral, sans appréhension et sans remords.

En dépit du pas lent adopté par les chevaux harassés, avant midi ils atteignaient le gué de la Mithil. Tandis que les montures s'abreuvaient et broutaient à leur guise, on se baigna, on se frictionna, on fit sa lessive à tour de rôle. Tout d'abord, les Sangdragons firent le guet, puis ce fut leur tour d'entrer dans l'eau et de se nettoyer, ce qu'ils firent, observa Covenant, avec le plus grand calme et sans éclaboussures.

Les sacoches livrèrent des vêtements frais. Quand tout le monde fut de nouveau en selle, Prothall donna le signal du départ. Cap vers l'est, en longeant la rive méridionale. Pour tous, hommes et bêtes, ce fut un trajet de tout repos. Les sabots foulaient une herbe complaisante ; l'eau pure étanchait les soifs soudaines ; Andelain régalait les yeux. Par un étrange phéno-mène d'osmose, la furieuse vitalité des collines se transmettait aux habitants du Territoire. Elle agissait sur les âmes comme le baume sur les blessures des corps. Pour Covenant, étranger récalcitrant, c'était une autre affaire. Il mourait de faim. Cela devenait une obsession que l'aura savoureuse d'Andelain aiguisait cruellement.

Quelquefois, des buissons d'*aliantha* s'épanouissaient en travers de sa route, comme une invite ostensible. Il ne succombait pas.

Covenant, Thomas Covenant, songeait-il. Incrédule par nécessité. Lépreux. Renégat. Quand ses entrailles criaient trop et que le paysage chavirait devant ses yeux, il pensait à son alliance, innocent symbole d'un avenir matrimonial radieux à présent tombé sous l'emprise d'un monstre grotesque aux yeux de braise. A coup sûr, sa résolution d'austérité s'en trouvait renforcée.

Cette nuit-là, justement, il remarqua une évolution spectaculaire dans la réaction de l'anneau à l'influence de la lune. Comme si l'or avait abandonné toute résistance, il luisait maintenant d'un éclat uniformément pourpre parcouru de vagues pulsations qui trahissaient une réceptivité croissante aux incitations de Gloton. Le lendemain matin, Covenant s'éveilla avec la sensation d'être une plume suspendue entre deux abîmes.

Cependant, la brise langoureuse où se devinaient les prémices de l'été invitait à la mélancolie. Une rêverie sournoise envahit peu à peu Covenant. Sa volonté se dilua, toutes ses volontés, et même celle de ne pas vider les étriers. Si cette honte lui fut épargnée, il le dut à la magnanimité de Dura et à l'adhérence de son postérieur à la selle de *krampo*. Il s'était assoupi, tout simplement. Quand la Mithil se sépara d'eux pour suivre son cours vers le nord, quand le relief des collines s'accentua, ce fut à peine s'il s'en aperçut. Pendant la halte, n'ayant rien de mieux à faire, il dormit d'un sommeil de plomb. Il traversa la moitié du jour suivant dans une torpeur languide dont il ne s'éveilla qu'en fin d'après-midi pour plonger son regard dans le moutonnement serré de la forêt de Morinmoss.

Ils se trouvaient sur la crête de la dernière colline que les sombres replis de l'immense forêt cent fois millénaire venaient battre comme la houle d'un océan pétrifié en pleine colère.

Son aspect rébarbatif était bien fait pour décourager les intrusions, assimilant par avance toute pénétration au viol d'un sanctuaire. Clairement, on était en présence d'un lieu sacré. Clairement, on était invité à garder ses distances. Prothall hésita longtemps, évaluant le temps qu'il faudrait pour contourner cette muraille horizontale. Sa décision prise, il s'adressa à ses troupes, et, plus que jamais, son regard altier exigeait une obéissance absolue.

— Nous camperons ici. Quand nous aurons repris des forces, nous entrerons dans Morinmoss et la traverserons d'une traite, sans nous arrêter un seul instant. Cela prendra un jour et une nuit. Tant que nous serons sous les arbres, prenez garde de ne pas exposer la moindre lame ni de faire jaillir la plus petite étincelle. Je veux voir toutes les épées au fourreau, les poignards dans leurs gaines, les flèches dans les carquois. Que rien ne brille ni ne flamboie ! Obéissez, ou vous courez le risque d'être broyés. Morinmoss est plus redoutable que Grimmerdhore et nul n'entre ici sans effroi. Les arbres souffrent depuis trop longtemps pour tolérer en leur sein la plus petite provocation. Notre seule présence au milieu d'eux sera perçue comme un blasphème. (Sa voix s'adoucit pour ajouter, bien que personne n'en eût entendu parler depuis la Profanation :) Il n'est pas exclu qu'un Prodrome veille encore sur Morinmoss.

Certains Chevaliers accueillirent cette hypothèse avec une grimace de contrariété, mais Covenant était encore trop indolent pour manifester toute la curiosité craintive qu'on eût pu attendre de lui.

— Tout compte fait, demanda-t-il, vous adorez les arbres ?

Prothall fronça les sourcils.

— Adorer ? Je ne comprends pas bien. Disons que nous vénérons et servons la nature sous toutes ses formes. Hélas, il n'en a pas toujours été ainsi ! Certaines pages de notre histoire jettent l'opprobre sur l'humanité dans son ensemble. Sache que, dans un passé lointain, le Territoire était presque entièrement recouvert d'une forêt unique. C'était la forêt Originelle. Les premiers voyageurs reçurent de sa part un accueil chaleureux qu'ils récompensèrent en abattant et en brûlant des arbres par milliers afin de ménager l'espace qu'exigeait leur misérable existence. Dix siècles furent nécessaires pour mettre à genoux la forêt Originelle. Une éternité, à l'échelle humaine, mais, pour les arbres, ce lent massacre fit l'effet d'une exécution sommaire. A la fin, il ne resta que quatre étendues boisées : Grimmerdhore, Morinmoss, la Colossale et Gorge Profonde, celles-là mêmes qui subsistent aujourd'hui, quatre vestiges où s'est répartie l'âme de la forêt d'antan. Longtemps, les arbres survivants se replièrent douloureusement sur le souvenir épouvanté du génocide. Puis vinrent les Prodromes, et avec eux naquit l'esprit de résistance. Les Prodromes veillent sur la conscience forestière morcelée, écartelée entre ses quatre pôles. Tant que les arbres se souviendront, on ne pourra espérer sortir vivant d'une forêt qu'en la traversant sur la pointe des pieds.

— Et nos ennemis ? s'enquit Quaan. N'y a-t-il aucun risque de guet-apens ?

— De ce point de vue, nous serons plus en sécurité à Morinmoss que nulle part ailleurs. Le pouvoir de Grimmerdhore s'est peut-être assoupi, mais Morinmoss se souvient des outrages que lui ont fait subir les sbires de Férus. La nuit qui s'annonce sera sans lune. Même Gloton Larva n'est pas assez fou pour violer Morinmoss en pareille circonstance. Quant au Contempteur, il sait à quoi s'en tenir. (Plus tard, quand ils furent prêts, Prothall se tint une fois encore au point le plus élevé de la colline.) Je te salue, Morinmoss ! Nous maudissons le fer et le feu qui t'ont meurtrie. Tes ennemis sont nos ennemis. Jamais nous n'avons porté atteinte à ta beauté et cela ne se produira jamais. Nous te saluons, Morinmoss! Livre-nous passage.

Il leva le bras. A ce signal, toute la troupe dégringola le versant. L'entrée dans la forêt se fit sans transition, comme une pierre tombe dans l'eau. L'instant d'avant, le jour ruisselait autour d'eux et, d'un seul coup, la pénombre les enveloppa. Birinair ouvrait la marche, son bâton d'Hospitalier en travers du col de sa monture. Des arbres à l'écorce de noir ou de brun mouchetée les cernaient de leur opacité, autour d'eux et au-dessus d'eux, de sorte que l'air était froid, sombre et humide. Les troncs courts et râblés laissaient entre eux un espace suffisant pour former des tunnels qui s'ouvraient comme des bouches d'ombre devant la procession. De la zone indistincte, énigmatique où se déployait le feuillage pendait sous forme de lambeaux ou d'écheveaux une mousse visqueuse qui leur sabrait brutalement le visage. La mousse, encore, étouffait le bruit des sabots. Les cavaliers progressaient sans bruit. Ils pouvaient se croire transportés dans un monde d'illusion.

Covenant sondait le clair-obscur, sondait le silence réproba-teur et comprenait combien peu les arbres se souciaient de la loyauté seigneuriale. Nouveaux venus dans le Territoire, les Seigneurs faisaient figure de nains, et leur allégeance ne comptait pas. Ce n'était ni par sympathie ni par tolérance qu'on les épargnait. Ce qui pouvait passer pour de l'acquiescement était en fait de l'impuissance. Dans l'engourdissement où s'enlisait la forêt, il n'y avait place que pour la résignation, la douleur et le repos.

Les forces vives de Morinmoss s'avachissaient dans l'obses-sion morose d'une immortalité perdue, traversée par de fugitifs désirs de vengeance, aussi vains que les soubresauts d'un animal touché à mort.

Vint la nuit, emportant le peu de lumière. Peu à peu naquit une lueur dont les troncs eux-mêmes étaient la source, une phosphorescence croissante qui rongea les ténèbres d'encre comme la marée s'attaque au roc et triomphe. Dans l'irréelle clarté, la forêt devenait un décor de fête dont les retombées échevelées de mousse étaient les guirlandes. Seule fausse note, le rougeoiement rageur de l'alliance qui ne reflétait plus la lune, mais le mal dont elle était atteinte. Covenant la couvrait de son autre main, aussi apeuré que s'il avait dissimulé une hache sous sa robe.

Cela dura longtemps, très longtemps, trop longtemps. La nuit ne finirait jamais plus.

Enfin, le jour parut. Une aube jaune et sale s'insinua sous la voûte de Morinmoss. Les arbres s'éteignirent comme des lampes. Covenant n'en pouvait plus de se soustraire aux frôlements gluants de la mousse. La plupart de ses compagnons somnolaient sur leur selle. Il s'écoula des heures, puis Birinair brandit son bâton et lança un avertissement que personne ne comprit. Les chevaux réagirent avant les cavaliers. Entraînés par les Ranyhyns, ils s'ébranlèrent au petit trot. Les arbres horrifiés regardèrent passer avec un muet regain de fureur ces gens qui osaient troubler leur méditation. Comme ils s'étaient engouffrés dans la forêt, ils s'en délivrèrent. Ce fut l'affaire d'un instant. Ils débouchèrent dans la pleine lumière du jour sur le versant descendant d'une colline. En bas coulait une rivière. Birinair les avait guidés sains et saufs au gué de l'Erratique.

On talonna les montures. Peu après, l'eau giclait sous leurs piétinements. Prothall fit s'arrêter tout son monde sur la rive opposée. Les Ranyhyns restaient fringants et les Sangdragons n'avaient pas perdu leur superbe, mais les autres semblaient prêts à s'effondrer. Les chevaux surtout avaient souffert. Ils frémissaient sur leurs pattes comme des faons nouveau-nés. Sourds aux encouragements des Ranyhyns, deux d'entre eux se couchèrent sur le flanc. Même l'Ecumeur, sitôt qu'il eut tendu l'enfant à Llaura, s'écroula sur l'herbe et ne bougea plus. Il n'avait pas prononcé une parole depuis le départ de la Haute Sylve, comme s'il craignait que sa voix ne trahît le fond de sa pensée. Covenant se demandait s'il l'entendrait jamais rire de nouveau.

Dans le geste qu'il fit pour prendre son bâton dans sa sacoche de selle, il découvrit les traces verdâtres que la mousse avait laissées sur sa robe. On eût dit le sillage baveux de milliers d'escargots. Ses manches et sa poitrine en étaient maculées. Sans doute ses compagnons avaient-ils été plus habiles à esquiver les frôlements, car hormis la chasuble de Mhoram dont les épaules présentaient de légères souillures, on ne trouvait pas une tache sur un seul vêtement.

Il eut beau frotter, la saleté était incrustée dans la trame du tissu. Il plongea dans la rivière. Il gratta, frictionna, racla à s'en retourner les ongles, mais, bien sûr, il était marqué de manière indélébile. Planté au milieu du gué, ruisselant, il éprouva comme la quintessence du défi que lui avait lancé Férus, l'impossibilité où il était présentement de trouver un exutoire à sa frustration. Il comprit que toute cette rage accumulée finirait par le briser s'il s'abandonnait au désespoir avec tant de complaisance éperdue. A ce moment-là, il entendit la voix de Mhoram qui l'appelait par son nom. Il s'essuya les yeux, pataugea jusqu'à la rive et louvoya entre les corps vautrés des Chevaliers. Il trouva les deux Seigneurs en compagnie d'un étrange petit bout de femme.

Elle leur arrivait à l'épaule, avec un visage d'adulte sur un corps d'adolescente, mince, délicat, musclé, généreusement révélé par une courte et souple tunique brune. Elle avait le teint couleur de miel et les cheveux bruns, drus comme ceux d'une Orientale, ramenés en queue de cheval, coiffure sévère dont la rudesse était atténuée par un collier de ravissantes fleurs jaunes. Le front haut, bien campée sur ses jambes, elle accueillit

Covenant avec un certain air de reconnaissance qui donnait à penser que c'était lui seul qu'elle était venue voir.

— Sois le bienvenu, Barond'Or! lança-t-elle d'une voix bien trop grande pour elle. Tu es le porteur de l'anneau et, comme tel, nous t'honorons. Ordonne! Les hommes et les femmes du Ra t'obéiront.

Il la dévisagea, l'œil stupide. Comme il restait coi, elle salua tour à tour les Seigneurs, le Géant, l'Hospitalier, l'Insigne et les Chevaliers en désignant chacun par son nom. Tour à tour, ils s'inclinèrent gravement devant elle.

— Je suis Agilias, Barzane du Ra. Parlez! On ne pénètre pas sans raison sur le territoire des Ranyhyns.

— Les Barzanes sont les plus nobles serviteurs des Ranyhyns, dit Prothall. Votre réputation a fait le tour du Territoire, mais toi, d'où connais-tu mon nom et celui de mes compagnons?

Elle était frêle devant lui, frêle et provocante à force de jeunesse. Elle ne sourcilla point.

— Par mesure de précaution, nous vous avons suivis depuis Morinmoss. Vos paroles n'ont pas été perdues. (Soudain, elle aperçut les deux chevaux couchés, à demi morts de fatigue. Ses yeux se durcirent.) Avez-vous une excuse pour les avoir mis dans cet état?

La menace implicite s'aiguisa dans le silence.

— Carnassire a survécu, murmura Prothall.

A ce nom, Agilias blêmit sous son hâle.

— Carnassire... souffla-t-elle, l'ennemi de la Terre et des Ranyhyns. Voilà donc pourquoi l'or blanc s'est réveillé. (Elle regarda Covenant avec intensité, comme on regarde l'horizon d'où va surgir l'espoir ou la promesse d'anéantissement.) Barond'Or, sauveras-tu les Ranyhyns?

A cela, il n'avait rien à répondre. Il se contenta de la regarder, la figure butée, infiniment rétive. Légèrement interloquée, elle consulta Prothall.

— Est-il souffrant? Est-il muet?

— Il se nomme Thomas Covenant, Incrédule paré d'or blanc, répliqua le Seigneur absolu avec un sourire ambigu. Il n'est pas né du Territoire, mais ne le sous-estime pas. Quand les sbires de Carnassire nous ont assaillis, ses prouesses ont fait basculer la victoire dans notre camp.

Agilias acquiesça d'un air distrait. La cause du Barond'Or était entendue. Elle n'était pas inquiète à son sujet, simplement curieuse.

— S'il s'agit de combattre notre ennemi commun, les plaines du Ra sont heureuses de vous accueillir. Hâtez-vous de gagner l'Antre. Nous y tiendrons conseil.

— L'hospitalité du peuple Ra nous honore, répliqua Prothall. Nous reprendrons la route dès que l'état de nos chevaux le permettra. Cela peut demander un peu de temps. Nous ne serons pas à l'Antre avant deux jours.

Agilias eut un petit rire qui lui fit dresser le menton.

— Ces chevaux éreintés ne vous retarderont pas longtemps. Mes Bardes vont les remettre sur pied. Foehn ! Simoun ! Khamsin ! Hermattan ! lança-t-elle aux quatre vents. Montrez-vous ! Ces voyageurs sont nos hôtes. Ils doivent être à l'Antre demain, avant la nuit.

Les quatre Bardes, filles et garçons, s'avancèrent hardiment, saluèrent la compagnie et coururent s'agenouiller auprès des chevaux.

— Pour ma part, je vais répandre à travers les plaines la nouvelle de votre arrivée, reprit Agilias. Les Balbuzars prépareront un festin en votre honneur. A demain soir ! Nous souperons ensemble.

Sans attendre de réponse, elle tourna les talons et fila vers le sud à la vitesse de l'éclair. En un rien de temps, elle avait disparu derrière une colline.

— Ne dit-on pas qu'ils peuvent soutenir le galop des Ranyhyns... sur une courte distance, tout au moins ? fit observer Mhoram qui l'avait suivie des yeux.

— C'est exact, assura derrière eux une voix claironnante. (Le Barde Simoun se tenait dans l'attitude maussade de quelqu'un qui va demander quelque chose et s'attend à être rabroué.) Non loin d'ici pousse une fleur qui fera merveille sur vos chevaux, ajouta-t-il. Si vous le désirez, j'irai en faire provision.

— C'est toi le spécialiste. Fais comme bon te semble, répondit Prothall avec douceur.

Le Barde Simoun écarquilla les yeux. Son visage s'éclaira joyeusement. Ainsi, des étrangers capables de crever sous eux leurs chevaux pouvaient néanmoins se montrer courtois. Le Barde Simoun n'en revenait pas. Il allait s'élancer quand le plus maigre et le plus sale d'entre les étrangers proféra une remarque qui claqua comme un défi :

— Avec tous ces Ranyhyns à votre disposition, pourquoi vous servez-vous encore de vos jambes ?

Une robuste corde ceignait la taille de Simoun. Il l'arracha. Ses doigts la nouèrent en garrot. Il regarda Covenant bien en face.

— Nous ne montons jamais à cheval.

Khamsin s'approcha de son compagnon.

— Méfie-toi, murmura-t-il. La Barzane l'a salué avec déférence.

Simoun le foudroya du regard et détala. Mhoram saisit le bras de Covenant.

— N'apprendras-tu jamais ? dit-il, sévère et mécontent. Hommes et femmes du Ra sont au service des Ranyhyns. C'est leur raison de vivre. A ta place, Incrédule, je les ménagerais. Ils ont le sang chaud et, d'un bout à l'autre du Territoire, on ne connaît pas de chasseurs plus adroits. S'ils veulent ta mort, tu ne le sauras qu'à l'instant de rendre l'âme.

Réprimande et avertissement tombaient si juste que Covenant, vexé, décida de faire bande à part pour les heures suivantes. Allongé dans l'herbe à l'écart de tous, il eut la bonne fortune de s'endormir quand les effluves qui s'exhalaient des marmites se firent trop insistants. A son réveil, malheureusement, une odeur inconnue l'assaillit, infiniment savoureuse, qui jeta la panique dans son estomac.

Ce parfum lourdement poivré émanait des fleurs que le Barde Simoun avait rapportées par brassées. Les chevaux s'étaient tous relevés et broutaient voracement. On pouvait même dire que les plus mal en point se rétablissaient à vue d'œil. L'effet reconstituant de ces mystérieuses plantes tenait du prodige.

— Sacrés canassons! maugréa Covenant. Pour un peu, ils seraient mieux traités que nous!

Khamsin le toisa avec condescendance. Tout Baron d'Or qu'il fût, cet échalas crasseux ne l'impressionnait pas.

— Ces fleurs ne sont pas pour les hommes. Elles proviennent de l'*amanibhavam*, la fougère qui rend fou. Essaie, et tu verras. Elles soignent les chevaux, mais les hommes ne sont pas assez puissants pour supporter le traitement.

Sur les bêtes, en tout cas, le miracle opéra; quand la troupe eut achevé son repas et rangé ses provisions, elles étaient de nouveau en état de supporter le poids des cavaliers. Elles furent sellées et chargées sous l'œil méfiant des Bardes et l'on se mit en route vers le sud à travers le vaste paysage monotone où l'herbe haute et drue dévalait des mamelons mouchetés des ombres espacées des nuages. Un cours d'eau sinuait parfois au fond d'une vallée plus encaissée, les arbres groupés sur ses berges comme du bétail en train de boire. Partout ailleurs, l'herbe souveraine ne tolérait que des buissons d'*aliantha*. Le soir venu, le soleil rasant jeta des reflets fauves sur les plaques d'*amanibhavam* accrochées aux versants les plus hardis. Des troupeaux peu importants de nilgauts convergeaient vers les points d'eau, et des bandes de freux criblaient l'air de leurs jacassements perçants. Mais ce qui retenait l'attention des voyageurs et qu'ils ne se lassaient pas d'admirer, c'étaient les Ranyhyns sauvages, ces créatures magnifiques dont le galop fougueux accompagnait parfois celui de leurs compagnons, victimes consentantes d'une fidélité atavique aux Sangdragons. Ils allaient par petits groupes, lançant des hennissements qui sonnaient comme des charges de trompettes, auxquels les montures des Sangdragons répondaient avec un enthousiasme furieux.

Une coulée orange se répandit sur les plaines comme un fin poudroiement d'or; le soleil se couchait. Covenant le vit disparaître sans regret. Il en avait par-dessus la tête des chevaux et de tout le reste, Ranyhyns, Sangdragons, Seigneurs, Quête, toute cette ferblanterie héroïque qui tintinnabulait dans son cerveau. Il aspirait au sommeil comme à la seule délivrance possible, et tant pis si son alliance en profitait pour prendre la couleur du sang, tant pis si des ailes de ténèbres l'enveloppaient de leurs battements sinistres!

Khamsin proposa de poursuivre encore un peu. Certains indices disséminés dans l'herbe par d'autres Bardes l'inquiétaient. Une menace rôdait. Encore quelques lieues, et la troupe serait à l'abri. Peu après, il les faisait ralentir. Ils gravirent à l'oblique le versant Sud d'une colline. Ils mirent pied à terre avant le sommet et, laissant les montures à la garde de deux Sangdragons, gagnèrent la crête à la suite des Bardes.

Longtemps, ceux-ci scrutèrent la plaine sans relief qui s'étendait vers le nord comme une immense flaque rouge. Tout à coup, l'un d'eux tendit le bras. Covenant aiguisa ses yeux las et crut discerner au loin un agglutinement de taches sombres qui se déplaçaient dans leur direction.

— *Kresh*, chuchota Foehn. Les grands loups jaunes. Ce sont les protégés de Carnassire. Ils ont franchi l'Erratique !

— Attendez-nous ici ! fit Khamsin sur le même ton. Ne bougez pas ! N'ayez aucune crainte. Tout sera vite fini.

Les quatre Bardes se fondirent dans l'obscurité et devinrent des silhouettes fuyantes. Les rangs de la Quête se resserrèrent.

Plus tard, Covenant devait apprendre que la meute comprenait quinze loups géants. Pour l'instant, ce n'était encore qu'une masse obscure, tantôt morcelée, tantôt uniforme, qui glissait inexorablement vers la colline.

Soudain, il lui sembla qu'une brève effervescence disloquait brièvement l'arrière de la meute. Quand la turbulence s'apaisa, trois points noirs gisaient dans l'herbe. Cela recommença plus loin et, cette fois, leur parvinrent des hurlements de rage ou de peur. L'un d'eux se brisa net, comme une corde coupée en deux. Puis la meute se reconstitua dans la fluidité du mouvement qui l'entraînait droit sur la colline, laissant derrière elle cinq taches inertes. Plus de doute, désormais — il s'agissait bien de cadavres de loups.

Trois autres tombèrent. Dorénavant, ils pouvaient voir les silhouettes graciles des Bardes se détacher des victimes et s'élancer dans le sillage des survivants.

La grande bouche d'ombre formée par le repli de la colline les escamota. Là-haut, on retenait son souffle à présent qu'on avait cessé de voir. Des bruits montaient, échos de l'action, affreusement évocateurs dans leur redoutable précision — grondements exaspérés, claquements de mâchoires qui se cadenassaient sur le vide, et même craquements d'os.

Brusquement, une course précipitée. Ami ou ennemi, cela fondait sur eux à la vitesse de l'aigle. Prothall fit front, son bâton seigneurial tendu devant lui. L'embout de métal flamboya et vira au bleu.

Les vainqueurs firent irruption dans cette clarté soudaine, à peine essoufflés, égratignés si l'on veut, impatients de repartir. Ils avaient tué quinze loups. Dans les yeux de Pietten se lisait une admiration sans bornes.

19

Le Choix du Barond'Or

La coutume voulait qu'une fois terrassés les ennemis des Ranyhyns fussent abandonnés aux vautours. Khamsin entraîna donc la troupe à moins d'une lieue de la colline, dans une minuscule vallée abritée où les relents de mort véhiculés par la brise nocturne ne les atteindraient pas.

Covenant somnola douloureusement. Son estomac semblait le tourmenter davantage depuis qu'il était allongé. Des effluves dévastateurs d'*amanibhavam* le pénétraient par tous les pores. Des picotements lui dévoraient le nez. Ses yeux pleuraient.

Quand la préparation du petit déjeuner ressuscita la tentation de nourritures moins exotiques, il se dit qu'il ne tiendrait plus longtemps. Au demeurant, il n'avait pas trouvé la réponse qu'il cherchait. Aucune révélation intérieure n'était venue récompenser les tortures qu'il s'imposait. Pourtant, quelque chose lui soufflait de persévérer. La lumière, il en avait la conviction, se ferait quand il aurait atteint la limite de sa résistance. Quand les autres se mirent en selle, il en fit autant. Dans l'état de faiblesse où il était tombé, il fallait qu'il eût la foi chevillée au corps.

Autour de lui, par contraste avec le sombre abandon dans lequel il s'enfonçait, l'humeur était à la détente. Pour la première fois depuis leur départ de la Pierre-qui-Rit, ils se sentaient en parfaite sécurité. Pas un nuage dans le ciel, pas une fausse note dans le tableau magnifique qu'offraient les plaines du Ra saisies dans la mansuétude d'une belle matinée de printemps. Parfois, de superbes coursiers, crinières flottantes, daignaient les escorter sur quelques lieues ou les dépassaient à un train d'enfer, hennissant à pleins naseaux. L'air tout entier semblait à l'écoute de leur allégresse. A califourchon sur l'énorme cou de l'Ecumeur, Pietten riait chaque fois et battait des mains. Covenant, pour sa part, ne regardait rien. Ses yeux étaient noyés de larmes. Le ventre transpercé par des élancements, la gorge en feu, il sombra dans un engourdissement fiévreux, traversé d'hallucinations où il était beaucoup question de gouffres tapissés d'herbe dans lesquels des fleurs au parfum vénéneux ouvraient leurs corolles vastes et cruelles comme des gueules de loup.

Quand il reprit conscience, de hautes montagnes bouclaient l'horizon. Ils allaient bon train, comme si les chevaux, fouettés par l'exemple des Ranyhyns sauvages, ressentaient l'impérieux besoin d'épancher un trop-plein d'énergie. Tout en surveillant la progression vers la chaîne de montagnes, il imagina ce que serait son séjour à l'Antre. Il savait déjà qu'un culte erroné et malencontreux pour son alliance lui vaudrait d'être présenté au jugement des Ranyhyns. C'était sans doute en partie pour cette raison que Prothall avait tenu à faire ce détour par les plaines du Ra. Rendre hommage au Barond'Or en lui donnant l'occasion d'être choisi par un coursier mythique ! Au diable ces superstitions ! Il essaya de se représenter Thomas Covenant juché sur le dos musculeux d'un Ranyhyn, mais rien à faire, son imagination se refusait à sauter le pas. Autant, sinon davantage que les collines d'Andelain, les chevaux sauvages des plaines du Ra résumaient l'essentiel et le plus pur du Territoire. Ils en étaient la quintessence.

Au fil des heures, les montagnes grandissaient. Leur caractère abrupt, déchiqueté, n'était pas sans rappeler d'autres cimes, plus altières mais tout aussi rébarbatives : celles qui verrouillaient la perspective de Mithil Pétragîte. Covenant ignorait ce qu'il y avait au-delà de ces montagnes et s'en félicitait. Impénétrable au regard, la haute muraille lui semblait l'indispensable rempart qui le séparait d'un inconnu terrifiant.

Les dos s'étaient redressés à mesure que le paysage abandonnait sa candeur sous le volume écrasant des montagnes. Au soleil couchant, la caravane atteignait les avant-postes escarpés où la forêt reprenait ses droits. Il fallut encore franchir une cascade de collines dont la dernière, la plus haute, s'effondrait brusquement sur un vaste plateau dénudé, niché au pied de la grande paroi. C'était ici, au creux de l'anse que ménageait la falaise en surplomb, déployée comme une voûte au-dessus d'une partie de la clairière, que les serviteurs des Ranyhyns avaient établi leur campement, cet Antre bien nommé qui constituait à la fois le centre d'apprentissage, le lieu de repli et le dernier refuge du peuple nomade. Là vivaient essentiellement les Balbuzars, jeune et vieille génération confondues, la première impatiente de sillonner les grands espaces, l'autre nostalgique et repue de randonnées. L'Antre abritait aussi les blessés, les malades, tous ceux qui aspiraient à un peu de repos.

Plusieurs dizaines d'hommes et de femmes se rassemblèrent pour assister à l'arrivée des voyageurs, au premier rang desquels Agilias. Elle s'avança pour les accueillir avec trois autres Barzanes, identifiables à leurs colliers de fleurs. Prothall descendit de cheval et salua selon l'usage du lieu, les bras le long du corps, le buste incliné. Sitôt débarrassés des Sangdragons, les

Ranyhyns voltèrent et s'en furent goûter l'exaltante liberté d'une vie sans cavalier.

— Soyez les bienvenus à l'Antre, Seigneurs venus de lointains horizons, et toi, Barond'Or, et toi, Géant, et vous, Sangdragons ! C'est un honneur et une joie pour nous de vous accueillir.

De jeunes Balbuzars s'approchèrent et glissèrent aux poignets de leurs hôtes des bracelets de fleurs entrelacées. Covenant vit surgir devant lui une petite jeune fille dont le regard naturellement effronté se voilait de confusion ; entre toutes, elle avait été désignée pour veiller au bien-être de l'étranger paré d'or blanc. D'autorité, elle lui passa un bracelet. Le parfum enivrant de l'*amanibhavam* monta au visage de Covenant comme une bouffée d'acide. Impossible de refouler ses larmes. Le visage de la jeune fille prit une expression de ferveur mystique.

— Je suis la Balbuzar Yobel. Bientôt, j'en saurai assez pour rejoindre les Bardes. On m'a confié la noble tâche de veiller que tu ne manqueras de rien pendant ton séjour parmi nous. (Comme il ne répondait pas, bravement, elle ajouta :) Si je ne te conviens pas, d'autres se feront un plaisir de me remplacer.

— Je n'ai besoin de rien. Va au diable et, surtout, ne me touche pas !

Ecœuré jusqu'à l'os, il se détourna pour ne pas voir la petite mine bouleversée. Il buta contre l'Ecumeur. Le Géant avait tout entendu. Il considérait la jeune fille avec une bienveillance ironique.

— Ne le prends pas trop à cœur, petite Balbuzar ! Le Barond'Or est ainsi, toujours à nous éprouver. Il parle avec dureté, mais son cœur est tendre.

— Petite ? riposta Yobel, toute ragaillardie. Tu te laisses abuser par ta haute taille, Géant ! Reviens dans quelques mois et traite-moi encore de « petite » ! Ça bardera pour toi, je te le promets !

L'Ecumeur fut quelques secondes interloqué avant de comprendre le jeu de mots. Aussitôt, son hilarité tonitruante et contagieuse se répandit comme la lumière sur l'ombre, et toute l'assistance s'esclaffa sans savoir au juste pourquoi elle était si gaie, ni pourquoi les deux voisins du Géant restaient si graves. Ni Yobel ni Covenant n'avaient envie de rire, l'une trop confuse d'avoir déclenché ce joyeux cataclysme, l'autre trop contrit de sa propre cruauté.

Il n'offrit aucune résistance quand la jeune fille le prit par la main. Il se laissa conduire tout doux à la place d'honneur devant le grand feu central, dispensateur de lumière et de chaleur, autour duquel défilerait le festin promis par Agilias et que les Balbuzars achevaient de préparer sur d'innombrables petits foyers dans la partie la plus reculée de l'Antre. Ainsi était arrivé le moment redouté, celui de la plus grande tentation et celui de la plus grande impertinence vis-à-vis de leurs hôtes. Covenant était au supplice. On lui fit passer sous le nez quantité de mets au fumet délicat car la cuisine Ra était réputée pour le raffinement de ses épices. Ragoûts et patates douces furent servis sur des feuilles géantes d'une provenance mystérieuse compte tenu de la maigreur de la végétation observée au long de la route. Abondant, savoureux, c'était à tous égards un repas d'exception, et les voyageurs l'abordèrent avec des mines de concentration dévote. Bientôt, on n'entendit plus que les bruits du service et ceux de la mastication.

Covenant était silencieux comme un fantôme. Yobel lui avait successivement présenté à boire et à manger. De la tête, il avait tout refusé. Il contemplait les flammes. A leur base, son regard avait isolé une braise dont la forme et la couleur rappelaient le flamboiement nocturne de son alliance. Il se livrait à une sorte de S.V.P. mentale, explorant sa conscience de fond en comble. Là où il l'attendait le moins, la tache odieuse avait surgi : la méchanceté glacée dont il avait fait preuve à l'encontre de Yobel. Les yeux dans le feu, il songeait. Je deviens fou. Ils me haïssent. Normal. Je suis lépreux. Je suis mauvais. Ces horribles macules vertes sur ma robe me désignent aussi clairement à l'aversion que si je portais un écriteau sur mon front. Au milieu d'eux, je suis l'infâme.

Alentour, on se lassait un peu de bâfrer. Les langues se déliaient. Des bribes de conversations lui parvenaient, qu'il ne cherchait pas à capter. Le contraste était saisissant entre l'ambiance de truculente convivialité et la gravité de certaines paroles prononcées. D'une voix brisée par l'émotion, l'Ecumeur s'évertuait à décrire à l'un des Barzanes le triste état dans lequel ils avaient trouvé Llaura et Pietten. A l'opposé du cercle, Prothall expliquait l'objectif de la Quête à un auditoire perplexe qui se demandait quel rapport tout cela avait avec les plaines du Ra. Le Seigneur absolu décida d'être plus explicite et leur parla des menaces suspendues sur la beauté d'Andelain.

Pietten fixait la nuit avec des yeux inexpressifs. D'une certaine façon, son regard ressemblait à celui de Covenant : au milieu de la liesse générale, aucune joie sincère ne semblait en mesure de l'émouvoir. A côté, Llaura discutait paisiblement avec les Bardes.

Brusquement, Yobel se campa devant Covenant dans une attitude courroucée. Avec innocence et dans une langue drue, elle énonça les vérités qui le rongeaient. Elle vitupéra son arrogance, son absence totale d'intérêt pour tout ce qui n'était pas lui-même. Il regarda ce regard qui interrogeait et ne comprenait pas. Une autre jeune fille l'avait déjà contemplé avec ces yeux-là. Léna...

— Il a refusé de nous révéler comment les choses s'étaient passées à la Célébration, disait Prothall. Bien peu d'Esprits ont pu échapper au massacre, mais nous avons la conviction qu'il s'est battu contre les Ur-Vils. Pourtant, sa compagne rejetait sur elle-même et sur lui la responsabilité du drame.

Léna ?

Le nom ouvrait des profondeurs où ses propres yeux plongeaient avec effroi. Une violence soudaine, irrépressible le fit se lever d'un bond. Il poussa la jeune fille, courut vers le brasier et, brandissant son bâton comme une hache, l'assena sur les braises. Le souvenir demeura. Il frappa de toutes ses forces. Des étincelles, des charbons ardents giclaient dans tous les azimuts. Les gens s'étaient levés en hâte et reculaient. Mhoram s'approcha de lui, la main tendue dans un geste d'apaisement.

— Doucement, Covenant ! Que se passe-t-il ? On n'agit pas ainsi. Nous sommes ici en qualité d'invités.

— Atiaran se trompe ! hurla-t-il. Je n'y suis pour rien. Rien de ce qui est arrivé n'est arrivé par ma faute. Je suis innocent !

Innocent ? Interroge Léna sur ton innocence ! As-tu déjà oublié ?

L'horrible vérité l'emplit tout entier et fit battre toutes ses artères. Atiaran avait raison. Il n'y avait aucune différence entre les atrocités commises par les Ur-Vils et le viol de Léna. Cela remontait à la genèse du rêve, à l'instant de son apparition sur le Territoire. Il n'avait jamais cessé de faire le jeu de Férus.

Son état d'égarement était effrayant à voir.

— Qu'as-tu découvert ? s'écria Mhoram. Incrédule, qu'as-tu découvert ?

— Je veux vivre, entendez-vous ? hurla Covenant d'une voix minuscule. Personne ne me détruira ! Je veux vivre ! Vivre !

— Qui es-tu ? siffla Agilias.

Le garrot était déjà formé entre ses mains, comme il l'était toujours en face d'un ennemi. Prothall lui saisit le bras.

— Pardonne-lui, Barzane. Il y va de bien davantage que de l'honneur du Ra. Cet homme détient le pouvoir de nous sauver ou de nous perdre tous. Nous devons lui pardonner.

— Pardonner ? cria Covenant. (On l'entendait à peine. Ses genoux fléchirent. Il ne s'écroula pas pour autant ; Bannor le soutenait par-derrière.) Ce n'est pas à vous de décider si je dois être absous.

— On dirait que tu réclames un châtiment, s'étonna Mhoram. Dis-nous d'abord quel est ton crime.

— Non. Je dois... je dois... (L'idée se dérobait insidieusement. Il la prit de vitesse.) Appelez les Ranyhyns ! Tout de suite ! Appelez les Ranyhyns !

— Comment ? s'exclama Agilias, outrée. Tu passes les bornes, Barond'Or ! Nous n'avons pas d'ordres à donner aux Ranyhyns. Ils sont nos maîtres. Ils viennent à leur gré. En aucun cas ils ne viennent la nuit.

— Et je t'ordonne, moi, de les appeler. Obéis !

L'ordre avait l'accent pathétique d'une prière. Agilias ne s'y trompa point. L'étranger était à bout de forces. Derrière le masque du forcené, elle eut la vision fugitive du vrai visage qui la suppliait. La pitié se fraya un chemin à travers sa colère. Elle tourna les talons.

Covenant la suivit, soutenu par le Sangdragon, et tous ceux qui avaient assisté à cette scène mémorable, tout ce que l'Antre contenait de vivant, leur emboîtèrent le pas. La Barzane franchit sans se retourner les deux cents mètres qui la séparaient de l'extrémité du plateau. Quand elle s'arrêta, Covenant en fit autant, et les autres, derrière. Covenant se trouvait alors au centre de la clairière. Il secoua le joug de Bannor. Le Sangdragon le lâcha sans se faire prier et recula jusqu'à l'endroit où s'étaient massés les spectateurs. Le silence était terrible.

Agilias ouvrit les bras.

— *Kelenbhrabanal marushyn ! Rushyn hynyn kelenkoor rillynarunal ! Ranyhyn Kelenbhrabanal !*

Il revint sur ses pas. Elle passa près de Covenant à le frôler. Il se trouva seul face à la nuit fouaillée de rouge.

Le tonnerre des sabots naquit au loin et roula jusqu'à lui en bouffées formidablement austères. Sous ses yeux, sous les yeux sidérés de la foule, le bord du plateau sembla se soulever. Une vague de Ranyhyns déferla sur la clairière. Ils étaient presque cent, poitrails superbement alignés. C'était un miracle. La foule poussa un grand cri pour le saluer.

Covenant demeurait sourd au vacarme des sabots. Son propre cœur cognait à ses oreilles. Il eût voulu fuir, mais son corps tremblait de faiblesse. D'ailleurs, il n'était plus temps. Rien ne pouvait le sauver. Il allait être piétiné. Que le coup de grâce lui fût donné par les plus glorieux enfants du Territoire était une consolation.

Le mur de Ranyhyns s'infléchit sur la droite et sur la gauche. Ils ne souhaitaient pas encore sa mort. Ils voulaient seulement l'encercler. Ebahi, il pivota pour accompagner le mouvement.

Cette fois, ils étaient partout. A l'instant précis où la boucle se ferma, dans un énorme trépignement cadencé, les chevaux s'arrêtèrent. Ils lui faisaient face, l'écume à la bouche, piaffant, hennissant, roulant des yeux fous. Tout d'abord, il s'imagina que l'émotion des Ranyhyns traduisait leur rage et leur frustration de ne pouvoir aller jusqu'au bout et de le foudroyer, lui, si impur et si vulnérable. Pourtant, ils ne le menaçaient pas. Il comprit peu à peu combien il était loin de la vérité. S'il avait peur d'eux, les puissants coursiers avaient encore plus peur de lui. Pour s'en assurer, il leur présenta son poing à la ronde. Un frémissement de terreur parcourut le cercle à la vue de l'alliance. En répondant à l'appel d'Agilias, ils avaient obéi à une force bien au-dessus d'eux, et maintenant, face à cet objet de haine et d'épouvante qu'était le Barond'Or, ils ne pouvaient plus ni avancer pour le broyer sous eux ni fuir. L'ombre de Férus était sur lui. L'ordre antique des choses se trouvait brusquement inversé. C'était à l'homme d'élire l'un d'entre eux. Covenant avait conscience de tout cela, et ce triomphe inespéré lui insuffla une sorte de courage.

— Ecoutez ! cria-t-il d'une voix qui l'étonna car c'était celle d'un homme tranquillement fort et sûr de lui. Vous me craignez, et vous avez tort. Je vous rends votre liberté. Je ne monterai aucun d'entre vous. Mais vous me devez quelque chose en échange. Quand je vous appellerai, à toute heure du jour ou de la nuit, accourez ! Accourez ! Cela m'évitera sans doute d'avoir à jouer les héros. Et ce n'est pas tout. (Ses yeux ruisselaient. Maudites larmes !) Ecoutez ! A Mithil Pétragîte vit une jeune fille du nom de Léna, fille de Trell et d'Atiaran, qui ne rêve que de vous. Cette nuit, je veux qu'un Ranyhyn se présente devant elle, et, chaque année, quand resplendira la dernière pleine lune de la mi-printemps, il se présentera devant elle. C'est tout. Allez en paix ! Ayez pitié de moi !

Les Ranyhyns s'étaient calmés. Il s'essuya le visage, surpris par le soudain silence et, dans le bref éclat d'yeux sombres fixés sur lui, l'espace d'un instant il devina qu'on l'avait compris et que l'on compatissait. Rarement plus chaleureuse consolation fut échue à un simple mortel. Il se sentait si heureux qu'il éclata de rire comme un enfant lorsque, d'un seul élan, les Ranyhyns se cabrèrent autour de lui et le saluèrent en battant l'air de leurs antérieurs. Ils voltèrent et s'en furent comme ils étaient venus, élargissant la couronne, puis la rompant et l'ouvrant pour retrouver leur formation en ligne. Ils atteignirent le bord du plateau et basculèrent.

Mhoram se détacha de la foule muette et s'avança à la rencontre de Covenant. En écoutant parler le jeune Seigneur, il comprit que celui-ci venait contempler sur son visage une victoire à laquelle il ne pourrait jamais prétendre. Toute sa joie s'envola.

— Incrédule, tu nous dépasses tous, puisque aucun homme ni aucune femme né du Territoire n'a jamais connu pareil honneur. Ils sont nombreux, ceux qui sont venus s'offrir aux Ranyhyns et que les Ranyhyns ont dédaignés. Quand vint le tour de Tamarantha, ma mère, cinq Ranyhyns se déplacèrent pour l'estimer. Cinq ! Ce fut un événement. Alors, cette nuit... jamais nos yeux n'avaient espéré pouvoir contempler autant de coursiers à la fois. Qu'as-tu décidé, Seigneur Covenant ? As-tu repoussé leur offre ?

— Je n'avais pas le choix.

Ils me haïssent !

Les serviteurs des Ranyhyns s'écartaient devant lui. « Avez-vous vu ? murmurait-on de toutes parts. Ils se sont dressés pour lui ! » Dans leur émerveillement, ils oubliaient qu'en omettant de choisir l'un d'eux le Baron d'Or avait infligé aux coursiers une terrible offense. Ils ressentaient pour lui le respect aveugle qu'inspire la grandeur.

Dans l'heure qui suivit, Covenant dévora. Il mangea tant qu'il oublia de boire. Mais quand il s'arrêta, l'Ecumeur lui tendit une flasque d'*eau de roc*. Il la vida d'un trait. Epuisé, satisfait, il attendit le sommeil.

Comme il s'endormait, il fit signe au Géant de se pencher.

— J'ai besoin d'amis, chuchota-t-il.

— Tu en manques donc ?

Dans un battement de cils, Covenant revit tout le mal qu'il avait fait.

— Le contraire serait absurde.

— Si tu le crois, répliqua le Géant, si tu nous crois incapables de pardonner, alors, tu crois que nous existons pour de bon. Sinon, ton angoisse n'aurait pas de sens. Où trouver plus d'indulgence que dans ses propres rêves ?

— Ce n'est pas vrai, souffla Covenant, et ce furent ses derniers mots — les rêves sont impitoyables.

20

L'espoir, malgré tout

Les cauchemars qu'il avait appréhendés ne vinrent pas. A travers les fluctuations du sommeil (comme si, même endormi, il demeurait à l'écoute du Territoire), il avait conscience d'un lointain regard posé sur lui, scrutateur et bienveillant comme celui du vieux mendiant qui lui avait posé une colle sur l'éthique.

A son réveil, le soleil oblique refoulait l'ombre dans la partie profonde de l'Antre. Une superbe journée s'achevait. Il reposait au fond de la caverne où rien ne bougeait, sauf, plus avant, les grains de poussière qui s'élevaient et retombaient dans la lumière en des myriades d'essaims. L'Ecumeur l'observait avec curiosité.

— Dis-moi la vérité. Ai-je dormi très longtemps ? demanda Covenant.

— Parole de Géant, tu dois être immunisé contre mon *eau de roc* ! Avec tout ce que tu avais dans le ventre, tu n'as dormi qu'une nuit et une demi-journée.

Covenant s'étira comme un homme heureux. Il se sentait différent. Il se sentait bien.

— L'habitude, camarade l'Ecumeur ! J'en bois tant que j'en suis imbibé. Tu as devant toi une véritable éponge.

— Félicitations ! Peu d'hommes peuvent se vanter d'une telle accoutumance. Cela seul suffirait à faire de toi un phénomène !

— Un phénomène ! riposta froidement Covenant. La lèpre est plus répandue que tu n'imagines. (Il se mordit la lèvre, furieux d'être si vite retombé dans le vieux sillon de la provocation verbale. Afin d'atténuer l'effet pénible de sa petite phrase, il ajouta sur un ton outrageusement menaçant :) Nous sommes partout. Nous entendons et nous voyons tout.

Son humour laissa le Géant perplexe.

— Encore une de tes plaisanteries ? interrogea-t-il après un silence.

228

— Est-ce que j'ai l'air de plaisanter ? Cessons cette joute et revenons-en à des préoccupations plus essentielles. Trouve-moi quelque chose à manger.

A son grand soulagement, l'Ecumeur choisit de rire.

— Te souviens-tu de notre petite randonnée fluviale ? Chaque fois que je fais mine d'être sérieux, tu te sens devenir affamé.

Le plateau était prêt, chargé de pain, de fromage, de fruits et d'une carafe de vin nouveau. L'Ecumeur le fit glisser devant Covenant et reprit son attitude nonchalante d'observateur amusé.

Covenant se jeta sur la nourriture. Pendant quelque temps, il affecta de ne rien voir et de ne rien entendre. Ainsi qu'au premier temps de son apparition sur le Territoire, lorsqu'il découvrait les bienfaits de l'*aliantha*, manger lui apparaissait comme le résumé magnifiquement succinct du plaisir de vivre. Quand la faim proprement dite fit place à la gourmandise, il regarda autour de lui. L'Antre regorgeait de fleurs. Un jardin avait surgi dans l'intervalle de son sommeil, effaçant l'austérité de la pierre.

— Tu sembles surpris ? murmura le Géant. Ils ont parcouru les plaines en tous sens afin de t'offrir ce modeste hommage. Mais oui, c'est pour toi ! Tu as touché le cœur des Ranyhyns et le peuple Ra n'échangerait pas toutes les collines d'Andelain contre le spectacle que tu leur as offert hier soir : cent coursiers dressés pour le plaisir d'un seul homme. Tu as droit à leur reconnaissance éternelle. Ces fleurs sont bien peu de chose, mais ce sont les seuls trésors dont ils disposent. (Devant l'expression morose de Covenant, il s'empressa d'ajouter :) Si tu avais connu le Territoire avant la Profanation tu saurais que le peuple Ra n'a pas toujours été aussi démuni. Du temps des Seigneurs primordiaux, il excellait dans l'art d'exprimer par la sculpture sur os ses rêveries les plus folles. *Anundivian yajña*, ainsi nommait-on alors cette tradition particulière. Elle n'a pas résisté à la détresse des siècles d'exil. Aujourd'hui, seules quelques légendes pieusement conservées par les Géants célèbrent encore le souvenir de ces merveilleux objets, mais plus personne ne sait faire chanter les os.

Un silence fervent accueillit ces mots. Tous les Balbuzars à portée d'oreille avaient suspendu leurs activités pour écouter. Puis l'un d'eux poussa une exclamation et désigna un cavalier qui traversait la clairière. Covenant reconnut Mhoram, mais au lieu de son cheval habituel, il montait une magnifique jument Ranyhyn. Covenant fut si content qu'il décida sur-le-champ de porter un toast au jeune Seigneur.

— Il n'est pas peu fier et il a raison, déclara l'Ecumeur. Pour sa part, notre Seigneur absolu a décidé de ne pas tenter sa chance sous prétexte que sa « vieille carcasse » s'accommodait d'une monture moins fougueuse. Bref, il avait peur d'essuyer un refus. Je comprends ses réticences, cela dit nous ferions bien de ne pas sous-estimer ses forces déclinantes.

— Après la Quête, Prothall offrira de nouveau sa démission, n'est-ce pas ? fit Covenant, l'air absent.

Les yeux de l'Ecumeur s'étrécirent.

— Encore une prophétie ?

— Allons donc ! Tu le sais aussi bien que moi. Il se fustige de n'avoir pas su pénétrer l'enseignement de Kévin. Le sentiment aigu de son échec l'obsède. En d'autres termes, il se prend pour un raté, et personne ne le fera changer d'avis. Mais parle-moi de Mhoram.

— Or donc, ce matin, Mhoram, fils de Variol, fut adopté par Hynaril, la monture de Tamarantha dont le souvenir est vénéré parmi les Ranyhyns. C'est un événement sans précédent, car, de mémoire de Barzane, on n'a jamais vu de Ranyhyn choisir plus d'un cavalier. Les plaines du Ra vivent décidément à l'heure des prodiges !

Prodige... Le mot éveilla en Covenant le souvenir distinct, poignant, de la terreur des Ranyhyns face à l'homme réprouvé. Il voulut boire. Le carafon était vide. Déjà, une jeune Balbuzar s'avançait avec une cruche. C'était Yobel. Elle remplit son carafon, et du simple fait que ses mains tremblaient un peu, il ressentit un pénible sentiment de culpabilité.

— Oublions hier soir, veux-tu ? proposa-t-il sans chaleur. Tu n'as rien à te reprocher. Assieds-toi un peu auprès de moi. Buvons ensemble.

Ayant pris une gorgée de son verre, il le tendit à la jeune fille, évitant de croiser ses yeux où se lisait une profonde émotion.

Comme il regardait au-dehors, il aperçut Mhoram et Agilias qui se faisaient face dans la resplendissante clarté. Il concentra son attention sur le couple, et les paroles échangées s'inscrivirent tout naturellement dans son esprit. Prodige...

— C'est décidé, j'irai le trouver, disait Agilias.

— M'écouteras-tu ? ripostait Mhoram. C'est la dernière chose qu'il souhaite. Tu ne feras que le mettre dans l'embarras et tu seras malheureuse.

Là-dessus, la Barzane coupa court à la discussion et s'avança vers le fond de l'Antre de sa démarche dansante. Covenant s'attendait à quelque chose de désagréable, mais quand la belle jeune femme se prosterna carrément devant lui, le front sur la pierre, la colère le prit. Mhoram avait suivi Agilias ; il se tenait un peu en retrait, prêt à intervenir. Par égard pour lui, Covenant se contint.

— Tu es le Barond'Or, maître des Ranyhyns, déclara la Barzane sans lever la tête. Commande et je t'obéirai. Désormais, je ne veux plus être que ta servante.

De nouveau, la sensation oppressante du piège qui se refermait. De quel droit cette femme lui infligeait-elle son adulation ridicule ? Et comment l'empêcher de s'humilier sans l'humilier davantage ? Par une infernale ironie, le culte qu'elle vouait au Barond'Or ne faisait qu'abaisser Thomas Covenant à ses propres yeux, comme chaque fois qu'on l'avait pris pour un autre depuis le malentendu de Mithil Pétragîte. Chaque fois, sa honte de n'être que lui-même se tournait en colère contre l'adorateur. Il avait pris la décision de se modérer, ne serait-ce que pour ne pas décevoir Mhoram qui ne le quittait pas des yeux.

— Une Barzane jamais ne sera ma servante, décréta-t-il. C'est un honneur dont je suis indigne.

— Mensonge ! J'ai vu les Ranyhyns se cabrer devant toi !

— Cela ne change rien. Je n'ai pas l'habitude d'être servi. Dans le monde d'où je viens, je ne suis qu'un homme parmi les autres.

D'un battement de paupières, Mhoram apprécia l'habileté de la réponse. Agilias, cependant, releva un visage plein de stupeur.

— Est-ce possible ? Ce monde existe-t-il vraiment où tu n'es pas considéré comme un être d'exception ?

— Hélas ! Si certaines personnes de ma connaissance pouvaient t'entendre !...

— Barond'Or, nous ferons comme tu voudras. Mais jamais le peuple Ra n'oubliera ce qu'il a vu. Exprime un souhait, et du moment qu'il ne concerne pas les Ranyhyns, nous l'exaucerons.

— Soit ! Je n'ai qu'une chose à vous demander : accueillez Llaura et Pietten au sein de votre communauté. Après les souffrances endurées, ils ont mérité un peu de gentillesse.

Agilias le considéra avec un sourire ambigu.

— Si les Ranyhyns n'étaient pas plus exigeants, nous passerions nos journées à dormir, répliqua-t-elle avant de tourner les talons.

— L'Ecumeur avait déjà formulé un souhait identique et les Barzanes ont accepté de prendre soin de la femme et de l'enfant, expliqua Mhoram. Quelle mine superbe, Seigneur Covenant ! Te sens-tu dispos ?

— Je me sens prêt à reprendre la route, si c'est ce que tu veux dire. Mais pas avant que tu n'aies répondu à une question, Seigneur Mhoram. Pourquoi avoir fait ce détour par les plaines ? Tu repars avec un Ranyhyn, et ce n'est pas un mince sujet de satisfaction, mais nous avons perdu plusieurs jours. Or, j'ai la certitude que vous aviez prévu de venir ici depuis le début, avant même la tragédie de la Haute Sylve. Pourquoi ?

Mhoram posa sur lui un regard méfiant. Il était résolu à répondre franchement, mais la réaction de Covenant l'inquiétait.

— Lorsque nous avons dressé nos plans, j'ai senti que nous avions tout intérêt à passer par les plaines du Ra.

— « Senti » ?

— Appelons cela un pressentiment. Les pressentiments sont un peu ma spécialité.

— Et alors ?

— Alors, je ne me suis pas trompé.

Covenant décida soudain qu'il était préférable de ne pas en savoir plus. Il regarda Mhoram passer de l'ombre à la lumière, et l'envie le prit d'aller faire quelques pas au soleil. Il se leva soudainement. L'Ecumeur le suivit en se frayant un chemin malaisé parmi les fleurs.

— Camarade, lança-t-il, tout espoir n'est pas perdu pour toi !

— L'Ecumeur, je te sens d'humeur à philosopher, et cela ne me plaît qu'à moitié. (Covenant eût aimé en rester là, mais les yeux du Géant révélaient des gouffres de sympathie. Il ne s'en tirerait pas si facilement.) Soit ! soupira-t-il. Admettons que tu aies raison. Dis-moi d'où te viennent ces réserves inépuisables d'espoir.

— De la foi, répondit l'Ecumeur sans sourciller.

— La fréquentation prolongée des humains ne te vaut rien. Voilà que tu te mets à parler par énigmes, toi aussi. Peut-on savoir ce que contient ce vaste mot ?

— Les Seigneurs, c'est ce que je voulais dire. Réfléchis, camarade ! La foi est avant tout un mode de vie. Les Seigneurs sont les serviteurs du Territoire. Cette tâche absorbe toute leur existence et lui donne tout son sens. Mais il y a autre chose. En prêtant le Serment de Paix, ils se sont engagés à choisir la mort plutôt que la soumission aux passions destructrices qui ont aveuglé Kévin et l'ont amené à profaner ce qu'il adorait. Imagines-tu Mhoram s'abandonnant au désespoir ? Résister : voilà l'essence du Serment de Paix. Résister au découragement, résister à la violence injustifiée qu'il entraîne. Imagines-tu Mhoram perdant son sang-froid ? Juste retour des choses, c'est dans sa dévotion absolue au Territoire qu'il puise sa force et son audace extraordinaires. Les hommes tels que lui ne trébuchent pas.

— Tout cela est bel et bon, grommela Covenant, mais quel rapport avec l'espoir ? Ou alors il faut admettre que ce noble sentiment n'émane pas de ce que tu es, mais de la grandeur de la cause que tu es décidé à servir.

Autour d'eux, on se préparait activement. Les Sangdragons lancèrent leur appel modulé. Les Balbuzars accouraient de toutes parts pour ne pas manquer l'arrivée des Ranyhyns. Bon Dieu, songea Covenant, oublie-t-il de quel mal je suis atteint pour oser me parler d'espoir ?

— D'ailleurs, tu me parais bien mal placé pour aborder un tel sujet, ajouta-t-il à haute voix. Après tout, quelle raison aurais-tu, toi, Géant de Marepremere, de désespérer de l'avenir ?

Une expression de surprise offensée passa sur le visage de l'Ecumeur. Il parut sur le point de riposter, puis se ravisa.

— Laissons cela ! Que dirais-tu d'apprendre que tu incarnes la cause pour laquelle je suis prêt à donner ma vie ? Serait-ce trop te demander que d'assumer la responsabilité que cela implique ?

Covenant frémit. A travers la question lui parvenaient de lointains échos, infimes comme des craquements de poutre au cœur de la tempête.

— Que signifie ce charabia mystique ? Exprime-toi clairement, que je puisse comprendre !

Le Géant appuya son énorme index sur la poitrine de Covenant.

— Incrédule, de toi dépend la vie ou la mort du Territoire. Dois-je répéter que tu as le pouvoir de nous sauver ou de nous perdre jusqu'au Jugement dernier qui nous emportera tous, amis et ennemis ?

— Et moi, combien de fois devrai-je répéter que je suis lépreux, incurablement lépreux ? répliqua rageusement Covenant. N'attendez rien de moi. Je suis le maillon faible du dispositif de défense du Territoire. Se persuader du contraire, c'est se laisser abuser par Férus.

— Dans ce cas, il ne reste vraiment que l'espoir, rétorqua le Géant avec une magnifique simplicité. Sans espoir, même le Territoire serait irrespirable.

Leurs regards se croisèrent. Sous le front barré de la sanglante cicatrice, les yeux de l'Ecumeur observaient Covenant comme si l'espoir des Errants était un navire en train de sombrer. Covenant se détourna, écrasé par le sentiment de son impuissance à renflouer quoi que ce soit.

— Tu parles bougrement trop, murmura-t-il.

Au-delà du plateau retentissaient des exclamations, des hennissements. Chevaliers et Sangdragons rassemblaient les montures. Covenant retourna dans les profondeurs de l'Antre où les Balbuzars remplissaient à les crever les sacoches de selle. Il se fit apporter de l'eau, un miroir, du savon. Peut-être n'aurait-il pas de sitôt l'occasion de s'offrir un vrai rasage.

Il s'agenouilla pour caler le miroir. Quand il se fut aspergé le visage, il découvrit le jeune Pietten planté devant lui, les yeux froids, écarquillés immensément. Dans le miroir, un reflet surveillait le sien. Le visage de Llaura portait les traces de la tension et de la peur.

— Tu as demandé au peuple Ra de nous accueillir, l'enfant et moi, dit-elle.

Il haussa les épaules.

— Et alors ? L'Ecumeur en avait fait autant.

— Pourquoi ?

Il interpréta la question comme un reproche.

— Crois-tu vraiment pouvoir te venger de Férus ? Et si même les aléas des combats t'en fournissaient l'occasion, crois-tu qu'il te laisserait en profiter ? (Il déplaça son regard sur Pietten.) Réserve à Mhoram et à Prothall le soin d'affronter le Contempteur. Tu peux leur faire confiance. Une autre tâche t'échoit. Cet enfant est seul au monde. Il a besoin d'aide. A toi de prendre soin de lui.

— Comment ? s'écria-t-elle avec fougue. As-tu remarqué son manège ? L'as-tu observé, assis chaque nuit à dévorer la lune des yeux ? Et la jouissance ignoble que lui procurent la vue et l'odeur du sang... Ce n'est plus un enfant ! C'est un monstre qui se dissimule sous les traits d'un enfant ! Que faire de lui ?

Elle parlait sans tenir compte le moins du monde de la présence de Pietten, et celui-ci l'écoutait avec une attention boudeuse. Covenant s'efforçait de faire mousser le savon entre ses mains. Le regard impérieux de Llaura ne quémandait pas. Il exigeait une réponse.

— A ta place, je me servirais des Ranyhyns, chuchota-t-il. Puisqu'il les aime tant.

Elle empoigna la main de l'enfant et l'entraîna vivement. Une fois de plus, tout se rompait entre lui et ceux qui avaient foi en lui. Il n'avait pas su l'aider.

La petite troupe s'était rassemblée dans la clairière pour les adieux. Dès qu'il fut prêt, Covenant se hâta de rejoindre ses compagnons comme s'il redoutait d'être oublié. Il les trouva tous dans une forme magnifique. Monté sur Hynaril, Mhoram arborait un sourire conquérant. Prothall semblait à peine moins sûr de lui. Ils brûlaient tous d'une ardeur de loup et leur volonté combative ne faisait aucun doute. Cet optimisme belliqueux éveilla aussitôt la méfiance de Covenant. Le repos et la chaleureuse complicité du peuple Ra n'expliquaient pas tout. Nul doute que sa rencontre à jamais ineffaçable avec les Ranyhyns n'eût fait le reste. Tout autant que les naïfs serviteurs des coursiers, les Chevaliers avaient été impressionnés. L'étranger paré d'or blanc avait fait la démonstration de son pouvoir et leur désir de voir en lui un nouveau Bérek s'en trouvait renforcé.

C'était le moment ou jamais de dissiper cette dangereuse illusion par un discours bien senti. Covenant balança et se résolut au silence. Ces hommes allaient au-devant de l'ennemi. Beaucoup, sans doute, ne reviendraient pas. Il ne lui appartenait pas de doucher aussi brutalement leur enthousiasme.

Agilias réclama le silence. Derrière elle se pressaient plusieurs Bardes et quantité de Balbuzars.

— Les Seigneurs ont sollicité notre aide dans le combat acharné qu'ils livrent contre Carnassire, déclara-t-elle. Le peuple Ra ne quittera jamais les plaines où le retient le service des Ranyhyns. C'est notre vie, et nous n'en désirons pas d'autre. Cependant, pour sceller notre alliance avec les Seigneurs de la Pierre-qui-Rit, je me joindrai à leur Quête, ainsi que mes quatre Bardes si telle est leur volonté. Nous vous guiderons et nous prendrons soin de vos montures. Nous veillerons sur elles quand, le moment venu, vous descendrez sous terre pour affronter Carnassire. Qu'en dites-vous ?

Les Bardes Foehn, Simoun, Khamsin et Hermattan avaient fait un pas en avant. Agilias pouvait compter sur eux.

Prothall s'inclina.

— Nous acceptons avec reconnaissance. Puissent les Seigneurs se montrer dignes de la confiance du peuple Ra !

— Tuez Carnassire, et nous serons quittes, dit la Barzane.

21

Coupe-Gosier

Deux jours durant, ils cheminèrent à travers les plaines en direction de Morinmoss sans que nulle menace ne vînt porter ombrage à leur bonne humeur. Au second matin suivant le départ, ils franchirent le gué et s'engagèrent sur l'espace de lande sauvage compris entre Morinmoss et l'Erratique jusqu'à la lisière orientale de la forêt où le cours de la rivière bifurquait vers l'est. La troupe continua donc sa progression vers le nord, laissant derrière elle les plaines du Ra. Cette nuit-là, ils campèrent à l'orée d'un vaste plateau funèbre et vide où, d'ordinaire, le voyageur ne se risquait qu'à contrecœur. Ils se trouvaient juste au-dessous des Hauts du Tonnerre.

Le lendemain, tandis qu'ils s'enfonçaient dans le paysage dévasté, Covenant eut droit à un bref rappel historique. Le plateau s'étendait jusqu'à la Faille, déclara Mhoram. Dans l'ancien temps, il avait servi de base de départ et de repli naturelle aux armées de Férus. Au cours du dernier conflit, avant que Kévin le Dévastateur n'invoquât le Rituel de Profanation, le Contempteur s'était forcé un chemin jusqu'au cœur des plaines Centrales, puis, poursuivant son avance foudroyante vers le nord, il avait contraint les Seigneurs à livrer leur dernier combat à Kurash Plénéthor, un défilé qui méritait bien son nom.

Le souvenir de tout ce sang versé incitait à la mélancolie. Les cavaliers ne parlaient plus ; ils chantaient. Ils chantèrent pendant quatre jours. Il fut beaucoup question de Bérek Mimain et des Rugissantes des Hauts du Tonnerre. Sur ce même plateau, Bérek avait combattu jusqu'à l'épuisement. A la souffrance infinie de voir tomber ses amis s'était ajoutée la perte cruelle de ses doigts, tranchés net par une lame ennemie. Sur ce même plateau, Bérek avait atteint le fond du découragement. Les pentes de Gravin Threndor avaient accueilli son désespoir. La Terre s'était révélée prodige d'amitié et de puissance. Ce chant-là réchauffait le cœur, et les cavaliers infatigablement entonnaient son refrain :

> *Terre puissante qui ne te lasses jamais d'agir*
> *En ton énorme royaume,*
> *Donne-lui la foi et que ton pouvoir soit le sien !*
> *De cette veillée solitaire jaillit l'hymne victorieux.*
> *Les félons jonchaient la plaine et les hommes t'aimeront*
> *Dans les siècles des siècles,*
> *Comme tu aimas le Territoire,*
> *Bérek !*

Ainsi allaient-ils chercher le Bâton de la Loi, entre deux haies de fantômes grandioses et muets qui les regardaient passer. Sensible à l'aura tragique du lieu, l'Ecumeur avançait vite, avec un air de vouloir brûler les étapes. En même temps, comme s'il éprouvait le besoin d'entretenir sa fougue, il parlait incessamment, dévidant un chapelet de légendes, mélodies et récits d'aventures burlesques ou merveilleuses dont la compagnie se régala pendant quelque temps. Au soir du quatrième jour, cependant, sa logorrhée les submergeait tous et quand il s'agissait de reprendre un couplet, les voix fléchissantes imploraient grâce plutôt qu'elles ne puisaient dans le chœur un nouvel entrain.

Avec l'aide d'Agilias et de ses Bardes, Prothall trouva des chemins très praticables sur ce terrain brutal ; la lune se levait pour la cinquième fois depuis leur départ qu'ils s'installaient déjà pour passer la nuit à un jet de pierre de la Faille.

A l'aube, Covenant lutta contre la tentation d'aller découvrir le panorama des Basses Terres, d'un côté les plaines Pouilleuses, de l'autre le plateau de Sarangrave, noms prodigieux qu'il avait maintes et maintes fois entendus dans la bouche de l'Ecumeur. Tandis que la plupart de ses compagnons, aussi curieux que lui, allaient se poster le long de la ligne de fracture, sa terreur du vertige le retint devant le feu de bivouac où Mhoram était assis, songeur. Covenant lui demanda ce qui avait provoqué cette dénivellation colossale. La réponse lui fut donnée d'une voix paisible.

— On prétend, mais nulle légende, fût-ce la plus ancienne, ne confirme ces rumeurs, que la Terre, outrée d'avoir à porter en son sein les abominations qu'un pouvoir sacrilège enterra sous les entrailles des Hauts du Tonnerre, se souleva de dégoût et d'horreur. L'ampleur de sa répulsion fut telle que les Hautes Terres, comme arrachées, montèrent à l'assaut du ciel. Si la Faille varie en hauteur, elle traverse le Territoire de part en part. Ainsi, nous n'oublierons jamais.

Il était presque midi lorsque le vent tourna brusquement. Au nord se leva une formidable paroi d'orage. Le vent hurlait. De tous côtés fulguraient les zébrures intenses des éclairs. Des coups de tonnerre inouïs ébranlaient le ciel. Puis les nuages crevèrent, déversant des cataractes. Agilias envoya ses Bardes en éclaireurs afin d'éviter que toute la troupe ne se précipite dans la Faille et les Sangdragons se déployèrent en bouclier protecteur pour recevoir le plus fort de la tempête. Ils durent à l'habileté et à l'endurance de la Barzane et de ses auxiliaires de pouvoir continuer malgré tout, mais l'épreuve devait laisser des traces profondes sur ceux qui la subirent sans broncher, sans faiblir pendant deux jours entiers. Les yeux criblés de millions d'aiguilles, le corps fouaillé par un vent glacé, ils se sentaient peu à peu gagnés par une rigidité mortelle. Ils progressaient avec l'obstination terrible de fous qui auraient voulu abattre un mur de pierre avec leurs fronts. Ils avancèrent jusqu'à la limite de leurs forces et, quand elle fut atteinte, ils continuèrent. Le repos, c'était descendre de cheval et patauger dans l'eau jusqu'aux genoux en avalant une pitance détrempée, piètrement réchauffée sur les feux de *lillianrill* que Birinair s'évertuait à maintenir en vie. A intervalles réguliers, on se comptait. A intervalles réguliers, Mhoram allait de l'un à l'autre. Son visage dévasté, ravagé par la fatigue et les intempéries vociférait des encouragements que le fracas du tonnerre morcelait en syllabes farouches.

— Férus... nous... envoie... orage... se trompe !... Augures... favorables... Courage !

Le moment arriva où l'endurance elle-même se réduisit à un concept trop abstrait pour véhiculer la moindre conviction. Le désir de continuer s'était affaissé, ne laissant qu'une obligation tyrannique et douloureuse à laquelle personne ne pouvait se dérober. Les cavaliers étaient prisonniers de la Quête.

D'un seul coup, tout s'arrêta. Ils avaient franchi la frontière. Ce fut un contraste absolu, aussi brutal que si le mur de pierre venait d'être pulvérisé. Abasourdis, clignant des yeux dans la clarté aveuglante, ils écoutèrent décroître la ruée impétueuse de l'orage qui s'éloignait. Autour d'eux, la terre ravinée, gorgée d'eau, reluisait comme un ventre en sueur. Partout des torrents, des flaques où l'eau stagnante frissonnait encore. Droit devant, la masse imposante des Hauts du Tonnerre projetait son ombre sur la lumière.

Longtemps, la présence redoutable de Gravin Threndor les tint prostrés dans une sorte de recueillement, comme si c'était le cœur de la Terre qui affleurait ici. La cime dardait sa flèche hautaine au-dessus d'un lacis d'escarpements lisses comme des falaises dont les à-pics étincelaient. Pas un arbre, pas un buisson, pas une touffe d'herbe. Depuis le déferlement chaotique des contreforts jusqu'à l'austère sommet, Gravin Threndor était nu. Il semblait que la pierre fût une pierre morte, incapable de donner la vie.

Là, au plus profond de ce corps démesuré, se trouvait l'objectif de la Quête : Kiril Threndor, le Cœur des Hauts du Tonnerre.

— Une chose est sûre, s'exclama Quaan avec véhémence,

c'est que nous aurons été lavés de nos péchés pour affronter cette sainte tâche !

Le mot conjura l'envoûtement. Plusieurs cavaliers s'esclaffèrent. Les autres ricanèrent, ou simplement sourirent. Seul l'Ecumeur resta grave. Ses yeux ombrés d'épais sourcils étaient fixés sur la montagne, et tout plissés, comme s'ils contemplaient une lumière trop vive.

Ils trouvèrent un tertre moins inondé que le reste au sommet duquel ils s'installèrent pour manger, nourrir les chevaux et prendre un repos mérité. Le Géant était absent de tout ce qu'il faisait. Il ne quittait pas du regard les Hauts du Tonnerre.

Cette pause en terrain découvert se prolongea aussi longtemps que la prudence le permettait. Ils repartirent dans l'après-midi, longeant la Faille au plus près comme si c'était une garantie d'invisibilité. Avant l'orage, Covenant avait appris que la seule voie d'accès connue aux catacombes des Hauts du Tonnerre se trouvait à l'ouest de la montagne. Il s'agissait de Coupe-Gosier, cette gueule béante par laquelle s'engloutissait la Sérénité et qui la dégorgeait dans les Basses Terres sous la forme d'un torrent limoneux encastré dans les parois du défilé. L'espoir de Prothall était qu'en arrivant par le sud pour longer ensuite la base de Gravin Threndor d'ouest en est jusqu'à Coupe-Gosier ils avaient une chance d'échapper à la vigilance de l'ennemi. Toutefois, en raison de la difformité du terrain, ces manœuvres d'approche exigeaient d'infinies précautions. Agilias et ses compagnons furent de nouveau mis à contribution pour choisir l'itinéraire le mieux protégé et le plus accessible. Il fallait aussi aller vite. Aussi cheminèrent-ils jusqu'à la nuit tombée.

Le lendemain, d'épais nuages recouvraient la terre ; un vent cinglant dévalait les pentes des Hauts du Tonnerre. Comme les cavaliers enfourchaient leurs montures, un son nouveau se fit entendre : une sourde trépidation qui ressemblait au roulement de milliers de tambours de guerre enterrés sous la roche. Le sol vibrait doucement. Des frémissements montaient le long des jambes.

Prothall ne se méprit pas sur la portée du phénomène. Il brandit son bâton.

— *Melenkurion* ! Levez-vous, champions du Territoire ! J'entends résonner les tambours de l'ennemi. Soldats de la Quête, suivez-moi et vous n'aurez pas à le regretter ! Nous relèverons ce défi.

Il sauta en selle et piqua des deux, sa robe bleue gonflée comme un étendard.

— Vive le Territoire ! hurlèrent les Chevaliers.

Le roulement les accompagna jusqu'au pied des Hauts du Tonnerre, mais lorsqu'il fallut s'attaquer à l'entassement confus de blocs, de parois éventrées, de failles et de roches éboulées qui constituaient le socle du mont proprement dit, ils oublièrent les tambours. La montée requérait toute leur attention. A maintes reprises, ils durent mettre pied à terre pour conduire leurs montures le long de couloirs encaissés ou pour traverser des zones affaissées qui croulaient sous les pas.

A midi, Prothall les fit s'arrêter dans un ravin qui prenait la montagne en diagonale. On parlait peu. On frissonnait beaucoup, certains craignant le vent, d'autres les tambours.

Mhoram s'approcha de Covenant et lui proposa une petite ascension. Covenant accepta volontiers, n'ayant rien de mieux à faire. Ensemble, ils escaladèrent l'arête sinueuse du ravin jusqu'à une trouée qui s'ouvrait comme une fenêtre dans la paroi extérieure et par laquelle on avait une échappée de vue superbe sur Andelain.

— Voici les multiples visages du Territoire, murmura Mhoram. Dessous, les infernales catacombes. Derrière nous, le champ de bataille. A l'ouest, le plateau de Sarangrave. Et sous nos yeux, les merveilleuses collines d'Andelain, l'essence de toute vie et de toute beauté ici-bas. Tout cela, c'est le Territoire.

Il s'exprimait avec une déférence sourde et passionnée. Covenant lui jeta un coup d'œil aigu.

— Voilà donc pourquoi je suis monté ici, dit-il. (Il était furieux, mais la sincérité et l'humilité du désarroi de Mhoram atténuaient sa colère.) Tu voulais me convaincre de la justesse de votre cause. Qu'attendez-vous de moi ? Un serment d'allégeance avant d'affronter Férus en face ?

— Exactement ! Mais c'est le Territoire lui-même qui exige ton engagement total. Ouvre les yeux, Thomas Covenant ! Considère ce paysage. Ouvre les oreilles ! Ecoute les tambours. Ecoute ce que j'ai à te dire. Nous sommes au cœur du Territoire. Le Contempteur s'est arrogé le droit d'y vivre, mais sa présence ici est une infamie. C'est à Gehenna qu'il devrait être. Ce lieu-ci est trop grand, trop illustre et trop beau pour lui. Et que fait-il ? Par le truchement d'une armée d'Ur-Vils et de Lémures, il répand la terreur. Nuire, voilà son destin. Comprends-tu vraiment ce que nous sommes venus faire ?

— Je comprends, riposta Covenant, les yeux froids, mais cela ne change rien. J'ai déjà conclu un marché avec moi-même. Disons qu'il s'agissait d'assurer ma paix intérieure. J'ai juré de ne plus verser le sang.

— Ta « paix intérieure » ? répéta Mhoram d'une voix tourmentée par le doute et l'indignation. (Son regard sembla soudain rentrer dans l'ombre. Sur un ton bien différent, il ajouta :) Pardonne-moi, Incrédule ! A l'heure du péril extrême, certains Seigneurs sont capables de tout.

Plantant là Covenant, il redescendit vers le campement.

Covenant resta un moment à contempler Andelain. L'allusion voilée de Mhoram à l'ultime et tragique face-à-face de Kévin et de Férus ne lui avait pas échappé, mais quelle filiation le jeune Seigneur établissait-il entre lui-même et le Dévastateur ? Se croyait-il capable de succomber à un désespoir aussi absolu ?

Plus désemparé que jamais, il rejoignit les autres. Les Chevaliers l'observaient à la dérobée, espérant déchiffrer sur son visage le résultat de son aparté avec Mhoram. Il ne craignait pas de se laisser percer à jour. Muré dans le silence, il essayait de se convaincre du bien-fondé de son marché intime. Il se répétait qu'il n'était pas entré dans une rage telle qu'il dût aller jusqu'au meurtre pour l'assouvir.

Au cours des heures suivantes, on se traîna toujours plus haut et toujours plus à l'ouest à travers le capharnaüm des talus, des falaises, des précipices. Vers le soir, on atteignit un autre ravin presque entièrement couvert, sur lequel s'embranchait un goulet trop étroit pour les chevaux. Par ce conduit qui plongeait dans les profondeurs de la montagne leur parvenait le grondement tumultueux des eaux de la Sérénité. Les montures furent laissées à la surveillance des Bardes. Ils s'engagèrent dans le passage et débouchèrent sur une sorte de promontoire à quelque trente mètres au-dessus de Coupe-Gosier.

L'énorme fracas les délivrait enfin des tambours. Il fallait hurler pour se faire entendre. A travers le fin poudroiement, on avait vue sur le canal, long de près d'une lieue, par lequel la Sérénité, comprimée jusqu'à la fureur, s'écoulait en torrents tourbillonnants.

A demi assommé par le bruit, terrifié à l'idée de glisser sur la roche mouillée, Covenant se rejeta à l'intérieur du conduit où il demeura plaqué contre la paroi, les mains pressées sur la poitrine pour contenir les battements désordonnés de son cœur.

Peu après, de la corniche arriva, obscur, assourdi, un bruit de lutte que dominaient les braillements étouffés de l'Ecumeur. Covenant se ressaisit. Une curiosité inquiète le poussa à rebrousser chemin. Il s'avança à petits pas vers la corniche. Un drame étrange s'y déroulait. Hors de lui, l'Ecumeur se démenait comme un possédé pour faire lâcher prise aux Sangdragons suspendus à ses basques et à ses bras.

— Lâchez-moi ! hurlait-il. Je veux les écraser jusqu'au dernier !

Il semblait prêt à sauter dans le vide. Prothall se posta devant lui.

— Silence ! tonna-t-il au sommet de sa voix. Frère du Roc, maîtrise-toi ! Par les Sept Tabernacles, serais-tu Ravageur pour me provoquer ainsi ?

L'accusation eut un effet foudroyant. Le Géant se pétrifia.

Le croyant calmé, les Sangdragons se détachèrent de lui. Il se pencha et, saisissant le Seigneur absolu au collet, le souleva et le plaqua contre le mur. Les Sangdragons s'élancèrent. Un ordre de Mhoram les cloua sur place.

— Est-ce moi que tu traites de Ravageur ? demanda l'Ecumeur, les yeux suants, le visage déchaîné.

Prothall était comme un ramassis de vieux chiffons entre ses poings. Covenant n'avait jamais vu regard plus perçant.

— L'es-tu ?

— Absurde ! s'écria l'Insigne Tuvor. Peut-on imaginer Rava-

240

geur assez puissant pour prendre possession d'un Géant de Marepremere ?

L'Ecumeur le regarda. La convulsion de folie qui s'était emparée de lui se calma en un instant. Il posa Prothall à terre et s'affala le long de la paroi où il fut secoué par le doux déferlement d'un rire niais, et ce bruit presque inexistant parut bien plus terrifiant à Covenant que celui de milliers de tambours de mort.

Afin de savoir pourquoi le Géant s'était emporté, il brava son vertige et, s'approchant du bord ultime du promontoire, il regarda en bas. A dix mètres au-dessous de lui, il aperçut dans le brouillard un sentier qui courait comme une étroite galerie le long de la falaise et là, marchant à la cadence de tambours devenus inaudibles, défilait l'armée des Lémures. Ils surgissaient deux par deux d'une brèche dans la paroi, parcouraient toute la distance visible du sentier suspendu et disparaissaient pour aller répandre l'épouvante à la surface de la Terre.

L'espace d'un long moment, Covenant fut pris d'une compréhension éperdue pour la douleur du Géant. A l'idée que ce peuple magnifique pût être à jamais spolié de l'espoir de retrouver sa patrie par des créatures aussi abjectes, il sentait lui aussi sa raison vaciller.

Il ne se demandait plus si la violence, inévitablement, devait répondre à la violence. Il était solidaire de l'Ecumeur. Il remarqua, à l'extrémité Sud du promontoire, les marches grossièrement taillées dans la roche qui donnaient accès aux niveaux inférieurs. C'était donc par là que le Géant avait voulu descendre pour les « écraser jusqu'au dernier ». Le moment venu, c'était par là qu'ils descendraient tous.

— Dispositif idéal pour un guet-apens, n'est-ce pas ? fit dans son dos la voix de Mhoram. (Sans doute criait-il, mais les mots atteignaient Covenant sous la forme d'un chuchotement aigu.) C'est ici que le Tout-Puissant Kévin eut la révélation du vrai visage de Férus. Ici fut donné le coup d'envoi de l'interminable guerre qui devait culminer par le Rituel de Profanation.

» Avant ce jour maudit, Kévin n'éprouvait qu'un doute confus à l'endroit du Contempteur. Rien, dans le comportement ou les paroles de ce dernier n'avait laissé paraître sa nature maléfique ; pourtant, Kévin ne pouvait se défendre d'une suspicion irraisonnée. Or, il advint qu'un message envoyé des Hauts du Tonnerre parvint au Conseil seigneurial. Férus invitait les Seigneurs à se rendre au Malfrai, les cryptes ténébreuses où sont engendrés les Ur-Vils, afin d'y rencontrer les maîtres de la tradition qui se targuaient d'avoir mis à jour un pouvoir mystérieux.

» Clairement, Férus espérait la venue de Kévin. Mais le Seigneur absolu, méfiant, déclina l'invitation. Ensuite, confus de ses préventions, il dépêcha au Malfrai quelques-uns de ses plus proches et plus fidèles alliés. Les Seigneurs descendirent la Sérénité jusqu'à Coupe-Gosier et là, dans le lieu où nous sommes, ils furent sauvagement massacrés par les Ur-Vils. Par cette crevasse, leurs corps furent précipités dans l'abîme de la montagne. Une armée semblable à celle-ci déferla sur le Territoire où rien n'était prêt pour leur livrer bataille.

Covenant s'arracha à l'odieux spectacle.

— A-t-il fini de rire ? demanda-t-il de but en blanc.

— Oui. Il fredonne et semble aveugle à ce qui l'entoure.

— Pourquoi as-tu arrêté les Sangdragons, tout à l'heure ? Lui fais-tu confiance à ce point ? Après tout, il aurait pu blesser Prothall.

Pour la première fois, Mhoram lui fit face.

— L'Ecumeur est mon ami. Au demeurant, Prothall est capable de se défendre seul.

— Tout de même, imaginons qu'un Ravageur...

— Non ! (La violence de sa réaction sidéra Covenant.) Tuvor a raison. Aucun Ravageur n'est de taille à se rendre maître d'un Géant.

— Pourquoi souffre-t-il, alors ? Tous ces présages favorables dont il a parlé devant le Conseil ne l'impressionnent plus. Il a changé d'avis. Il semble persuadé que quelqu'un, quelque chose, Férus ou la malchance, empêchera les Géants de rentrer chez eux.

— Il a raison, dit Mhoram, si doucement cette fois que Covenant déchiffra les mots sur ses lèvres plus qu'il ne les entendit.

Une bouffée suffocante de tendresse l'empêcha de répondre. A travers la bruine, il vit au-delà de Mhoram le corps inerte du Géant. Adossé au mur, les yeux fixes et vides comme des yeux d'épouvantail, l'Ecumeur remuait vaguement les lèvres.

Il fallut se restaurer, en vue de l'effort du lendemain. Il fallut dormir. Covenant se croyait incapable de fermer l'œil ; pourtant, il s'éveilla bel et bien en sursaut quelques heures plus tard alors que la lueur congestionnée de la lune s'insinuait dans leur abri. Tout de suite, une constatation : l'infime trépidation de la roche avait cessé. Il jeta un coup d'œil circulaire. A quelques pas, Tuvor et Prothall discutaient à voix basse. Puis le Sangdragon s'employa à réveiller les dormeurs.

Quelques instants plus tard, tout le monde était sur le pied de guerre. Prothall réclama l'attention. Des ombres glissaient sur son vieux visage où les pires craintes alternaient avec la plus farouche détermination.

— Nous vivons nos dernières secondes à l'air libre, déclarat-il. Le sombre épanchement de l'armée ennemie a cessé. Gloton nous croit encore loin. Pendant quelque temps, il va surveiller la progression de ses troupes, mais d'ici peu, il saura que nous ne sommes pas là où il nous attend, et il comprendra. A nous de profiter de ce bref répit. Toutefois, avant de descendre, je tiens à vous dire ceci : une fois que nous aurons atteint Nékropolis, il n'y aura aucune possibilité de retour en arrière ni de repli en cas de défaite. Que ceux qui redoutent de mourir loin du soleil restent ici et gardent la tête haute. Ils ont bien servi la Quête.

— Et toi, Seigneur absolu, que comptes-tu faire ? s'enquit Quaan d'une voix hésitante.

— Moi ? A-t-on jamais vu Seigneur absolu tourner le dos à ses responsabilités ? Hélas, même si je le voulais, je n'oserais pas abandonner !

— Dans ce cas, la cause est entendue. A-t-on jamais vu Chevalier de la Milice du Donjon ne pas emboîter le pas à son Seigneur ? Nous irons jusqu'au bout !

Personne ne souffla mot ; à l'exemple de Prothall, même s'ils avaient voulu en rester là, ils n'auraient pas osé. Quant à Covenant, ses raisons étaient bien différentes. Il avait acquis l'intime conviction que le Bâton de la Loi serait la baguette magique qui le délivrerait du rêve. A condition qu'il survécût à cette aventure souterraine.

Soudain, la Barzane Agilias prit la parole. Son ton était presque exultant. Malgré l'appréhension, elle portait haut la tête. Les mots qu'elle allait prononcer l'engageaient tout entière.

— J'ai donné ma parole. Mes Bardes surveilleront et soigneront vos montures. Pour ma part, je descendrai avec vous. Je n'ai pas fait tout ce chemin pour m'arrêter avant le combat final. Quelque chose me dit que vous aurez encore besoin de moi. Une Barzane ne se perd jamais. Les Ranyhyns ont aiguisé notre sens de l'orientation. Si profond que nous allions, je saurai toujours vous ramener à la lumière.

Prothall eut un rictus de contrariété qui n'échappa à personne.

— Au nom du Territoire, Barzane, je te remercie, fit-il d'une voix ferme. Le peuple Ra peut être fier de toi.

Une dernière fois, il les parcourut des yeux. Il était le Seigneur absolu. Sous son regard, les regards s'éclairaient. Il tourna les talons et s'engagea dans le goulet au fond duquel l'Ecumeur avait pris position.

Debout au bord de la falaise, s'appuyant d'une main sur chaque mur comme pour en contenir le rapprochement, le Géant contemplait rêveusement le bouillonnement fiévreux de la Sérénité. Quand il sentit les autres dans son dos, il leur parla sans se retourner.

— Ma place est ici. Tant que je vivrai, cette issue restera ouverte. L'odeur de Nékropolis me serait fatale et les catacombes n'ont pas été construites pour des êtres de ma taille.

— Nul autre que toi ne pourrait mieux garder la porte des Hauts du Tonnerre, approuva Prothall. Mais ne t'attarde pas après la pleine lune. Si nous ne sommes pas de retour alors, c'est que tout est perdu. Cours avertir ton peuple.

— Souvenez-vous du Serment de Paix, ajouta mystérieusement l'Ecumeur. Dans le labyrinthe où vous entrerez, il sera votre fil conducteur. L'espoir est trompeur, mais la haine détruit tout ce qu'elle touche. Regardez-moi : un rien déchaîne ma haine. Je deviens semblable à ce que j'abhorre.

— Respecte au moins la vérité, riposta Mhoram sur un ton cinglant. Tu es Cœur Salin l'Ecumeur de Marepremere, membre de la Fraternité du Roc. Ce nom, personne ne peut te l'arracher. Restes-en digne !

Cette brève semonce étonna Covenant. Il n'avait pas décelé l'ombre d'une doléance dans les propos de l'Ecumeur, tout au plus l'énoncé désabusé d'une défaite personnelle. Le temps manquait pour approfondir la question.

Ils se mirent en ligne. Prothall, Birinair et deux Sangdragons suivaient l'Insigne Tuvor. Ensuite venaient Mhoram, Agilias, Bannor, Covenant et Korik, suivis de Quaan et de ses quatorze Chevaliers. Quatre Sangdragons fermaient la marche.

Chacun se ceignit d'un cordon de *krampo* que l'on fit courir du premier jusqu'au dernier. La nuit pâlissait. Il fallait descendre.

22

Les Catacombes
des Hauts du Tonnerre

Covenant se trouvait dans l'état confus de désarroi et d'agitation que laisse la terreur lorsqu'elle commence à se disperser. Son cœur battait à se rompre. Sa peau se hérissait. Tout son corps tremblait de faiblesse. Quand son tour était venu de s'engouffrer dans la bouche noire de la crevasse, pétrifié d'effroi, il avait calé. Bon prince, Bannor avait proposé de le porter. Alors, tout naturellement s'était produit le facile déclic de l'orgueil. Il avait trouvé la force de descendre. Korik et Bannor l'encadraient. Le bâton de Baradakas que les deux Sangdragons portaient horizontalement à hauteur d'appui lui tenait lieu de rampe. L'escalier zigzaguait le long de la paroi oblique. Guidés par la torche de Birinair, ils s'enfoncèrent dans le gouffre tonitruant, énorme caisse de résonance où le fracas du torrent se déchaînait comme un aveugle bruit d'émeute. Chaque pas glissant les rapprochait du maelström vorace de l'écume rouge. Covenant perçut le cri étouffé d'un Chevalier à qui le pied venait de manquer. La corde de *krampo* était solidement ancrée entre les mains du dernier Sangdragon. Tout rentra dans l'ordre.

Ils atteignirent la corniche qui surplombait le lit encaissé du cours d'eau; ce fut un réel soulagement que de pouvoir de nouveau marcher sur du plat. Au-dessus d'eux, la longue entaille sinueuse du ciel avait viré au gris, mais le jour n'arrivait pas jusqu'à eux et cette lointaine clarté ne faisait qu'assombrir par contraste la nuit au sein de laquelle ils se mouvaient.

Quaan vociféra ses consignes. Chaque Chevalier en profita pour inspecter son petit arsenal. Quelques gestes précis, quelques hochements de tête de l'Insigne Tuvor : les Sangdragons avaient compris ce qu'on attendait d'eux. Covenant assujettit dans son poing le bâton de Baradakas et s'assura que le couteau d'Atiaran était bien coincé dans sa ceinture. N'était-il pas, lui aussi, un soldat de la Quête ? Depuis quelques instants, depuis qu'ils avaient fait halte, il ne pouvait se défaire du sentiment exaspérant d'avoir oublié quelque chose là-haut. Il chercha en vain. Des cris l'arrachèrent à sa méditation.

— Il ne faut pas ! C'est trop dangereux ! hurlait Birinair d'une voix exaltée à la face impassible de Prothall.

— Nous ne pouvons plus tergiverser. Il faut partir. Birinair, vieux compagnon, c'est à moi, à moi seul qu'incombe la responsabilité de vous servir de guide. Inutile d'insister. Je marcherai devant.

Contraint de crier pour couvrir le vacarme, le Seigneur absolu s'efforçait visiblement de masquer la vive impatience où le plongeait la fièvre inexplicable de l'Hospitalier.

— Insensé ! riposta celui-ci, perdant toute retenue. Et comment y verras-tu ?

— Voir ?

— Parfaitement, voir ! Avec quelle lumière ? Va donc, va devant ! Eclaire notre route avec ton bâton seigneurial ! Insensé ! Veux-tu nous perdre tous ? La clarté serait si vive que Gloton nous découvrirait avant même que nous ne fussions au pont !

A ces mots, comme étourdi par la force de l'argument, Prothall parut chanceler.

— En effet... en effet... l'entendirent murmurer ceux qui se trouvaient à proximité. Le rayonnement de ta torche est beaucoup plus discret. C'est à moi de conduire, mais comment mettre en péril la sécurité de tous ? (Brusquement courroucé, il pivota.) Tuvor ! Birinair ouvrira la marche. Veille bien sur lui ! S'il devait pâtir de la substitution, je ne te le pardonnerais pas

Terrel et Korik prirent position à vingt pas devant l'Hospitalier. Deux autres Sangdragons se postèrent juste derrière lui, immédiatement suivis de Mhoram et de Prothall, chacun flanqué d'un Sangdragon. Ensuite venaient en file indienne la Barzane Agilias, Covenant et Bannor. Quaan et ses Chevaliers marchaient en rang par trois. Deux Sangdragons fermaient la marche. Ce fut dans cet ordre que l'armée de la Quête s'avança vers l'entrée de Nékropolis.

Covenant jeta un coup d'œil vers la zébrure blafarde du ciel dans l'espoir d'apercevoir l'Ecumeur. Il aiguisa ses yeux et ne vit rien. Il faisait bien trop sombre dans la cavité. L'état du chemin requérait toute son attention. Il ramena donc les yeux au sol et s'éloigna sans même pouvoir adresser un dernier signe à son ami.

Quand la ligne blafarde du ciel fut oblitérée, quand la montagne se referma pour de bon autour d'eux, cela ne fit aucune différence. Le resserrement de ses rives poussait à la limite du supportable les clameurs de la rivière étranglée. Les embruns tombaient dru comme averse. Pâle et embuée, la torche de Birinair semblait le spectre d'un soleil mort.

Dépressions, éboulis, plaques branlantes guettaient les voyageurs à chaque pas. Covenant se concentrait sur le sol comme s'il espérait trouver dans l'ordre de ses pièges une logique qui faisait défaut à tout le reste. Sous la vigilance, l'espoir d'en sortir vivant : son unique protection.

Peu à peu, une évolution se fit jour dans le fracas du torrent. Alors que la route s'incurvait vers l'intérieur sur un plan presque horizontal, le torrent se précipitait par paliers dans l'abîme.

Tandis que se dissipait le poudroiement d'écume, la flamme de l'Hospitalier retrouvait son éclat. Avec la dissolution progressive du brouillard, la paroi de granit révélait son grain épais. Covenant avançait en frappant le sol de ses talons comme s'il voulait crever la pierre, et les vibrations se transmettaient jusqu'à sa nuque. Peu à peu se matérialisa une pâleur diffuse à la périphérie des ténèbres. Un changement indéfini s'opérait dans l'atmosphère des catacombes. Birinair s'arrêta.

Aussitôt, Covenant, Agilias et les Seigneurs se regroupèrent autour de lui. Terrel les rejoignit.

— Nous approchons du pont, annonça le Sangdragon sans élever la voix. Korik a repéré deux sentinelles en faction sur l'arche. C'est l'affaire de deux flèches, si les hommes de Quaan sont habiles.

— Seulement deux sentinelles ? s'étonna Prothall.

Terrel haussa les épaules.

— Le pont n'est pas si large, et c'est la seule voie d'accès à Nékropolis.

Sur le visage du Seigneur absolu se peignit une expression de méfiance et de perplexité.

— Tout de même, deux sentinelles, c'est peu !

Mhoram et Quaan discutaient en aparté. Deux Chevaliers furent choisis pour leur adresse au tir, deux Sylvestres dont les bras minces ne semblaient pas assez robustes pour bander leurs arcs formidables. Prothall hésitait encore. Comme nulle révélation intérieure ne venait démentir ou confirmer ses doutes, d'un brusque hochement de tête, il donna son assentiment. Terrel entraîna les archers vers l'horizon indistinct où la nuit devenait crépusculaire.

Le Seigneur absolu sermonna ses troupes.

— Soyez sur vos gardes, je vous en conjure ! Ne prenez aucune initiative à mon insu. Je flaire un danger que je ne puis identifier malgré mes efforts. Il est question de ce pont dans le Premier Tabernacle, j'en jurerais, mais ce n'est qu'une réminiscence confuse, suffisante pour que tous, nous restions aux aguets. En avant !

Chacun retrouva sa place. On avançait lentement. La lumière augmentait toujours. Bientôt, on put y voir à une centaine de mètres devant soi. Plus loin, la cavité s'infléchissait sur la droite et le plafond s'incurvait pour former une voûte au-delà du coude. Korik leur fit longer l'entaille de la rivière jusqu'à l'angle, où la route était presque entièrement obstruée par un énorme rocher comme une porte restée entrouverte. Là, le cours d'eau disparaissait dans la muraille dont le chemin épousait la courbe brutale. Le Sangdragon se faufila derrière le rocher, suivi des deux Seigneurs et de Covenant. Ils découvrirent une immense caverne voûtée, coupée en deux par le torrent qui adoptait ainsi un cours perpendiculaire à celui qu'il avait suivi jusqu'alors avant d'être escamoté par le mur lointain.

La faille de la Sérénité s'élargissait à l'entrée de la caverne. A mi-parcours, pas moins de vingt mètres séparaient les parois verticales. Un pont d'une seule arche et sans parapet enjambait ce gouffre. C'était là qu'il fallait passer.

— Deux sentinelles, c'est vrai qu'il n'en faut pas plus pour défendre l'unique entrée de Nékropolis ! soupira Mhoram. Espérons que nos flèches atteindront leurs cibles. Il n'y aura pas de second essai.

Tout d'abord, aveuglé par le rayonnement intense des deux immenses piliers phosphorescents dressés aux extrémités du pont, Covenant ne vit personne. Puis ses yeux s'accoutumèrent ; il discerna les silhouettes sombres, presque absorbées par l'éclat des piliers à côté desquels elles se trouvaient.

— Des Ur-Vils ! marmonna Prothall. Par les Sept Tabernacles, que ne puis-je retrouver la mémoire ! Pourquoi Gloton gaspille-t-il des Ur-Vils quand de simples Lémures suffiraient à cette tâche ? Allons, nous n'avons pas le choix. Korik, donne le signal !

Le Sangdragon renversa la tête. Ses paupières s'abaissèrent. Alors seulement Covenant repéra les archers, logés dans une enclave de la paroi, à quelques mètres au-dessus d'eux.

Les cordes vibrèrent à l'unisson. Covenant eut la vision fugitive des silhouettes noires se détachant de leur pilier respectif pour basculer dans le vide. Il entendit le soupir distinct de Prothall. Mhoram adressa aux Sylvestres un salut de félicitations. C'était fini.

— Restez sur vos gardes ! s'écria le Seigneur absolu avec ferveur. Tout danger n'est pas écarté, je le sens.

Covenant s'était figé, les yeux sur un point équidistant des piliers de lumière. Ses poings s'ouvraient et se fermaient.

— Que se passe-t-il ? demanda Prothall, intrigué par son manège.

— Moi aussi, je le sens, jeta-t-il d'une voix rauque. (Cette intrusion l'agaçait.) Un pouvoir fantastique ! Gloton est assez puissant pour vous écraser comme des mouches. (Il montra son poing gauche.) Et pourtant, il fait jour, là-haut.

Son alliance était d'un rouge ardent, parcouru par des pulsations frénétiques. Prothall fronça les sourcils.

— Extraordinaire... La lumière diffusée par les piliers n'est pas capable d'agir sur l'or blanc. Il y a autre chose. Ah ! Si la mémoire pouvait me revenir...

Le vieil homme sombra dans un recueillement farouche. Mhoram avait lui aussi remarqué l'alliance et restait sidéré, son regard oscillant de Covenant au Seigneur absolu. Ce dernier revint brusquement à lui et donna l'ordre de continuer.

Cette fois, Quaan et son Equestre se portèrent en avant, ainsi que Tuvor et un autre Sangdragon. Prothall se montrait inquiet et fermé ; néanmoins, il emboîta le pas à Birinair. Covenant les suivit sans hésiter.

A mesure que se réduisait la distance qui le séparait du pont, il éprouvait une exaltation bizarre. L'alliance devenait brûlante. Il sentait qu'un bouleversement singulier s'opérait en lui, contre lequel il ne pouvait rien. Une force terrible l'étreignait, aspirait sa volonté, réduisait sa résistance. Il avait l'impression d'assister en spectateur lointain à la besogne d'anéantissement de sa personnalité. Vaguement, il remarqua que Tuvor et son compagnon commençaient l'ascension du pont. Sous ses yeux ébahis, l'environnement granitique se désagrégea. Par endroits, les parois s'amincirent jusqu'à la transparence. Ce phénomène n'affectait pas seulement l'inanimé. Peu à peu, Agilias, Quaan et tous les Chevaliers se muèrent en créatures évanescentes. Prothall et Mhoram gardaient quelque consistance, mais le second restait stable où le premier fluctuait. Seuls les Sangdragons conservaient leur superbe tangibilité. Covenant considéra sa propre main et la trouva si floue qu'il se demanda pourquoi l'alliance ne passait pas au travers.

Tuvor avait presque atteint le sommet du tablier. Le pont n'était plus qu'un souvenir de pont, une silhouette en pointillé. Il semblait impossible que cette construction arachnéenne pût supporter le poids d'un homme aussi solide.

D'un seul coup, la source de ces prodiges lui apparut. Une boucle scintillante encerclait le pont à son niveau le plus élevé. Covenant ne savait rien de ce phénomène. Sa nature, sa raison d'être lui étaient inconnues. Il avait simplement conscience de la formidable puissance qui en émanait. Tuvor était sur le point de traverser le cercle ardent. Le moindre contact lui serait fatal ; de cela aussi Covenant était conscient.

Avec une convulsion de rage, il retrouva l'usage de la parole. Il avait scellé un pacte, soit, mais il ne serait pas dit qu'un homme mourrait parce que l'Incrédule avait refusé de parler à temps.

— Halte ! fit-il d'une voix étranglée. Ne voyez-vous donc rien ?

Prothall réagit aussitôt.

— Tuvor, reste où tu es ! Garde-toi de faire un pas de plus ! (Il se tourna vers Covenant.) Vite, que vois-tu ?

Bien que la colère eût partiellement dissipé ses troubles de vision, Prothall demeurait à ses yeux d'un flou inquiétant.

— Qu'attendez-vous pour les faire descendre ? cria-t-il. Etes-vous aveugles ? Non, ce ne sont pas les piliers. Quelque chose brille là-haut. Quelque chose que je n'ai encore jamais vu !

Mhoram se hâta de rappeler les deux Sangdragons. Prothall avait tressailli. Ses yeux fixés sur l'alliance exprimaient une indicible épouvante. Avec une violence soudaine, il frappa le sol de son bâton.

— Des Ur-Vils, bien sûr ! Oui, je suis aveugle ! Ils sont là pour veiller sur l'Anathème !

— C'est impossible ! souffla Mhoram. Gloton aurait-il pu asservir le Bâton de la Loi au point de le plier à tous ses caprices ?

Le Seigneur absolu s'était mis en marche vers le pont.

— Férus est un excellent professeur, commenta-t-il par dessus son épaule. Que n'avons-nous un tel maître pour seconder nos efforts !

Il s'engagea sur le pont, Tuvor à deux pas derrière lui. Il s'approcha lentement, résolument de l'Anathème et, quand il se trouva devant lui, si près qu'il lui suffisait de tendre le bras pour le toucher, il s'arrêta ; saisissant son bâton dans sa main gauche, il leva la droite, paume à l'extérieur dans un geste de salut ou de reconnaissance. Après un raclement de gorge sonore, il se mit à chanter dans une langue si étrange, si barbare à l'oreille de Covenant qu'il fallut un certain temps à ce dernier pour discerner que la vieille voix éraillée psalmodiait inlassablement la même phrase.

Peu à peu, comme une fumée de cigarette se matérialise en passant devant la lumière, un fragment de l'Anathème se révéla aux yeux de tous. Suspendu dans le vide face à la paume de Prothall parut un lambeau de lumière rouge iridescente. Cela se dilata, s'épanouit, s'arrondit jusqu'à former un cercle grossier dont le centre se trouvait au niveau de la main seigneuriale. Sans interrompre ses incantations, Prothall déplaça son bras afin de prendre la mesure de l'Anathème et d'apprécier sa configuration. Le halo rougeoyant épousait tous les mouvements de sa main. A la seconde où Prothall cessa de chanter, il se dissipa.

Sans doute le Seigneur absolu avait-il appris ce qu'il voulait savoir, car il revint sur ses pas. A l'entrée du pont, il s'arrêta pour parler à ses hommes.

— Cet Anathème arraché au néant par la toute-puissance du Bâton de la Loi fut placé à cet endroit pour avertir Gloton de toute tentative de violation de son domaine. Les intrus seraient malavisés d'insister : au premier contact, le pont saute. Est-il besoin de le préciser ? Depuis la Profanation, nul Seigneur de la Pierre-qui-Rit n'ayant été capable d'accomplir le plus petit prodige, nous serions bien en peine de détruire cet obstacle. Quand bien même nous le pourrions, cela ne nous serait pas d'un grand secours puisque, du même coup, nous avertirions Gloton de notre arrivée. Toutefois, la situation n'est pas aussi sombre que vous le pensez. Si, comme je le crois, l'attention du Lémure est sur son armée, nous pouvons essayer de tordre l'Anathème sans le rompre. (Il marqua un temps d'arrêt, prit une profonde inspiration et déclara tranquillement qu'il avait bon espoir d'y arriver.) Pour tout dire, reprit-il, cet Anathème n'est pas d'une pureté telle que nous ne puissions le séduire. Seulement... (ses yeux s'arrêtèrent sur Covenant)... seulement je crains pour toi, Incrédule.

— Pour moi ?

Covenant frémit comme si on venait de porter contre lui une accusation honteuse.

— J'ai bien peur que l'Anathème ne résiste pas au voisinage de ton alliance. C'est pourquoi tu passeras le dernier. Mais comment sortirons-nous des catacombes s'il n'y a plus de pont pour traverser dans l'autre sens ? Les cartes ne mentionnent pas d'autre issue.

Le dernier ? La terreur crépitait en lui.

Comme si tu avais la moindre chance d'échapper à ton destin !

— Faites comme bon vous semble, murmura-t-il. Inutile de nous éterniser ici. La relève des sentinelles arrivera tôt ou tard.

Prothall acquiesça en silence. Son regard s'était adouci. Vivement, il se détourna et s'avança vers le milieu du pont en compagnie de Mhoram.

Parvenus à moins d'un mètre de l'Anathème, les deux Seigneurs s'agenouillèrent et se mirent à chanter.

Quand apparut la moitié inférieure de la grande boucle, ils posèrent leurs bâtons devant eux sur le tablier du pont. Avec d'infinies précautions, ils les firent rouler dans l'axe de la bande lumineuse où ils s'immobilisèrent dans le prolongement l'un de l'autre. L'espace d'un instant, les Seigneurs se figèrent dans une attitude de ferveur intense, comme si leurs chants suppliaient les bâtons de ne pas interrompre le courant magique. En réponse à leur prière, le demi-cercle étincelant palpita dangereusement. Effervescence passagère. La partie visible de l'Anathème retrouva vite son scintillement régulier. Pour les Seigneurs commença la phase délicate de l'opération : soulever simultanément les extrémités rapprochées des bâtons.

Un frémissement d'émerveillement et d'admiration parcourut la petite assistance lorsque le tronçon ardent, accompagnant le mouvement des bâtons, se creusa vers le haut jusqu'à former un arc assez haut pour qu'un homme pût s'y faufiler. Bannor et deux autres Sangdragons s'élancèrent au pas de course, déroulant derrière eux un écheveau de *krampo*. Ils se jetèrent à plat ventre, sinuèrent sous l'arceau et gagnèrent dare-dare la rive opposée. Dès que Bannor eut attaché la corde, sans jamais suspendre leurs chants, Prothall et Mhoram se glissèrent tour à tour sous la cambrure de l'autre côté de laquelle ils s'agenouillèrent de nouveau. Birinair fut le sixième à franchir l'Anathème. Dans la foulée défilèrent les Chevaliers, Quaan, Agilias, puis Tuvor et Terrel qui amarrèrent leurs cordes aux deux Seigneurs. Alors, le dernier Sangdragon fit un nœud coulant à l'extrémité de l'ancien fil conducteur, le lança autour de Covenant et fila comme une flèche.

Covenant se retrouva seul sur la rive septentrionale de la Sérénité.

Une rage terrible, un orgueil démesuré l'habitaient. *Même un lépreux a le droit d'être courageux de temps à autre. Je traverserai !*

Quand il se trouva devant l'Anathème, il s'agenouilla comme tous ses compagnons l'avaient fait avant lui. A travers le scintillement, les visages des Seigneurs ruisselaient de sueur. Leurs voix grinçantes, épuisées, semblaient à tout moment sur le point de se transformer en sanglots. Il crispa le poing autour du bâton de Baradakas et se coula sous l'arceau.

A la limite des sons audibles se fit entendre une plainte étouffée. Au même instant, son alliance cracha des étincelles. Il franchit sans se presser l'autre moitié du pont. Ne pas courir. Ne pas céder à la panique. A la seconde où il posait le pied sur la rive, Tuvor héla les deux Seigneurs. Ils ramassèrent posément leurs bâtons et rejoignirent la troupe.

L'Anathème avait résisté. Le pont était intact. Devant eux, un boyau s'ouvrait dans la roche. Chacun retrouva la place qu'il occupait auparavant. La colonne s'enfonça dans l'obscur tunnel.

Que l'Anathème fût l'œuvre de Férus, tous en étaient conscients. Le Contempteur les attendait. Il avait prévu que les hordes de Lémures n'arrêteraient pas la Quête. Il les attendait. Pour Covenant, les preuves accumulées du pouvoir de Férus n'étaient que les symptômes d'une menace autrement redoutable qui prenait racine dans l'anneau d'or blanc. Dans l'état d'hébétude où il était tombé, il n'avait plus la force ni même l'envie de se dissimuler plus longtemps la vérité, et le péril lui apparaissait dans toute sa réalité brutale. L'alliance était au centre de tout. Le pacte implicitement scellé avec les Ranyhyns lui avait donné l'illusion de pouvoir maintenir à égale distance l'aberration que représentait l'existence du Territoire d'une part, et d'autre part, sa tangibilité. S'agissait-il d'autre chose que d'empêcher la collision fatale entre le rêve et le réel tel qu'il l'avait toujours connu ? Sa survie était à ce prix. Férus devait savoir ça aussi puisqu'il s'évertuait, par le truchement de l'alliance, à précipiter les deux concepts l'un contre l'autre. S'il ne pouvait échapper à ce conflit, il était perdu.

La tentation l'effleura de jeter l'alliance. Geste inconcevable. Se débarrasse-t-on d'un objet si chargé de passion ? Amour, honneur, respect mutuel... l'alliance était le résumé terriblement succinct de tout ce qu'il avait voulu conserver et qui lui échappait. Une fois déjà, en toute innocence, il avait voulu s'en défaire, mais un vieux mendiant...

Par habitude, par nécessité aussi, il surveillait le sol dans la faible clarté de l'unique torche. Là, une pierre, là, un nid-de-poule, là, des gravillons. Cela devenait une obsession. Il mettait un pied devant l'autre avec autant d'appréhension que si Birinair risquait à tout moment de lui faire franchir le bord d'une falaise.

Le tunnel n'en finissait pas. Soudain, ils débouchèrent dans un espace si vaste que ses parois restaient dans l'ombre. A mesure qu'ils descendaient le sol en pente, zigzaguant entre de mystérieuses bornes que le vieil Hospitalier était apparemment le seul à percevoir, l'air froid devenait plus noir et nauséabond. D'invisibles galeries ou fissures dont on devinait la présence grâce au fugitif écho qui répercutait les frottements de pieds, s'insinuaient des nappes d'air glacé, chargées d'effluves pernicieux. Plus bas, la puanteur s'accrut et persista, même lorsqu'ils ne croisaient pas d'ouvertures. Cet air qui n'avait jamais vu le jour était saturé par les émanations séculaires d'immondices, de cadavres abandonnés sans sépulture auxquelles s'ajoutaient les miasmes d'anciens laboratoires où longtemps avaient incubé tous les fléaux du monde. Il n'y avait pas que l'odeur. Des égouts latéraux provenaient maintenant des murmures équivoques comme le grouillement déchirant d'un univers de souffrances et de péchés enfouis depuis des lustres. Exhalée des obscurs et sommeillants soubassements de la montagne leur parvenait une rumeur effarée, confuse, faite de froissements métalliques, de détonations étouffées, de soupirs de détresse. Ainsi les cauchemars des morts qui n'avaient pas trouvé le repos accompagnaient leurs pas.

A trois reprises, atteignant de vastes plans horizontaux, la compagnie fit halte et se rassembla autour de la torche de Birinair pour avaler un repas froid. Pour ce qu'ils discernaient de l'espace environnant, ces aires privilégiées pouvaient aussi bien être des corniches surplombant l'abîme ou les faîtes émoussés de sommets vertigineux, mais la couronne de visages révélés par la flamme, regards résolus, mâchoires qui s'activaient sur une nourriture ingrate, augurait bien de la résistance des troupes de la Quête.

Ils marchèrent longtemps, si longtemps que Covenant devait consulter son alliance pour s'assurer qu'ils n'étaient pas en route depuis des jours. Enfin, l'or blanc se colora de pourpre : la lune venait de se lever. Leur première nuit souterraine commençait. La proximité du quartier général de Gloton, lieu où la puissance conférée à l'usurpateur par le Bâton de la Loi atteignait son apogée, interdisait les arrêts prolongés. Le cheminement continua donc, coupé de haltes trop brèves pour dormir ou même se reposer durablement.

Ils longeaient une galerie dont les murs scintillaient à la limite du rayonnement de la torche lorsque Terrel surgit devant le vieil Hospitalier. Les Seigneurs, Covenant, Agilias se précipitèrent aux nouvelles.

— Ils sont en route, annonça le Sangdragon. Une cinquantaine. La lumière nous aura trahis.

Prothall gronda tout bas. Mhoram étouffa un juron. Agilias siffla entre ses dents, les yeux brillants comme si elle était impatiente de voir en face ces êtres dont étaient faits les cauchemars du peuple Ra. Covenant ne ressentit absolument rien.

La réaction de Birinair les stupéfia tous les cinq. Ils n'eurent pas le temps de prévenir les autres que déjà le vieil homme pivotait et s'enfonçait au pas de charge dans le tunnel qui s'ouvrait sur la droite.

— Suivez-moi ! Ne restez pas plantés là. Suivez-moi !

Deux Sangdragons se lancèrent à sa suite. L'espace de quelques secondes, sidérés, les Seigneurs se consultèrent du regard.

— *Melenkurion !* s'écria Prothall.

A son tour, il s'engagea dans le tunnel. Mhoram jeta des ordres. Chevaliers et Sangdragons savaient maintenant à quoi s'en tenir. Ils se préparèrent activement en vue de la rencontre.

Sans hésiter, Covenant avait emboîté le pas au Seigneur absolu. La lueur vacillante de Birinair lui semblait aussi fiable que l'étoile de Bethléem. « Suivez-moi ! » avait crié le vieillard et, ma foi, il avait l'air de savoir où il allait. Ils apprirent que la bataille avait commencé quand retentirent les premiers cris et le fracas des armes. L'Hospitalier n'en avait cure. Il détalait comme un lapin, les Sangdragons à moins de trois mètres derrière lui.

Une violente déflagration ébranla les parois du tunnel. Au même instant, une nappe de feu d'un bleu aveuglant enveloppa Birinair. Les flammes se propagèrent en rugissant d'un mur à l'autre et grimpèrent jusqu'au plafond. Au cœur de la fournaise, la silhouette noire de Birinair se tordait et gesticulait.

Les Sangdragons se jetèrent dans le feu. Le feu arrêta leur élan comme l'eût fait un mur. Ils recommencèrent avec le même résultat. Prothall arriva sur ces entrefaites, les yeux hagards, la bouche tremblante.

— C'est moi qui devrais être là ! hurla-t-il. Laissez ! Il n'y a plus d'espoir. Mhoram a besoin de vous.

Le visage enfoui dans ses mains, il s'adossa à la paroi.

A l'entrée du tunnel, le combat faisait rage. Les Ur-Vils avaient adopté leur formation d'attaque : un triangle, encadré par les meilleurs d'entre eux et conduit par leur chef spirituel. Mhoram reculait pied à pied. Déjà, deux Chevaliers étaient tombés. Un troisième, une jeune Sylvestre, avait perdu la main gauche. Un quatrième reçut une lance en plein cœur et s'effondra. Tandis que Mhoram affrontait la tête pensante de l'ennemi, les Sangdragons harcelaient les flancs de la formation sans ouvrir de brèche assez durable pour briser sa cohésion.

Prothall avait pris sur lui. Il s'approcha du rideau de flammes et le frappa de son bâton. Covenant ne vit rien au-delà du confus éblouissement qui l'aveugla. Quand ses yeux retrouvèrent leur acuité, le bâton seigneurial était suspendu à l'horizontale au milieu de l'écran magique derrière lequel Birinair gisait sur le dos. Ainsi que les mains de l'Ecumeur après l'épreuve de la *Caamora*, son visage livide était intact, les yeux ouverts immensément. Les lambeaux carbonisés de ses vêtements révélaient son corps chétif sur lequel on cherchait en vain une trace de brûlure.

— Birinair ! Vieux camarade !...

A deux reprises, Prothall voulut traverser. Il fut rejeté.

« Suivez-moi ! » avait ordonné Birinair. Il savait où il allait. Les lambeaux carbonisés de ses vêtements...

Covenant avait oublié là-haut quelque chose de très important. Il s'avança vers le rideau de flammes bleues. Curieusement, elles ne propageaient aucun rayonnement, aucune chaleur. Elles semblaient au contraire absorber celle des êtres vivants qui les approchaient. Covenant se sentait devenir glacé. Une extase morbide se levait en lui, avançait et croissait. Il imaginait avec une âpre volonté quelle délivrance ce serait de baigner dans ce scintillement bleu. Il savait, intuitivement, que le rideau fabuleux l'accueillerait en son sein, puis l'expulserait, aussi lisse, aussi pur que le pauvre Birinair. Une sorte d'immolation par le feu... Il était à la merci de cette tentation romanesque, tout près de céder, quand le guide spirituel des Ur-Vils donna brusquement l'ordre de dislocation, esquiva l'épée de Mhoram et s'élança dans la galerie, aussitôt suivi de Mhoram qui craignait pour la vie du Seigneur absolu.

Covenant tendit la main gauche ; à quelques centimètres du rideau, il suspendit son geste. L'idée du sacrifice de sa vie l'emplissait d'un triomphe amer. Il empoigna le bâton de Prothall.

L'afflux d'énergie faillit lui arracher la main. Son alliance crépitait sauvagement. Le rugissement des flammes s'emballa. Quand il eut atteint le suraigu, l'écran bleu explosa dans un silence de mort. Soulevé par un rebond paresseux, le sol de la galerie retomba sans bruit.

Quaan banda son arc. L'Ur-Vil passa sans s'arrêter devant Prothall. Covenant seul l'intéressait. Celui-ci demeurait pétrifié, tournant le dos au danger. La flèche du Chevalier atteignit le monstre dans la nuque. Bolide mort, il percuta Covenant et s'écroula sur lui.

L'Incrédule retrouva vite ses esprits. A travers l'engourdissement douloureux de tous ses sens, il remarqua que l'affrontement avait presque cessé. Privés de leur chef, les Ur-Vils se débandaient.

— Inutile de les poursuivre ! cria Mhoram. L'alerte est donnée de toute façon. Il importe peu qu'ils aillent prévenir leur maître.

Agenouillé plus loin, Prothall serrait contre lui le cadavre de Birinair. Son armée fit cercle autour de lui. Trois Chevaliers manquaient à l'appel. Hormis la Sylvestre, nul n'était sérieusement blessé. Sur tous les visages se lisait une tristesse infinie.

— Continuez, murmura le Seigneur absolu. Rapportez-moi ce qu'il escomptait découvrir plus loin. A notre retour, mes adieux seront achevés. C'est moi qui devrais être mort.

Mhoram lui posa sur l'épaule une main compatissante. Pas un mot. Le geste exprimait tout. Il se reprit aussitôt, empoigna la torche qu'un Sangdragon venait d'allumer et, sur le point de s'éloigner, avisa Covenant.

— Ton courage a trouvé sa récompense, dit-il. Ce n'est pas rien que d'avoir pu maîtriser un tel pouvoir.

— C'est arrivé par hasard, balbutia Covenant. Je n'ai rien maîtrisé du tout. Si tu veux le savoir, j'avais l'intention d'en finir en m'immolant par le feu.

La fatigue le terrassa. Sa tête glissa sur le sol. Il s'endormit. Juste avant de perdre conscience, une révélation le transperça : il avait oublié là-haut ses vieux vêtements, ceux qu'il portait en arrivant ici. S'il retournait dans son monde d'origine habillé de cette longue tunique maculée de taches, cela prouverait... cela prouverait...

A son réveil, Agilias réchauffait la nourriture. Prothall cautérisait le moignon de la Sylvestre à l'aide de l'extrémité brasillante de son bâton. Le visage de la suppliciée offrait un spectacle terrible.

Mhoram et sa suite, Quaan, Korik et deux autres Sangdragons revinrent peu après. Quaan portait un petit coffret de fer. Le jeune Seigneur fit halte devant le feu où mijotait la marmite. Ses yeux souriaient.

— L'obstacle fut placé là par Kévin, affirma-t-il d'une voix bouleversée. Le tunnel débouche sur une grande salle. C'est là que nous avons trouvé le Second Tabernacle.

23

Kiril Threndor

Prothall reçut le coffret des mains de Quaan et le posa sur le sol. Ses doigts s'affairèrent sur le fermoir. Le halo ambré révélé par l'ouverture du couvercle éclaira son visage transfiguré.

L'instant d'après, comme on expose une relique à l'adoration des fidèles, il soulevait à deux mains un rouleau de parchemin dont chacun pouvait voir qu'il était la source de l'irradiation. Quaan et ses Chevaliers mirent un genou en terre. Agilias les imita. Les Seigneurs s'étaient figés dans une attitude auguste et solennelle. Ni Covenant ni les Sangdragons ne semblaient pressés d'en faire autant.

— Cher Hospitalier! murmura Prothall. Se peut-il que son cœur ait décelé des indices invisibles à nos yeux?...

Ayant déposé le talisman dans son écrin, il abaissa le couvercle. Privés du doux rayonnement, la plupart se sentirent comme privés de soleil pour la seconde fois. Covenant décida de mettre les pieds dans le plat.

— La découverte du Second Tabernacle multiplie par deux votre pouvoir et vos chances de succès, je présume. Ne pensez-vous pas qu'il serait temps de me renvoyer chez moi?

Prothall lui jeta un regard étrange. Mhoram secoua douce-ment la tête. Le désir d'être rassuré, le besoin légitime de consolation inclus dans la naïve question de l'étranger méritait l'indulgence. La vérité lui fut donc présentée par étapes, et avec ménagement.

— Hélas, oublierais-tu que nous n'avons même pas pénétré les mystères essentiels du Premier Tabernacle? Depuis des générations, nos maîtres travaillent en vain. Par conséquent, le Second Tabernacle ne nous sera d'aucune utilité avant long-temps. Notre tâche immédiate est de reprendre le Bâton de la Loi. Rien n'est changé.

Sa voix demeura en suspens comme si, résolu à en dire davantage, il s'était brusquement ravisé.

— Le temps des illusions n'est plus ! soupira Prothall. Qu'il apprenne maintenant tout ce qu'il doit savoir.

— Dans ce cas, reprit Mhoram du ton de quelqu'un qui déteste ce qu'il va dire, sache que la découverte anticipée du Second Tabernacle pose plus de problèmes qu'elle n'en résout. L'exégèse du Premier Tabernacle nous a au moins appris que l'ordre selon lequel Kévin avait disposé les suivants devait être strictement respecté. Notre auguste ancêtre distille l'enseignement de la Tradition de telle façon que certaines connaissances peuvent se révéler fatales pour ceux qui n'ont pas encore maîtrisé l'étape antérieure. Voilà pourquoi, dans son infinie sagesse, il a placé devant les Tabernacles des obstacles infranchissables si l'on n'est pas initié aux mystères contenus dans les manuscrits précédents. Ton intervention a bousculé ce cours normal. Tant que nous n'aurons pas assimilé l'enseignement du Premier Tabernacle, nous ne tenterons pas d'asservir un pouvoir pour lequel nous ne sommes pas prêts.

Covenant étudiait les souillures de sa robe. Prodigieux contours qui évoquaient quelque carte au trésor imaginée par un dément ! Il était bien trop las pour réfléchir aux conséquences de ce qu'il venait d'entendre. Son espoir d'une libération anticipée venait de voler en poussière. Il n'avait rien à répondre.

A l'exception des infatigables Sangdragons, tout le monde avait besoin de repos. Dans la mesure où l'ennemi avait éventé leur présence, Prothall estima qu'ils ne seraient pas plus exposés ici qu'ailleurs et suggéra de s'installer pour quelques heures. Après s'être restauré, le Seigneur absolu donna lui-même l'exemple en s'allongeant à même le sol, la tête sur un sac. Il sombra bientôt dans un sommeil qui avait toutes les apparences du feu couvant sous la cendre. La plupart des Chevaliers en firent autant, mais ni Mhoram ni Agilias ne purent se résoudre à fermer l'œil. Déjà reposé, Covenant dut se contenter d'un sommeil fébrile, haché menu en mille petits réveils jusqu'au moment où le rouge pâlissant de son alliance annonça que l'aube ne tarderait plus.

L'éveil de Prothall donna le signal des préparatifs. On se hâtait en silence. Après une légère collation, on éteignit le feu. Le Seigneur absolu décida d'éclairer leur route à l'aide d'une torche *lillianrill* à la flamme plus fluctuante, mais plus discrète que le rayonnement de son propre bâton. Faute de mieux, on abandonna les corps des Chevaliers et de l'Hospitalier dans la salle du Tabernacle.

A mesure qu'ils approchaient du centre actif de Nékropolis leur parvenaient des bruits plus distincts, plus identifiables dans leurs détails inquiétants : fracas d'enclume, grondement de fournaise, halètement d'effroi d'une écœurante proximité. Plus loin, ils longèrent le bord d'une profonde caverne aux parois phosphorescentes. En contrebas bouillonnait un magma rouge dont les âcres effluves prenaient à la gorge. Les yeux de

Covenant fuyaient le gouffre ; ses oreilles se fermaient aux borborygmes. Au-delà de la caverne s'ouvrait une autre galerie. Il s'y précipita.

A l'issue du ténébreux passage, ils bifurquèrent deux fois de suite, gravirent un versant interminable et se retrouvèrent sur une corniche à flanc de faille. Au fil des heures, la fatigue aidant, leur vigilance s'était imperceptiblement relâchée. La lune montait au firmament du Territoire. Sûr de son pouvoir, Gloton les attendait plus loin. Impatient d'affronter l'ultime épreuve, Prothall entraînait sa petite armée avec une ardeur de loup. L'attaque foudroyante de l'Ur-Vil solitaire les prit tous à l'improviste, y compris Covenant, le principal intéressé.

La créature s'était dissimulée dans un repli de la paroi. A l'instant où Covenant parvenait à sa hauteur, elle s'élança. L'homme fut jeté à terre. Il n'eut pas le temps d'émettre un cri. Galvanisé par l'effet de surprise et la violence du choc, il sauta l'étape de la peur et ressentit sur-le-champ une clairvoyance désespérée, semblable aux éclairs de lucidité d'un fou. Une fois de plus, l'instinct de conservation venait à son secours. L'Ur-Vil avait emprisonné sa main gauche et l'approchait de son mufle ignoble. D'un coup de dents, il allait lui arracher le doigt. Le monstre en voulait à sa vie, mais plus encore à son alliance. Covenant le savait et, sous l'étreinte d'acier, se débattait comme un mouton bon à égorger qu'on mène à l'abattoir. La proximité terrifiante de l'abîme, miraculeusement oubliée tant qu'il luttait et sentait sous lui le sol contre lequel on le plaquait, se matérialisa avec la brutalité d'un couperet de mort lorsqu'il bascula dans le vide. Dans un ultime réflexe pour se soustraire à l'inévitable, il tendit son bâton. Des mains se précipitèrent. Bannor fut le plus prompt. Un instant, tout parut possible. Covenant tenait bon, mais le poids de la créature l'entraînait. Il lâcha prise. L'homme et la créature tombèrent enlacés. Le hurlement de Covenant fut tranché net par l'impact. Il s'évanouit sur le coup.

Quand il s'éveilla, il suffoquait, le nez enfoui dans une sorte de terreau. Il gisait la tête en bas sur un monticule fortement incliné de débris friables dont le moelleux, en absorbant le choc, lui avait sauvé la vie. Covenant roula sur lui-même, éternua violemment pour expulser les saletés coincées dans sa gorge et respira l'air glacé à pleins poumons. Par contre, il ne voyait toujours rien. Ses yeux ne lui montraient qu'une nuit uniformément noire.

Contrecoup logique des événements, l'affolement le gagna. Il se crut aveugle. Il se frotta les yeux avec l'énergie du désespoir. Mille aiguilles de couleur dansèrent sur sa rétine. Il n'était pas aveugle, simplement, il n'y avait rien à voir. Sa chute l'avait entraîné au-delà du rayonnement de la torche, au-delà de tout rayonnement. Les ténèbres absolues de Nékropolis s'étaient refermées sur lui. Il était seul, inaccessible à ses amis. Il ne savait rien de ce qui l'entourait. Tôt ou tard, s'il vivait assez longtemps, il souffrirait de la faim et de la soif. Il était à la merci de n'importe quel fléau né de l'obscurité, et le premier pas qu'il ferait risquait de le précipiter dans un gouffre encore plus profond. S'il cédait à la panique, s'il ne faisait pas preuve d'ingéniosité, si sa bonne étoile l'abandonnait, cette nuit pourrait bien devenir pour lui la nuit éternelle du tombeau.

N'imaginant rien de mieux à faire, il entreprit d'explorer son nouveau territoire. Il tâtonna prudemment autour de lui. Sa main atteignit bientôt une surface plate sur laquelle ses doigts tremblants rencontrèrent un bras. La chair élastique céda à la pression ; la poitrine tiède était poisseuse de sang. La vie n'avait pas déserté ce corps depuis longtemps. Apparemment, l'Ur-Vil avait eu moins de chance que lui.

Covenant retira vivement sa main. Le souvenir du Repenti étendu mort dans le Repaire lui traversa la mémoire. Cette découverte macabre figeait son courage comme s'il venait d'entrouvrir une porte donnant sur l'enfer. D'ailleurs, les Ur-Vils, eux, étaient bel et bien aveugles. Ils n'avaient pas d'yeux. Dans ce cas, comment celui-ci l'avait-il reconnu ? Ces créatures pouvaient-elles flairer l'or blanc ?

Ce fut le moment que choisit son alliance pour se mettre à flamboyer. Son éclat terne irradiait si faiblement qu'il permettait tout juste de discerner le doigt sur lequel elle était enfilée. Ainsi, loin de lui être d'un quelconque secours, cette clarté maléfique continuait à jeter l'horreur dans son âme. A moins... à moins qu'il ne découvrît le moyen de maîtriser le pouvoir de l'alliance.

Cette pensée le glaça. Jamais ! Il n'était qu'un lépreux dont l'aptitude à survivre dépendait d'une connaissance parfaite et de l'acceptation de ses limites. Tout lépreux qui refusait d'admettre son infirmité était un lépreux mort. Pour lui, victime d'un rêve, l'étourderie fatale serait de succomber à l'illusion de la puissance. La démence, la dégradation physique qui sanctionneraient toute infraction grave à la discipline qu'il s'était imposée n'auraient plus rien d'onirique.

Combien de temps serait-il demeuré ainsi, effrayé de sa propre audace, saisi de vertige devant les conséquences d'une imprudence possible, si un bruit n'était venu frôler son oreille, insinuant, insaisissable, menaçant comme si l'obscurité même s'était mise à respirer ? Cela sinuait, cela furetait à la limite des sons perceptibles, puis cela s'éclaircit et se fragmenta. L'ouïe atterrée de l'homme identifia le frottement de nombreux pieds. Ils arrivaient. Ils venaient le chercher, le tuer peut-être. Le rougeoiement de son alliance signalait sa présence aussi sûrement que s'il avait eu un spot braqué sur lui. Son premier mouvement fut de cacher sa main. Absurde ! Ces êtres ne voyaient pas l'alliance ; ils la *devinaient*. Une arme ! Il lui fallait une arme. Pris de frénésie, ses doigts palpaient la pierre alentour. L'idée ne lui vint pas d'explorer le cadavre. Puis il se souvint qu'il était lui-même armé, si l'on pouvait dire. De quel poids serait son petit couteau face aux sbires de Gloton Larva ? Néanmoins, il l'arracha de sa ceinture.

Le froissement multiple prenait source à un niveau plus élevé que celui où il était tombé. D'une manière ou d'une autre, ceux qui approchaient descendaient vers lui. Outre le couteau, il possédait un bâton, don de Baradakas, l'Initié de la Haute Sylve. Des mots lui revinrent, des mots d'adieu : « *Quand l'ombre sera sur toi, n'oublie pas le bâton de l'Initié.* »

Facile à dire ! Il se concentra, espérant sans trop y croire que la lumière jaillirait par le seul effet de sa volonté. Si seulement il pouvait l'allumer, comme s'allumaient les bâtons seigneuriaux...

A présent, ce n'étaient plus seulement des frottements de pieds. Il entendait des souffles rauques, irréguliers. Combien étaient-ils ?

Baradakas, aide-moi !

Une fois, déjà, le bâton s'était allumé. Pendant la Célébration. Avec une hâte fébrile, il le mit au contact de l'alliance. Son extrémité s'enflamma comme une torche. Covenant sursauta, ébloui, et s'empressa de brandir le bâton au-dessus de sa tête.

Il avait roulé au bas d'un amoncellement de matériaux éboulés dont la base occupait la moitié du sol de la crevasse. Le corps hideux, désarticulé de son agresseur gisait non loin de là sur la pierre.

Une dizaine de mètres le séparait encore du groupe de Lémures qui s'avançaient vers lui en traînant les pieds. Leur aspect était si insolite que la surprise l'emporta chez lui sur l'épouvante. Ils semblaient vieux, mais d'une vieillesse prématurée, artificielle, qu'ils portaient comme un masque. Même à cette distance, à maints détails on voyait que ce n'était pas le poids des ans qui avait voûté les corps, gauchi les membres, creusé les têtes monstrueuses, tremblant sur leurs robustes cous ployés inexplicablement, enfoncé les yeux rouges dans les orbites. Ces Lémures n'étaient pas vieux ; ils étaient malades. Pourtant, une volonté implacable animait leurs corps débiles. Inexorablement, en dépit de l'effort visible, ils approchaient.

— Arrière ! cria Covenant, revenu de sa stupeur. Vous n'avez pas le droit ! J'ai scellé un pacte. Demandez aux Ranyhyns !...

S'ils avaient entendu, s'ils avaient compris, cela ne changeait rien. A demi rassuré, Covenant se rendit compte qu'ils n'avaient pas l'intention de lui sauter dessus. Ils étaient simplement venus le chercher. Ils se déployèrent poussivement autour de lui et l'entraînèrent dans la direction par laquelle ils étaient venus.

Ils longèrent la faille jusqu'au moment où une volée de marches se profila dans la paroi de gauche. L'ascension fut longue et pénible. Ils atteignirent une percée qui ménageait un passage. Au fond scintillait une lumière rouge. Bien que l'escalier continuât de monter, on le fit passer par là. Les Lémures pressaient le pas, maintenant, comme des bourreaux dépêchant leur victime vers l'échafaud.

Le tunnel s'achevait. Covenant reçut au visage une bouffée de chaleur et de soufre. Encore quelques pas, et il débouchait dans l'antre de Gloton, Kiril Threndor. Son escorte s'aligna derrière lui.

Pour la seconde fois, il se trouvait en présence du monstre.

A sa vue, le Lémure affalé sur l'estrade au centre de la caverne éclata d'un rire hystérique. Covenant l'identifia grâce au Bâton de la Loi qu'étreignaient ses mains gigantesques. Gloton avait changé. La malédiction qui s'était abattue sur ses proches l'avait frappé plus cruellement encore. Il semblait la défroque pitoyable de l'énergumène bondissant dont le souvenir avait hanté Covenant. Seuls les yeux demeuraient : deux braises ardentes où l'on cherchait en vain l'étincelle du regard.

Un peu de pitié se mêla au dégoût de Covenant. Il n'eut guère le temps de spéculer sur la déchéance physique de son ennemi. Déjà, celui-ci se hissait sur des pattes flageolantes et se traînait vers lui avec des grognements d'arthritique. Laissant entre eux un intervalle de deux mètres, il désigna l'alliance. Qu'il parlât ou qu'il se tût, un filet de bave ininterrompu engluait ses commissures.

— C'est à moi ! éructa-t-il, la face tiraillée de tics nerveux. Tu me l'as promis ! Fais ceci, fais cela ! Patience ! Ne les tue pas encore ! Tu parles ! J'exécute. En échange, tu m'as promis l'anneau. C'était convenu. Seigneur Gloton, Maître du Bâton et de l'or blanc !

Il trébucha sur deux pas. Son bras immense se détendit.

Covenant frappa d'instinct. Il frappa de toutes ses forces. A la seconde où il heurta la main spatulée, le bâton de Baradakas vola en éclats. Gloton ne l'avait même pas senti. Il postillonnait de rage. Il fit cogner contre la pierre l'embout métallique du Bâton de la Loi. Le sol fit un bond sous les pieds de Covenant qui tomba à la renverse. Un Lémure se jeta sur lui.

Il se crut perdu. Brusquement, son agresseur lâcha prise, comme happé par-derrière. Un flottement parcourut les rangs des Lémures.

— Sangdragon ! Gloton, protège-nous !

Covenant se releva, les reins foudroyés. Il essuya son visage en sueur. Ses yeux balayèrent le dôme clouté de stalactites où l'incandescence des parois allumait des reflets fuyants. Quand il regarda sur sa droite, il vit Bannor. Bannor, sa tunique déchirée à l'épaule, l'arcade sourcilière ouverte, l'œil mauvais.

Covenant se sentit renaître. Pour un peu, il eût embrassé son ange gardien.

— Où étais-tu passé ? souffla-t-il d'une voix émue. J'ai failli attendre.

— Sans la clarté de ton bâton, je ne t'aurais jamais retrouvé, grommela Bannor. (Il s'arrêta pour décocher une ruade préventive en direction d'un Lémure qui faisait mine de charger. La créature recula précipitamment.) Mais avant d'intervenir, je voulais être sûr que tu ne manigançais rien contre les Seigneurs.

Sincérité désarmante. Covenant ne trouva même pas la force de protester. Gloton, cependant, haranguait sa bande avec une impétuosité bafouilleuse.

— Lâches ! Qui détient le pouvoir suprême ? Regardez-moi ! Gloton pulvérise !

Il leva péniblement le Bâton pour assener un coup qui, sans doute, eût réduit les deux hommes en cendres. L'irruption tapageuse de la Quête suspendit son geste. Ils semblaient fourbus comme s'ils venaient de livrer bataille contre la première ligne de défense de Kiril Threndor, mais il ne manquait personne. Prothall fit même son entrée d'un pas conquérant.

L'espace d'un instant, le Lémure demeura bouche bée, le Bâton absurdement levé. Puis, tel un serpent qui se résorbe sur une pierre trop brûlante, il battit en retraite jusqu'à son estrade où il se ramassa sur lui-même. En dépit de cette apparente confusion, ses mains serraient le Bâton dans une étreinte passionnée. Il se calma soudain.

— Formidable ! susurra-t-il, les paupières mi-closes sur les globes flamboyants de ses yeux. Ils sont tous là, les petits Seigneurs et leurs petits soldats. Aux pieds du puissant Gloton. Hop ! Tous dans la gueule du loup ! Je n'en espérais pas tant.

Prothall l'observait avec une vigilance sereine. Après avoir confié son propre bâton à Mhoram, il s'avança vers l'estrade, Tuvor à ses côtés. Covenant leur emboîta le pas. Le Bâton l'attirait irrésistiblement.

Prothall s'arrêta devant Gloton et tendit la main.

— Rends-le-moi. Son pouvoir ne t'est pas destiné. Le Bâton de la Loi est au service du Territoire. Si tu le gardes, il continuera sur toi son œuvre de destruction et tu mourras. Gloton Larva, donne-moi le Bâton. Je m'efforcerai de te venir en aide.

Le Lémure se dressa avec une lourde impétuosité.

— M'aider, moi ? C'est le comble ! Je suis tout-puissant. Je suis le Maître du Territoire et de la Lune. Vieillard présomptueux ! Seigneur insignifiant ! Tu le veux ? Je vais m'en servir pour t'abattre.

Prothall s'était élancé, mais Tuvor le devança. D'une détente prodigieuse, il s'éleva assez haut pour empoigner l'autre extrémité du Bâton. Dans un sursaut de fureur, Gloton le lui enfonça dans la poitrine. Des éclairs jaillirent. La chair devenue transparente de l'Insigne Tuvor révéla à ses compagnons horrifiés un squelette noir dont les os s'effritaient comme brindilles. Le prodige ne dura qu'un instant. Le Sangdragon bascula dans les bras de Covenant qui s'écroula sous le poids considérable et demeura prostré, serrant contre lui le corps haletant. Au-dessus d'eux commençait une lutte acharnée.

Le Seigneur absolu avait pu empoigner le Bâton, prévenant ainsi le coup que lui destinait Gloton, mais que pouvait un homme de cet âge contre un monstre dont la vigueur déclinante restait hors du commun ?

Covenant eût pu l'aider. Il ne pouvait se résoudre à abandonner Tuvor.

— Et toi, cria-t-il à Mhoram, qu'attends-tu pour lui porter secours ? Veux-tu qu'il meure ?

Pour toute réponse, Mhoram s'agenouilla à côté de lui.

— Le mal sera vaincu, murmura-t-il à l'oreille de Tuvor. Ne crains rien. L'avenir du Territoire est entre les mains de Prothall. Moi, je ne puis rien. Il ne voudrait pas de mon aide.

Epouvanté, Covenant surveillait l'irrémédiable fléchissement de Prothall. Quel prix les Seigneurs de la Pierre-qui-Rit étaient-ils donc prêts à payer ?

Une arrivée massive de Lémures jeta autour de lui une confusion effrayante. Ils surgirent de toutes les galeries à la fois, répondant sans doute à un appel silencieux de leur maître. L'ensemble des forces de la Quête se trouva sollicité. Seul Mhoram ne participait pas au combat. Les yeux attachés au visage de Tuvor, il semblait la proie d'une concentration funèbre qui excluait toute action. Covenant l'observait sans comprendre. Pour sa part, l'imminence d'une issue fatale le précipitait dans un vertige affreux. S'il levait les yeux, il voyait Prothall aux prises avec un monstre dix fois plus fort que lui. Alentour, la mêlée chaotique grandissait comme une flamme. Tuvor était sur le point d'expirer entre ses bras. Bientôt, toutes les souffrances endurées depuis le départ du Donjon se résoudraient dans un sanglant échec. Ce dénouement lamentable était la dernière chose qu'il avait souhaitée et prévue au fond de lui.

Tuvor frissonna. Ses yeux s'ouvrirent et se fixèrent sur ceux de Covenant. Ses lèvres balbutièrent un mot qui monta comme une prière vers le visage attentif.

— ... Victoire... ?

Tout le corps arqué quémandait une réponse. Impossible de se soustraire à la supplication ardente du mourant, mais qu'espérait-il au juste ? Un simple pronostic ? Une promesse ? Un engagement ? Les yeux de Tuvor exprimaient une foi intraitable. Ceux de l'Incrédule montraient malgré lui les profondeurs de l'impuissance. Le mot l'écorcha au passage.

— Victoire.

Un pronostic. Une promesse. Un engagement.

Tuvor s'affaissa. Sa tête roula de côté. Sa gorge se contracta. Il était mort.

Au même instant, Prothall tomba à genoux. Forçant son avantage, Gloton pesait de tout son poids sur le Bâton. Covenant considéra le malheur qui allait venir et se cramponna de plus belle au Sangdragon.

— Mhoram ! Aide-le !

Le jeune Seigneur s'éveilla de sa méditation. Il sauta sur ses pieds, mais au lieu d'attaquer Gloton, il pointa vers lui son bâton et, d'une voix tonnante, jeta l'imprécation atavique des Protecteurs du Territoire :

— *Melenkurion abatha ! Minas mill Khabaal !*

Ces paroles sacrées lancèrent un coup violent dans le corps du Lémure. Contre toute attente, il perdit pied. Prothall se releva et chargea.

De toutes les ouvertures surgissaient maintenant des Lémures en nombre croissant. L'armée de la Quête n'avait plus longtemps à vivre.

Alors retentit le cri sur lequel plus personne n'osait compter. Dans le tumulte ambiant, seuls quelques-uns l'entendirent et ceux-là se figèrent, transis d'espoir ou de terreur.

— Il est à nous ! La Lune est libre !

Dressé sur l'estrade, exultant, Prothall brandissait le Bâton de la Loi. Recroquevillé derrière lui, Gloton sanglotait.

Une formidable clameur salua la victoire. Les Lémures abasourdis se replièrent frileusement dans les galeries. Covenant consulta son alliance d'un coup d'œil. L'or blanc rougeoyait encore. La Lune était peut-être libre, mais pour lui, tout restait à faire.

L'écho de leur allégresse n'était pas éteint qu'une vibration naissait, s'enflait et se fracassait dans un tonnerre à faire tomber les stalactites. C'était le rire de Férus. Covenant le reconnut aussitôt. C'était le rire noir, sardonique, triomphant du Grand Ennemi. Tous s'étaient pétrifiés, y compris Prothall, les yeux fixes et perdus comme s'il contemplait l'intérieur de son propre cercueil. Ce rire enfonçait dans l'être quelque chose d'indicible. Les Lémures étaient frappés. Les hommes étaient frappés. Les Seigneurs étaient frappés. Les Sangdragons regardaient autour d'eux, désemparés.

Puis Mhoram bougea. Il bondit sur l'estrade et fit tournoyer son bâton au-dessus de sa tête.

— Montre-toi, Contempteur ! Tu es si fort, affronte-nous à visage découvert ! Qu'as-tu à redouter d'un combat loyal ?

Le rire eut beau s'éterniser, quelque chose s'était rompu. Prothall prit appui sur l'épaule de Covenant et tous deux sautèrent à bas de l'estrade. Chevaliers et Sangdragons se hâtèrent de former devant eux une haie protectrice. Même Gloton avait retrouvé une espèce d'assurance pitoyable.

— Le Bâton ! Vous l'avez, mais vous ne savez pas vous en servir ! Tandis que moi... j'ai une armée. J'ai la Pierre de Malemort ! J'ai le pouvoir ! Imbéciles ! Vous êtes toujours mes prisonniers. Préparez-vous à mourir !

Ragaillardis par ce sursaut martial, les Lémures recomposèrent un cercle menaçant et s'avancèrent.

24

L'Appel des Rugissantes

Leurs yeux flamboyaient. Ils salivaient d'abondance, mais les éclats désincarnés de Férus semblaient faire obstacle à leur effort. Ils convergèrent lentement sur leurs proies, lentement comme s'ils devaient progresser à contre-courant. Incapable de prendre une décision, Covenant s'accrochait toujours au cadavre de Tuvor. La voix d'Agilias le fit tressaillir.

— Par ici, vite ! J'ai trouvé le chemin ! Suivez-moi !

Il aperçut la Barzane. Le nœud coulant de sa corde étranglait un Lémure dont elle se servait à la fois comme d'un bouclier et d'un bélier pour se tailler une brèche dans les rangs ennemis.

Il essaya de soulever le Sangdragon. Impossible. Les deux doigts de sa main droite lâchaient prise, continuellement. Il allait devoir le traîner. Bannor le saisit soudain à bras-le-corps et l'arracha à son fardeau. Tuvor s'affala flasquement sur la pierre. Voyant qu'on l'entraînait, Covenant se débattit.

— Vous ne pouvez pas l'abandonner ! Si son corps ne retourne pas dans les montagnes, aucun Haruchai ne prendra sa relève !

— Il le faut, répondit Bannor d'une voix inflexible que démentait l'expression de son visage tourmenté par le chagrin et le doute.

— Par ici la sortie ! cria Agilias. Hâtez-vous ! Hâtez-vous !

Prothall incendia l'extrémité de son ancien bâton qu'il balança devant lui dans un mouvement fauchant pour s'ouvrir le passage. Mhoram l'imita aussitôt. Encadrés par les Sangdragons, les Chevaliers s'engouffrèrent à leur suite, Covenant perdu au milieu d'eux.

Les Seigneurs se postèrent de part et d'autre de l'entrée de la galerie choisie par la Barzane. La moitié de la colonne s'était déjà engagée à l'intérieur quand, d'un autre tunnel, surgit une formation d'Ur-Vils conduite par une créature noire et gigantesque armée d'une barre de fer.

— Courez ! s'écria Prothall. Entrez là-dedans, vite !

Les derniers rangs se précipitèrent. Quand tout le monde fut passé côte à côte devant l'ouverture, Prothall et Mhoram firent front. Les bâtons seigneuriaux arrêtaient la grêle de coups que leur assenait le guide spirituel de la formation triangulaire, mais n'en portaient aucun. Le phénomène abattait son arme avec une telle sauvagerie qu'à chaque nouvel impact les deux hommes se trouvaient refoulés un peu plus loin dans le passage. Agilias les pressait de venir. Ils n'osaient pas. Comment auraient-ils pu s'enfuir avec une horde d'Ur-Vils sur les talons ?

— Covenant ! appela brusquement Mhoram.

Covenant revint docilement sur ses pas.

— Montre-lui ton alliance ! ordonna le jeune Seigneur.

Troublé par la proximité de la créature qui ressuscitait le souvenir poignant de la Célébration, impressionné par le ton sans réplique de Mhoram, l'Incrédule obéit. Il tendit le poing gauche. Au cœur de l'alliance pâlissante s'attardait un vestige tenace de l'ancien embrasement.

L'Ur-Vil s'immobilisa, sans toutefois se découvrir. Sa figure aveugle s'inclina comme s'il flairait la présence de l'or blanc.

— *Melenkurion abatha !* vociféra Mhoram. Foudroie-les !

Covenant devina plutôt qu'il ne comprit ce qu'on attendait de lui. Du geste d'un jeteur de sort, il brandit le poing sous le nez de l'Ur-Vil.

Celui-ci réagit avec l'instinctive horreur que procure le surgissement d'une force occulte. Ainsi ferait un homme superstitieux menacé de subir l'étreinte d'un fantôme. Il recula. Derrière, la formation se ratatina avec des jappements d'effroi.

Les Seigneurs se hâtèrent de profiter du répit. Ils entonnèrent d'une voix aiguë un duo sur différents tons où l'expression *Minas mill Khabaal* revenait sans cesse. En même temps, leurs bâtons dessinèrent dans l'ouverture du tunnel un X ardent qui le barricadait de haut en bas. Quand la croix eut cessé de trembler, Prothall planta son bâton à l'intersection des branches.

Un rideau iridescent, du même azur pâle que celui qui avait coûté la vie à Birinair, se matérialisa dans un rugissement de combustion vive. Furieux d'avoir été joué, l'Ur-Vil partit comme un boulet. La barre de fer s'abattit sur l'écran dans un paroxysme de rage et de frustration. La lumière fluctua, vacilla et resta infranchissable.

— Notre pouvoir ne les arrêtera pas longtemps, soupira Mhoram. Les Ur-Vils sont devenus fous. Ils obéissent à la Pierre de Malemort.

Agilias trépignait d'impatience.

— Raison de plus pour filer ! s'écria-t-elle. L'herbe et le ciel m'appellent. En route !

Deux Sangdragons soutenaient Prothall dont les jambes vacillaient. Par égard pour lui, on se limita à un trot soutenu. La liberté semblait inaccessible.

Rien de plus facile, au début. Avec un flair infaillible, la

Barzane franchissait les carrefours sans même marquer d'hésitation. Puis, à mesure que se modifiait le réseau complexe des galeries, à mesure que se multipliaient les vastes espaces où la résonance de leur galopade éveillait les pires craintes de poursuite, les ténèbres de Nékropolis se firent plus menaçantes. L'instinct délicat d'Agilias s'égarait dans l'ombre profonde des cavernes monumentales. De plus en plus, son assurance laissait place à l'indécision. Elle ralentissait. On la sentait perplexe. Malgré son épuisement, Prothall refusait de s'arrêter. La meute déchaînée des Ur-Vils était peut-être déjà à leurs trousses. Le Bâton de la Loi, le Second Tabernacle, ce n'était pas un mince butin. Ils devaient être sauvés, et cette immense responsabilité occultait tout le reste.

Ils atteignirent une salle, plus grande que toutes celles qu'ils avaient traversées, d'où rayonnaient en étoile quantité de galeries. Au lieu de s'engager résolument dans celle qui prolongeait la direction suivie depuis Kiril Threndor, Agilias s'arrêta net. Elle inspecta toutes les issues, confondue par le choix trop vaste qui s'offrait à son intuition. Après avoir fait le tour de la salle, elle revint se camper devant les Seigneurs.

— Je n'ose choisir. Pour la première fois, j'ai peur de me tromper.

— Décide-toi ! riposta durement Mhoram. Ce lieu ne figure pas sur les anciennes cartes. Tu nous as conduits en territoire inconnu. Tu es notre guide. A toi de nous mener à bon port.

La jeune femme blêmit sous le ton cinglant.

— Que ferais-tu, je me le demande, si tu avais à choisir ? Mon cœur a des raisons que ma raison refuse d'admettre

— Explique-toi.

— Ma raison m'incite à poursuivre toujours dans la même direction. Mon cœur, lui, est attiré par là. (Elle montra l'entrée d'une galerie toute proche de celle qu'ils venaient de quitter.) Jamais encore je ne me suis trouvée devant un tel dilemme. Je ne sais que faire.

— Tu es la Barzane Agilias du peuple Ra, servante des Ranyhyns, reprit Mhoram d'une voix radoucie. N'hésite plus. Tu dois écouter ton cœur.

Elle balança un instant, puis acquiesça. Les Sangdragons soulevèrent Prothall. La cavalcade recommença.

La galerie chère au cœur d'Agilias s'inclinait en pente douce avant de déboucher sur une esplanade qui se relevait peu à peu et se creusait par le milieu de sorte qu'ils se trouvèrent bientôt en train d'escalader la façade abrupte d'une large entaille toute hérissée de roches coupantes. Plus ils montaient, plus l'air se glaçait. Il se leva un vent violent qui gelait la sueur et coupait le souffle. Quand Prothall fut au bord de l'évanouissement, Mhoram décida qu'il était temps de s'arrêter. Ils firent halte sur un promontoire désolé fouetté par la bourrasque. On échangea les dernières provisions. Covenant était trop las pour manger. Il ferma les yeux et s'efforça de faire le vide dans son esprit. Soudain :

— Je les entends, souffla Mhoram.

— Je les entends, fit Korik en écho. Ils nous ont suivis. Ils doivent être une centaine.

Quand les entrailles se contractent, quand la peau se recroqueville sous l'effet de la peur, la fatigue ne compte plus. Ils se levèrent comme un seul homme. L'ascension reprit dans des conditions aggravées par la verticalité de la pente. Les parois de la faille se rapprochaient pour former un entonnoir inversé où le vent s'engouffrait en tourbillonnant. Peu après, l'excavation s'étranglait brusquement. Au-dessus d'eux s'ouvrait une cavité circulaire, étroite, à la profondeur indéterminée dans laquelle s'enfuyaient les spirales d'un escalier.

Ils s'y engagèrent l'un derrière l'autre, comme aspirés par les volutes ascendantes du vent. Ses hurlements devinrent si puissants, ses remous si impétueux que les hommes étourdis, suffocants, rampèrent sur les dernières dizaines de mètres. Les tympans déchirés, la gorge en feu, Covenant rêvait de s'arrêter et de pleurer.

Des mains l'agrippèrent aux épaules. On le hissa sur une pierre horizontale. On le traîna. Les ululements du vent déclinaient.

Des cris retentirent. Des cris de joie. Covenant souleva la tête. Droit devant lui, une grande brèche cisaillait la paroi. Au fond, le soleil rougeoyait au-dessus d'un paysage à dominante de gris. L'aube se levait sur le Territoire.

Covenant se dressa sur son séant. L'effort en valait la peine. Il voulait contempler sur leurs visages le triomphe des Seigneurs.

Prothall était assis, les épaules affaissées, la tête dans ses mains, le Bâton de la Loi mollement posé en travers de ses genoux. Debout à ses côtés, Mhoram contemplait le soleil d'un air morne.

— C'est l'endroit idéal pour soutenir un siège, fit observer Bannor.

— Et comment ferons-nous ? riposta Mhoram sur un ton de violence contenue. Gloton connaît cette montagne comme s'il l'avait faite. Ils trouveront un autre moyen de nous atteindre ; d'ailleurs, nous ne pouvons guère nous éterniser ici.

— Dans ce cas, pourquoi ne fermes-tu pas l'orifice du puits ? Cela retardera au moins certains d'entre eux.

— Me crois-tu assez puissant pour y arriver seul ? (La voix de Mhoram s'assombrit encore.) Le Seigneur absolu n'a plus de bâton. Même si j'étais disposé à faire violence à ces pierres pour obstruer le conduit, mon pouvoir n'est pas de taille à les émouvoir. Notre seule chance est dans la fuite. Il faut descendre.

Il leur montra la brèche dans la paroi. Covenant se leva.

— Qu'est-ce qu'on attend ? Allons-y !

Ils progressaient avec une lenteur affolante. Il fallait escalader des rochers, sauter par-dessus des crevasses béantes comme des gouffres, se faufiler sur les mains et les genoux par des intervalles larges comme des chas d'aiguille. Ils étaient si faibles ! Même les Chevaliers les plus robustes ne dédaignaient pas l'assistance des Sangdragons. Quant à Prothall, il ne se donnait plus la peine de faire semblant d'aider ceux qui le portaient. Quand, livré à lui-même, il devait franchir une faille, il se recevait immanquablement sur les genoux. A leur niveau, le devant de sa robe se teintait de sang.

Ils n'étaient encore qu'à mi-chemin lorsque leurs plus sombres pressentiments se vérifièrent. Un Chevalier poussa une exclamation. Toutes les têtes se levèrent. Une ribambelle d'Ur-Vils se précipitaient hors de la brèche.

Ils s'efforcèrent d'aller vite. Au-dessus d'eux, les monstres dévalaient le versant comme une marée noire, bondissant de saillie en saillie avec une virtuosité miraculeuse. La haine semblait les rendre invulnérables. La Quête était vaincue.

Le désespoir fut à son comble lorsqu'une petite foule de Lémures se dressa le long d'un renflement granitique non loin du pied de la montagne. Pris en tenaille, ils se figèrent sur place. L'espace d'un instant, même Quaan parut abdiquer son autorité sur l'Equestre. Covenant se laissa aller contre la paroi. Il eût voulu pouvoir invectiver les Hauts du Tonnerre. C'était trop injuste !

— Rien d'étonnant à ce qu'il se soit laissé déposséder du Bâton, marmonna-t-il. Notre défaite sera mille fois plus douloureuse. Il savait que nous n'en sortirions pas vivants.

Mhoram dégringola la pente sur quelques mètres et, d'un bond, s'éleva sur une plate-forme spacieuse qui dominait toutes les terrasses environnantes.

— Par ici ! cria-t-il. C'est un bel endroit pour mourir !

Son courage produisit un choc salutaire. Les Chevaliers le rejoignirent sans enthousiasme excessif, mais du moins la transe mortelle qui s'était emparée d'eux avait-elle fait place au désir fataliste de vendre chèrement leur vie.

Quand tout le monde se trouva sur la plate-forme, l'Equestre et les Sangdragons se rangèrent à sa périphérie. Agilias s'intercala entre deux Chevaliers, la corde tendue à se rompre entre ses poings. Les Seigneurs et Covenant demeuraient au centre de ce maigre dispositif de défense.

Mhoram surveillait d'un regard farouche l'approche de l'ennemi.

— Haut les cœurs, camarades ! Vous avez fait votre devoir. A présent, battons-nous avec une ardeur telle que le souvenir de notre mort restera à jamais gravé dans la mémoire de Férus.

— Et moi, souffla Prothall, les yeux sur le sommet de la montagne, je n'accepte pas ce destin. Non !... Il ne sera pas dit que la Terre nous abandonnera. Je n'ai pas encore renoncé !

Ses paupières se fermèrent. Son menton s'inclina sur sa poitrine. Levant le Bâton de la Loi horizontalement, il entonna une mélodie à bouche fermée.

Le visage de Mhoram s'éclaira. Il pivota et saisit Covenant aux épaules.

— Rien n'est encore perdu ! Prothall invoque les Rugissantes, mais sans la complicité du Bâton, elles ne l'entendront pas. Seul l'or blanc a le pouvoir de déchaîner les forces contenues dans le surgeon de l'Arbre. Sauve-nous, Incrédule ! Sauve le Territoire !

Covenant s'arracha à l'étreinte du Seigneur comme si celui-ci venait de lui arracher sa trahison au visage.

Non ! J'ai scellé un pacte avec les Ranyhyns.

— C'est hors de question, bafouilla-t-il. Comment oses-tu exiger de moi un tel parjure ? J'ai fait le serment de ne plus jamais tuer. Tu ne sais rien de moi. Tu ignores les souffrances que j'ai infligées à Atiaran. J'ai scellé un pacte afin de ne plus avoir à verser le sang.

Ur-Vils et Lémures se trouvaient presque à portée de tir. Les Chevaliers ajustaient leurs flèches. L'ennemi ralentit sa progression avant d'aborder l'essor final. Brûlants de passion intransigeante, les yeux de Mhoram imposaient à Covenant une confrontation redoutable.

— Et que de sang versé si tu refuses de nous aider ! Crois-tu que notre anéantissement assouvira la voracité de Férus ? Le massacre se poursuivra jusqu'à l'extinction du dernier souffle de vie à la surface du Territoire. Détruire, corrompre, voilà son credo. Le dernier souffle, entends-tu ? Même ces monstres, pitoyables instruments de son ambition, ne seront pas épargnés !

— Non ! gronda Covenant. C'est exactement ce qu'il souhaite, ne le sens-tu pas ? Le Bâton sera détruit, à moins que ce ne soit Gloton, à moins que ce ne soit la Quête... Peu importe ! Il triomphera. Il sera libre d'agir. Veux-tu donc faire le jeu du Contempteur ?

— Balivernes ! Le Contempteur n'a rien à redouter des morts. Tant qu'il y a de la vie, il y a un espoir de résistance ! Je te somme de prendre le Bâton !

— Enfer et damnation ! Fais-le toi-même !

Covenant s'étranglait de rage. D'une main tremblante, il arracha son alliance pour la lancer à Mhoram. Dans leur hâte à s'en débarrasser, ses doigts maladroits laissèrent échapper l'anneau qui roula au loin.

Il plongea éperdument. L'anneau se jouait de lui. Il frôla le pied de Prothall contre lequel trébucha Covenant. Il tomba, la tête sur un rocher. Quelque part, une vibration sourde se fit entendre. Quatorze cordes venaient de libérer leurs flèches à l'unisson. Bruit lointain, futile. Ainsi, le combat s'engageait. Covenant s'en moquait bien. Pour lui, cela ne changeait rien. Il s'était probablement fendu le crâne. Il voyait double.

Deux Mhoram se penchèrent pour ramasser l'anneau. Deux Prothall rassemblaient leurs dernières forces pour tenter d'arracher au Bâton une étincelle de pouvoir. Deux Bannor firent volte-face. Puis Mhoram s'inclina vers lui. Dans un geste foudroyant, il saisit son poignet et planta l'alliance sur son index. Elle resta bloquée sous la première phalange.

— Je ne puis usurper tes droits sur l'or blanc, Incrédule. (Le Seigneur se redressa et, d'une brusque secousse, hissa Covenant sur ses pieds. Son visage dédoublé s'approcha du sien à le toucher.) Par les Sept Tabernacles ! C'est la force que tu crains, non la faiblesse !

— Qu'attends-tu pour me tuer ? chuchota Covenant. Cela vaudrait mieux. Pour nous tous, cela vaudrait mieux.

Mhoram se détendit d'un seul coup. Son regard se voila et parut s'assoupir. Un étonnement fugitif crispa ses traits. Ce « voyage intérieur » ne dura guère. Sa vision s'ajusta. Il considéra Covenant de l'œil incertain d'un homme qui s'éveille.

— Pardon, fit-il d'une voix changée, émue. L'Ecumeur avait raison. Que n'ai-je écouté plus attentivement l'expression de son désespoir ! Nous n'avons pas le droit d'exiger plus que tu n'es prêt à donner. Je viens de contempler mon âme et j'ai peur. Exercer la contrainte, c'est déjà prêter le flanc à l'ennemi. L'Ecumeur craignait de céder à la haine. Il était plus sage que moi. (Il lâcha le poignet de Covenant et recula.) Incrédule, mon ami, ce combat n'est pas le tien. Nous l'assumerons jusqu'au bout. Pardon !

Un froissement de l'air isolé signala le parcours de la dernière flèche. Les Ur-Vils formaient une bande plutôt muette, mais des rangs Lémures s'éleva un hourvari de clameurs sauvages. Sur un signe du chef Ur-Vil, la tenaille se fermait lentement. Les Chevaliers tirèrent leurs épées. Les Sangdragons fléchirent les genoux. Leurs corps musculeux se ramassèrent, oscillant souplement d'un pied sur l'autre. Covenant se concentra sur le Bâton et s'efforça de l'atteindre. Il ne voulait pas être piétiné par les créatures de Gloton. Sa décision était prise, mais sa tête tournait follement. La peur embrouillait tout. Des volutes sombres dansaient autour de lui. Son audace recevrait sans doute un châtiment exemplaire. La lèpre ne pardonnait jamais.

Aidez-moi ! Je n'ai pas la force...

— Nous sommes les Sangdragons, fit une voix à la douceur incongrue au milieu de ce tapage. Nous n'acceptons pas la défaite.

Bannor le guida jusqu'à Prothall. Il prit sa main et la posa fermement au milieu du Bâton, à mi-chemin des poings défaillants du Seigneur absolu.

Le choc fut terrifiant. L'énergie se rua dans le corps de l'Incrédule. Covenant eut l'impression que sa poitrine explosait. Le sol tremblait. Un séisme d'une intensité inouïe ébranla les Hauts du Tonnerre. Et cependant, pas un son. Chevaliers et Sangdragons s'étaient jetés à plat ventre. Leurs ennemis roulaient pêle-mêle au milieu des rochers. Il ne resta debout que les deux hommes accrochés au Bâton de la Loi.

Les nuages affluèrent à toute vitesse. Le ciel virait au noir au-dessus de la montagne. Et cependant, pas un éclair. Même l'orage demeurait en suspens. Puis, dans le silence tendu, une série soudaine de détonations étouffées, de crépitations, de sifflements rageurs révélèrent ce que cette immobilité avait de trompeur. Le cône de la montagne s'embrasa. Avec un bruit fracassant, des blocs de matières enflammées dévalèrent ses flancs. Les Rugissantes avaient répondu à l'appel.

Chez l'ennemi, passé le premier instant de stupeur terrifiée, ce fut la débandade. Les Lémures couraient vers le bas dans l'espoir de prendre le feu de vitesse. Les Ur-Vils choisirent de remonter vers l'entrée des catacombes. Ils s'élancèrent impétueusement à l'assaut de ces pentes déchiquetées qu'ils avaient si gaillardement descendues. Ils n'eurent pas le temps d'atteindre l'entrée du puits. Dans la brèche à travers laquelle Covenant avait aperçu le soleil levant venait d'apparaître Gloton. Il était trop faible pour se tenir sur ses pattes, mais dans son poing luisait une pierre opaline à reflets verdâtres. Si le Lémure s'était vidé de ses forces, ses glapissements portèrent bien au-dessus du tonnerre des Rugissantes.

— Malemort est toute-puissante ! Elle va vous écraser !

Pris entre deux menaces, les Ur-Vils indécis s'arrêtèrent. Consciente du danger, la Quête s'était mise à redescendre. Les Sangdragons avaient formé une chaîne au long de laquelle Prothall et Covenant passaient de bras en bras ou se faisaient haler quand le sol devenait lisse. Plus bas, le versant se cassait brusquement, comme brisé net par un massicot géant. A l'exemple des Lémures, ils allaient devoir bifurquer pour suivre la ligne de faille. Derrière eux, les Ur-Vils s'étaient ressaisis. L'inévitable triangle de mort se reconstitua et fondit sur les fugitifs. Les Rugissantes talonnaient les Ur-Vils qui talonnaient la Quête.

Pour la seconde fois, Gravin Threndor trembla. Le grondement s'éleva des obscurs soubassements et se propagea vers le sommet comme une onde de choc. La formation des Ur-Vils résista tant bien que mal, mais les Rugissantes poursuivaient leur charge triomphale ; elles se cabraient contre les aspérités, retombaient en mugissant pour s'élever dans un élan plus puissant à chaque nouveau rebond. Covenant n'y tint plus. Le sol devenait praticable. Il décida de marcher sans aide et, quand ses compagnons, aux abords du précipice, obliquèrent dans le sillage des Lémures éparpillés, il continua tout droit, sourd aux avertissements qu'on lui criait et qui, d'ailleurs, lui parvenaient à peine. Il n'y avait plus d'espoir : même si l'on voulait bien oublier les Ur-Vils, les Rugissantes allaient prendre la Quête de flanc alors qu'elle se heurterait aux premiers Lémures. Au point où il se trouvait, Covenant faisait courage de tout. Au diable cette déroute inutile ! S'il fallait partir, autant choisir sa propre fin. Mais avant, il voulait être certain d'une chose.

Il fit halte devant la faille. Quelle chute ! Pour la première fois de sa vie, le vide ne l'effrayait pas. C'était un de ces moments où l'on s'élève au-dessus de soi-même, où l'on n'est plus soi-même.

Un Covenant délivré du vertige abaissa posément les yeux sur l'enjeu ultime de toute cette aventure : le Territoire. Il ôta son alliance, la tint entre le pouce et l'index de sa main tronquée et rejeta le bras en arrière pour la lancer le plus loin possible. Son regard accrocha un éclair blanc. La honte fondit sur lui avant qu'il n'eût eu le temps d'achever son geste. Le métal avait retrouvé sa pureté. Un petit anneau d'or pâle brillait dans sa paume, l'innocence même.

L'Incrédule fit volte-face. Il sauta sur un rocher et scruta la montagne.

— Gloton ! Gloton Larva !

D'immenses silhouettes noires se profilaient contre un arrière-plan mouvant d'incendie. Il n'avait pas prévu de se trouver si près des Ur-Vils. En quatre enjambées, le monstre à la barre de fer serait sur lui. Il entendit, lointaine, la voix de Mhoram :

— Bannor, cet homme a choisi son destin. Tu n'as pas le droit d'intervenir !

Bannor n'hésita qu'une seconde. Il partit comme une flèche, arracha de justesse Covenant à la fascination pétrifiée de sa propre mort et l'entraîna vers les autres. C'était la seconde fois que Bannor, tranchant dans le vif de son indécision, soustrayait l'Incrédule à la catastrophe. Celui-ci repoussa le Sangdragon.

— Où est Gloton ? (Covenant se démanchait le cou pour tenter d'apercevoir le Lémure au milieu du rouge et du noir. Le paysage chavira. Le vertige arrivait enfin. Il tendit la main pour s'appuyer sur Bannor et rencontra Mhoram.) Gloton ? répéta-t-il. Qu'est-il devenu ?

— Il est toujours là-haut, murmura le Seigneur. Il se meurt, consumé par un pouvoir trop grand pour lui. Les Rugissantes feront le reste.

— Il n'est qu'une victime de Férus ! s'écria impétueusement Covenant. Le Contempteur avait tout combiné depuis le début. Tout se déroule selon ses prévisions. Vous êtes perdus, vous aussi.

Mhoram acquiesça sombrement, puis un pauvre sourire ramena un peu de vie sur son visage.

— Cesse de te tourmenter, Incrédule ! Nous avons fait ce que nous pouvions. Personne n'est à blâmer, pas plus toi que les autres. Mais certains d'entre nous peuvent encore se sauver. Bannor, appelez vos Ranyhyns. Je vous confie le Bâton et le Second Tabernacle. Portez-les à la Pierre-qui-Rit. Ces trésors consoleront Osondréa de notre perte.

Longtemps, Bannor soutint sans broncher le regard impérieux du Seigneur. Enfin, il secoua la tête.

— L'un d'entre nous emportera le Bâton et le Tabernacle. Les autres resteront ici.

— A quoi bon ce sacrifice inutile ?

— Nous sommes les Sangdragons, répliqua Bannor avec indifférence. Jadis, nous avons prononcé un Vœu. Protéger les

Seigneurs, c'est notre destinée. Kévin nous a joué un tour, mais nous ne faillirons pas deux fois à notre tâche. Toi-même, qu'attends-tu pour appeler Hynaril ?

Mhoram exhala un soupir las et heureux.

— Un Seigneur peut-il faire moins qu'un Sangdragon ?

Covenant n'écoutait pas. Il se sentait abandonné de tous, mais quelque chose subsistait, la conscience ténue d'une tâche inachevée. Il glissa deux doigts entre ses dents et siffla.

Les autres le dévisagèrent, interloqués. Soudain, Agilias lança son écheveau de corde en riant.

— Je sais ! Il appelle les Ranyhyns.

— Impossible ! protesta Quaan. Il les a rejetés.

— Peut-être, n'empêche qu'ils se sont tous cabrés en son honneur ! Qui peut dire ce qu'il s'est réellement passé entre cet homme et les coursiers du Ra ?

Il fut le premier surpris quand ils surgirent au grand galop de derrière la montagne.

— Nous sommes sauvés ! s'écria Mhoram. (La ruée magnifique prenait d'assaut le versant, plus rapide que toutes les Rugissantes.) Nous avons juste le temps. Courons à leur rencontre.

Ils s'éloignent... Ils m'abandonnent... Que m'arrive-t-il ? C'est comme si je m'enfuyais de moi-même.

Covenant voulut jeter un regard circulaire. Ses yeux lui faisaient mal. Jamais sa vision n'avait été aussi claire. Gravin Threndor lui apparaissait dans toute sa formidable tangibilité. Il n'était rien, à côté ; une matière humaine évasive, insaisissable. Le vent acquérait l'épaisseur de la fumée. Il lui traversait les os. Partir, c'est mourir un peu. *Est-ce moi qui m'en vais ? Suis-je en train de mourir ?*

Il s'était cru abandonné. Prothall était toujours là. Sa voix douce, apaisante, tonna comme celle de Zeus.

— Ne t'étonne de rien. Gloton n'est plus. Il t'avait transporté ici. Sa mort te délivre. Adieu, Incrédule ! Tu as tant fait pour nous ! Grâce aux Ranyhyns, nous sommes sauvés. Le Bâton de la Loi nous permettra d'affronter Férus, et j'ai bon espoir qu'un jour nous seront révélés les mystères des Tabernacles. Courage ! Il est d'autres chants que ceux de l'amertume et du désespoir. Va en paix avec toi-même.

Covenant hurlait. Ses mains tâtonnantes ne rencontraient que le vide. La réalité refluait de tous côtés. Ses yeux n'embrassaient plus qu'une perspective fuyante qu'ils n'arrivaient pas à suivre. Tout à coup, il n'y eut plus rien.

Ce fut ainsi qu'il perdit le Territoire.

25

Le Survivant

Une brume grise, opaque, oblitérait son champ de vision. Ses paupières frissonnaient. Il cligna plusieurs fois de suite. La brume s'évapora.

Il reprenait ses esprits. Il se sentait tomber à pic. Impression trompeuse. En fait, il reprenait ses esprits.

Peu à peu, il discerna son nouvel environnement. Les barreaux métalliques du lit, la marée blanche d'un drap qui lui arrivait au menton. Un rideau gris l'isolait pudiquement d'un monde sans lépreux où l'on ne soignait que des malades « normaux ».

Il avait à peine conscience de ses doigts et de ses orteils. Cette découverte ne le bouleversa pas outre mesure. Naturellement. On n'a pas encore inventé le procédé vital qui régénère les nerfs. Son esprit, son cœur étaient ailleurs. Prothall, Mhoram et la Quête avaient survécu. Il se cramponnait à cette chaude certitude. C'était la preuve qu'il n'était pas fou. Son aventure n'était pas le produit d'une imagination détraquée. La victoire remportée sur Gloton démontrait que le pacte scellé avec les Ranyhyns n'avait pas été inutile. Ils avaient foncé tête baissée dans le piège de Férus, mais du moins pouvaient-ils rentrer au Donjon la tête haute.

Alors seulement il s'avisa de la présence d'un homme et d'une femme au pied du lit. Un médecin ; une infirmière. L'homme, tweed brun, moustache poivre et sel, avait les yeux battus.

— Docteur, il revient à lui.

L'homme s'approcha du chevet du lit. Il lui toucha le front, lui souleva les paupières et lui braqua dans les yeux une vive lumière. Covenant battit des paupières. Le médecin éteignit sa lampe-stylo et se pencha.

— Monsieur Covenant, vous êtes à l'hôpital où vous avez été transporté après l'accident. Votre évanouissement a duré quatre heures.

Covenant acquiesça imperceptiblement.

— Monsieur Covenant, l'officier de police qui conduisait le véhicule affirme qu'il n'y a pas eu de collision. Après vous avoir examiné, je suis tenté de le croire. Vos mains sont écorchées. Votre front porte une ecchymose... c'est tout. Vous avez pu vous blesser en tombant. Monsieur Covenant, dites-moi la vérité. Le véhicule vous a-t-il vraiment heurté ?

Covenant secoua la tête. Quelle importance, de toute façon ?

— Dans ce cas, pourquoi êtes-vous tombé ?

Covenant balaya la question de vagues gestes du bout des doigts. Il tenta de se hisser sur son séant. Il y parvint sans l'aide du médecin. L'engourdissement de ses extrémités manquait de conviction, comme si la sensibilité n'attendait qu'un peu de mouvement pour se rétablir.

Quand il eut retrouvé l'usage de sa voix, il réclama ses vêtements.

Sans commentaire, le médecin alla les chercher dans une petite armoire métallique. Il les déposa sur le lit. Covenant les examina avec stupeur. Mis à part leur aspect froissé et poussiéreux, ils étaient tels qu'il les avait quittés, après que la Quête eut commencé.

Comme si rien de tout cela n'était arrivé.

Une fois vêtu, il signa la décharge. On lui fit l'honneur d'un fauteuil roulant que le médecin insista pour véhiculer lui-même jusqu'à la sortie. Là, il devint brusquement loquace. Sa voix était inflexiblement douce et prévenante.

— Monsieur Covenant, vous semblez pressé de rentrer chez vous. Je pourrais vous garder en observation pendant quelques jours, mais, franchement, votre état ne le justifie pas. D'autre part, vous êtes plus qualifié que moi pour prendre soin de vous-même. (Le médecin marqua un temps d'arrêt. Il cherchait ses mots.) La vérité, reprit-il tout bas, c'est que je ne tiens pas à devoir me battre contre mon service pour être certain que vous receviez toute l'attention requise.

L'homme avait voulu lui manifester un peu de sympathie. Covenant le sentait et ne réagit pas. Qu'eût-il pu répondre ?

Une ambulance le ramena au Refuge. Il se fit arrêter en bas de l'allée. Il avait survécu à tout. C'était quelque chose de savoir ça. Il n'y avait pas si longtemps, un ami lui avait dit qu'un monde sans espoir serait irrespirable. Il avait survécu à tout. C'était là son seul espoir.

INDEX

Agilias : Barzane du Ra.
Aliantha : baie prodigieuse.
Amanibhavam : herbe cicatrisante dangereuse pour l'homme.
Anathème : cercle de lumière magique, puissant dispositif de verrouil-
lage du pont donnant accès à Nékropolis.
Anundivian yajña : tradition de la sculpture sur os, ancienne spécialité
du peuple Ra.
Atiaran Trell-mie : habitante de Mithil Pétragîte, épouse de Trell, fille
de Tiaran.

Balbuzar : Serviteur du Ra, troisième catégorie.
Banas Nimoram : Célébration du Printemps.
Bannor : Sangdragon affecté à la protection de Thomas Covenant.
Baradakas : Initié de la Haute Sylve.
Barde : Serviteur du Ra, deuxième catégorie.
Baron : Commandant d'une Equestre.
Barond'Or : nom donné à Thomas Covenant par le peuple Ra.
Barzane : Serviteur du Ra, première catégorie.
Bâton de la Loi : emblème de la puissance du Territoire, façonné par
Bérek Mimain dans le tronc de l'Arbre.
Bérek Mimain : Fondateur de la dynastie des Seigneurs.
Bhrathair : peuple rencontré par les Géants au cours de leur errance.
Birinair : Initié, Hospitalier du Donjon.

Caamora : épreuve du feu que s'imposent les Géants pour combattre
les douleurs de l'âme.
Caerroil Fol-Bois : Prodrome de Gorge Profonde, l'un des vestiges de la
forêt Originelle.
Carnassire : nom donné à Férus le Contempteur par le peuple Ra.
Chaîne du Midiem : grande chaîne de montagnes au sud-est du
Territoire.
Colossale : l'une des quatre forêts vestiges de la forêt Originelle.
Corruption : nom donné par les Sangdragons à Férus le Contempteur.
Coupe-Gosier : étranglement de la rivière de la Sérénité à l'entrée des
Hauts du Tonnerre.
Créateur : ennemi légendaire de Férus.

Donjon : séjour des Seigneurs.
Dura : monture de Thomas Covenant.

Eau de roc : liqueur des Géants.
Elohim : peuple rencontré par les Géants au cours de leur errance.
Equestre : compagnie de vingt Miliciens.
Esprits d'Andelain : créatures évanescentes qui dansent pendant la Célébration du Printemps.

Faille : dénivellation qui traverse le Territoire de part en part.
Férus le Contempteur : nom donné par les Seigneurs à l'ennemi du Territoire.
Feuardent : signal de danger hissé au sommet du Donjon.
Fiefféal : lieu hanté par le souvenir de Kévin où s'est installée la Loge.
Foehn : Barde des plaines du Ra.
Forêt Originelle : forêt qui occupait dans les anciens temps la plus grande partie du Territoire.

Gehenna : demeure du Contempteur.
Gloton Larva : Maître des Lémures, a trouvé le Bâton de la Loi perdu par Kévin.
Gorge Profonde : l'une des quatre forêts vestiges de la forêt Originelle.
Gravin Threndor : nom archaïque des Hauts du Tonnerre, la montagne de Férus le Contempteur.
Griffon : monstre à corps de lion, à ailes d'aigle.

Haruchais : peuple au sein duquel se recrutent les Sangdragons.
Haute Sylve : nom de la communauté vivant sur l'Arbopolis.
Hauts du Tonnerre : montagne sacrée sur laquelle s'était réfugié Kévin.
Hérem : un des trois Ravageurs.
Hermattan : Barde des plaines du Ra.
Hospitaliers : responsables de l'accueil des visiteurs au Donjon.

Incrédule : nom que se donne Thomas Covenant à son arrivée sur le Territoire.
Initié : Maître dans l'une des traditions du Territoire.
Insigne Tuvor : Capitaine des Sangdragons.
Irin : Chevalier de la Troisième Equestre.

Jéhannum : un des trois Ravageurs.

Kévin le Dévastateur : fils de Loric Mortauvil.
Khamsin : Barde des plaines du Ra.
Kiril Threndor : repaire de Gloton Larva, enfoncé dans les entrailles de Gravin Threndor.
Korik : Sangdragon.
Krampo : substance adhésive.
Kresh : loup géant à robe jaune.
Kurash Plénéthor : région naguère appelée pierre Rompue portant désormais le nom de Fiefféal.

Lémures : créatures maléfiques aux ordres de Gloton Larva.
Léna · fille d'Atiaran.

Lillianrili : nom donné à la tradition du bois et aux initiés de ladite tradition.

Llaura : membre de la Sommité de la Haute Sylve.

Loge : école de Fiefféal où l'on est initié à la Tradition de Kévin.

Lomillialor : Bâton sacré.

Loric Mortauvil : Seigneur absolu, fils de Damelon, l'Ami des Géants.

Lor-liarill : bois fabuleux dans lequel sont façonnés gouvernails et quilles des navires.

Maître de la Tradition : dispense l'enseignement de Kévin.

Malfrai : lieu d'incubation des Ur-Vils et des Repentis.

Marepremere : océan qui borde la côte où abordèrent les Géants.

Melenkurion abatha : formule invocatoire employée face au danger.

Mhoram : Seigneur, fils de Variol.

Milice : soldats affectés à la défense du Donjon seigneurial.

Mithil : rivière qui arrose Mithil Pétragîte.

Mithil Pétragîte : village d'Atiaran.

Monts du Couchant : chaîne de montagnes qui s'étend à l'ouest du Territoire.

Nékropolis : demeure souterraine de Gloton Larva.

Nuage obscur : ombre maléfique que Férus a le pouvoir d'étendre au-dessus du Territoire.

Orcrest : pierres dotées de pouvoirs.

Osondréa : Seigneur, fille de Sondréa.

Pacificateur : premier nom de Bérek Mimain.

Peuple Ra : Serviteurs des Ranyhyns.

Phosphorateur : Initié à la tradition de la pierre.

Phosphorescentes : pierres en état d'incandescence.

Pierre de Malemort : pierre maléfique découverte par Gloton Larva dans les entrailles des Hauts du Tonnerre.

Pierre-qui-Rit : cité attenante au Donjon des Seigneurs.

Pourfendâmes : un des noms donnés par les Géants à Férus.

Premier Tabernacle : coffret dans lequel se trouve un septième de la Tradition de Kévin.

Prisme : chutes d'eau à proximité de la Pierre-qui-Rit.

Prodromes : Protecteurs des vestiges de la forêt Originelle, fort redoutés des voyageurs.

Prothall : Seigneur absolu, fils de Dwillian.

Quête : expédition entreprise par les Seigneurs pour récupérer le Bâton de la Loi.

Ranyhyns : grands coursiers fabuleux des plaines du Ra.

Ravageurs : au nombre de trois, anciens sbires de Férus.

Rédempteur : autre nom de Bérek Mimain.

Repaires : haltes où peuvent se reposer les voyageurs.

Repentis : chargés de l'entretien des Repaires. Issus du Malfrai comme les Ur-Vils, ils ont choisi le camp des Seigneurs.

Rhadhamaerl : tradition de la pierre, nom donné aux Initiés de ladite tradition.

Rugissantes : flots de lave crachés par les Hauts du Tonnerre.

Sangdragons : corps d'élite chargé de la protection des Seigneurs.
Satanicor : un des noms donnés par les Géants à Férus.
Seigneur absolu : premier parmi les Seigneurs du Conseil.
Seigneurs primordiaux : dynastie de Seigneurs antérieure au Rituel de Profanation.
Sept Tabernacles : ensemble des coffrets dans lesquels est enfermée la Tradition de Kévin.
Serment de Paix : serment prêté par tous les habitants du Territoire condamnant le recours à la violence.
Shéol : un des trois Ravageurs.
Simoun : Barde des plaines du Ra.
Solitudes : désert méridional.
Sombre Fléau : autre nom de Férus le Contempteur.
Sommité : nom collectif des responsables de la Haute Sylve.
Suru-pa-maerl : tradition de la pierre.
Sylvestre : membre de la Haute Sylve.

Tamarantha Variol-mie : Seigneur, fille d'Enesta.
Tohrm : Phosphorateur, Hospitalier du Donjon.
Trell Atiaran-mi : Phosphorateur de Mithil Pétragîte, époux d'Atiaran.
Tuvor : Insigne des Sangdragons.

Ur-Vils : créatures maléfiques issues du Malfrai.

Variol Tamarantha-mi : ancien Seigneur absolu, fils de Pentil.
Vermeil : arbre à feuilles d'or dont le cœur fournit le *lor-liarill.*

Yobel : jeune fille Balbuzar.

Déjà parus
chez FLAMME

Guy des CARS
Le Crime de Mathilde
La Voleuse

Rosemary ROGERS
Au vent des passions

Joy FIELDING
La Femme piégée

Kathleen E. WOODIWISS
Une rose en hiver

Dirk WITTENBORN
Zoé

Thomas HOOVER
Le Moghol

Rosalind LAKER
Le Sentier d'émeraudes

Kate COSCARELLI
Destins de femmes

George GIPE
et Chris COLUMBUS
Gremlins

Catherine NICOLSON
Tous les désirs d'une femme

Francesca STANFILL
Une passion fatale

Heinz G. KONSALIK
Quadrille

Stephen DONALDSON
Les Chroniques de Thomas l'Incrédule

A paraître :

Gay COURTER
Le fleuve de tous les rêves

Johanna LINDSEY
Un si cher ennemi

Cet ouvrage a été composé par Bussière
et imprimé par SEPC à Saint-Amand
pour le compte de FLAMME
27, rue Cassette, 75006 Paris
diffusion France et étranger : Flammarion

Achevé d'imprimer le 7-02-1985

Dépôt légal : février 1985
N° d'édition : 2113. N° d'impression : 2686-1908

Imprimé en France